COLLECTION
L'IMAGINAIRE

Raymond Queneau

de l'Académie Goncourt

Les Œuvres
complètes
de Sally Mara

Gallimard

Il n'est pas souvent donné à un auteur prétendu imaginaire de pouvoir préfacer ses œuvres complètes, surtout lorsqu'elles paraissent sous le nom d'un auteur soi-disant réel. Aussi dois-je remercier les éditions Gallimard de m'en offrir la possibilité.

Tout d'abord, il s'agit de dissiper un malentendu : ce n'est pas parce que le nom d'un auteur soi-disant réel figure sur la couverture d'un livre pour qu'il soit le véritable auteur des œuvres parues précédemment sous le nom d'un auteur prétendu imaginaire. Ce dernier n'a en effet rien d'imaginaire puisque c'est moi, signataire de la présente préface, et toute prétention à une plus grande réalité est ainsi réfutée a priori, sine die, ipso facto et manu militari.

Je dois avouer cependant que je ne maintiendrai pas une position aussi radicale pour l'ensemble de cet ouvrage. Si je proclame toujours mes droits maternels sur le Journal intime et On est toujours trop bon avec les femmes, je proteste par contre avec la plus grande énergie contre l'attribution qui m'est faite de Sally plus intime. Cet opuscule n'est en fait qu'un recueil de Foutaises (je répugne à écrire ce mot) que le soi-disant auteur réel de ces œuvres complètes a publiées ici et là, et quelquefois même sous le voile pervers de l'anonymat, ce qui n'arrange rien.

Malgré mes clameurs, il n'y a rien eu à faire ; les éditions Gallimard ont absolument tenu à joindre cette production, toute truffée de mots malséants, à mes deux œuvres authentiques. Un personnage attaché à cette maison, un certain Queneau (est-ce le même que l'autre ?), m'a écrit : « Vous en faites pas, des inédits c'est au poil pour faire avaler une réimpression, notre clientèle adore ça », et autres niaiseries ejusdem farinae. Je n'ai rien répondu (et pour cause) ; voilà pourquoi ce volume se termine par un maracryphe.

Naturellement ce qu'on dit à ce sujet, page 4 de l'édition princeps, du Journal intime, *est entièrement erroné : «dont, au moment de mettre sous presse, nous apprenons que l'on vient de retrouver le manuscrit». (On notera que l'achevé d'imprimer est du 21 janvier 1950.) Non moins absurde est l'introduction à* O.E.T.T.B.A.L.F. *(dont l'achevé d'imprimer — disons-le sans coquetterie — est du 8 novembre 1947). Cette introduction, signée «Michel Presle», ne figure heureusement pas dans la présente édition ; comme elle ne contient aucun mot de vrai (de près ou même de loin), je la citerai donc ici :*

On ne sait jamais ce que les gens ont «derrière» la tête. On peut connaître quelqu'un depuis vingt ans, s'il écrit, ce sera toujours une surprise. Au cours des différents voyages que je fis en Irlande entre 1932 et 1939, je rencontrai plusieurs fois Sally Mara. D'abord une fillette qui n'avait de remarquable que sa date de naissance : le lundi de Pâques 1916. Puis je la revis dans l'entourage de Padraic Baoghal, le poète. Timide et à peine jolie, elle se maria très jeune avec un iarannoire (quincaillier) de Cork, ville assez agréable.

Lorsque je revins en Eire après sept ans d'absence, Padraic Baoghal me remit un paquet scellé : c'était le roman que nous présentons aujourd'hui au public français. Sally Mara était morte très simplement et très obscurément d'une maladie quelconque en 1943. Elle me confiait le soin de traduire en français un manuscrit qu'elle savait impubliable dans sa langue originale.

Après avoir lu (non sans quelque surprise) l'œuvre de Sally Mara, je rendis visite à son époux. Le quincaillier de Cork, qui avait beaucoup engraissé depuis la mort de sa femme, n'en avait conservé qu'un assez vague souvenir ; il ne vit aucun inconvénient à ce que le bouquin parût au-delà des frontières de l'Eire.

Chacun jugera comme il lui plaira. On est toujours trop bon avec les femmes. Je ne crois pas qu'il faille voir des intentions politico-historiques dans la façon désinvolte dont sont traités les événements : ce n'est pas tout à fait ainsi, paraît-il, que se passa l'insurrection de Dublin, le lundi de Pâques 1916.

Qui est ce Michel Presle ? Rien. Ou plus exactement un pseudonyme du soi-disant auteur réel de ces œuvres imaginaires. Donc, moins que rien.

Par conséquent : comment aurait-il pu savoir quelque chose d'exact sur mon existence ? On me dira : mais ce Michel Presle apparaît dans votre Journal intime. Dakor : seulement voilà, *ce n'est pas le même ! Celui de mon journal était une production de mon* imagination : *il n'existait pas !! Quant aux indications biographiques contenues dans cette introduction, j'insiste sur ce point : elles sont toutes rigoureusement inexactes. Je serais née le lundi de Pâques 1916, jour de l'insurrection irlandaise ? Rien de plus* faux : je ne suis jamais née. *Je serais morte, obscurément à Cork en 1943 ? Rien de plus faux : j'écris cette préface dix-huit ans plus tard et je n'ai rien d'un fantôme, à la corpulence près.*

Oui, j'écris cette préface, mais pour quoi dire au fond et après tout ? Est-ce que ça empêchera l'autre *de mettre son nom sur* ma *couverture ? Non. Est-ce que ça convaincra quelques bonnes âmes que je suis bien l'auteur de ces écrits ? J'en désespère. Est-ce que ça améliorera ma réputation, fort abîmée dans la région de Cork depuis que ma renommée y a dégagé quelques-uns de ces scandaleux effluves ? Encore moins. Les bruns adolescents continueront à croire que je voulus humecter leurs rêves du suc de mes rêveries, moi qui n'ai jamais souhaité autre chose que manier des langues qui m'étaient étrangères, moi qui ai toujours voulu mettre la forme bien au-dessus du fondement, moi qui, n'ayant jamais de mauvaises pensées, que ce soit dans mes narrations élégiaques (J.I.) ou dans mes récits épiques (O.E.T.T.B.A.L.F.), ai toujours appelé avec candeur un chat un chat et un con un con, ainsi que me l'avait si bien appris mon bon imaginaire maître Michel Presle qui tenait cette doctrine d'un soi-disant auteur soi-disant réel qui maintenant... ah, misère !*

Sally Mara.

À consulter sur Sally Mara :

Pierre David, *Consubstantialité et Quintessence d'une fiction dérivée,* Lyon, 1958.

Journal intime

1934

Il est parti.

Le bateau s'en va, soufflant sa fumée monotone sur l'écran du ciel. Il siffle. Il suffoque. Il va. Et il emporte Monsieur Presle, mon professeur de langue française.

J'ai agité mon mouchoir, je le trempe de larmes, avant, cette nuit, de le serrer entre mes jambes, sur mon cœur Oh! God, qui saura jamais mon tourment. Qui saura jamais que ce Monsieur Presle emporte avec lui tout de mon âme, laquelle est assurément immortelle. Il ne m'a jamais rien fait, Michel. Monsieur Presle, je veux dire. Je sais que les messieurs de son âge font des choses aux jeunes folles du mien. Quelles choses et pourquoi? Je l'ignore. Moi, je suis vierge, c'est-à-dire que je n'ai jamais été exploitée («terre vierge : terre qui n'a jamais été exploitée», dit mon dictionnaire). Monsieur Presle, il ne m'a jamais touchée. Rien que sa main sur la mienne. Quelquefois elle glissait le long de mon dos, pour tapoter légèrement mon tutu. De simples gestes de politesse. Il m'a appris le français. Avec obstination! Il me l'a appris pas tellement si mal que ça, puisque, en son honneur, en souvenir de son départ, je veux dire, je vais à partir d'aujourd'hui, maintenant, écrire mon journal dans sa langue maternelle. Ce seront mes écrits français. Et les autres, mes anglais, je vais les foutre au feu.

«Foutre, me disait-il, est un des plus beaux mots de la langue française.» Il signifie : jeter, mais avec plus de vigourosité. Par exemple (je répète ici ses enseignements, et quel titillant plaisir de répéter ses enseignements, une douce chaleur m'en emplit la cage thoracique des omoplates à ma jeune poitrine qui ne l'est pas (plate)), par exemple donc : « On se jette un demi (de bière) derrière la cravate », et : « Un diamant vous en fout plein la vue. » Il aimait beaucoup me faire connaître les subtilités de la langue française, Monsieur Presle, et c'est pour cela que maintenant, en son souvenir, pour lui en foutre un jour plein la vue, je vais continuer mon journal intime en son idiome natal.

Ce journal, je l'écris depuis l'âge de dix ans. Maman me disait : « Bonne habitude pour les petites filles, ça développe leur conscience morale, elles se perfectionnent, et ça finit par en foutre plein la vue au curé qui les consacre nonnes jusqu'à leur décès. » C'est pas mon avis à moi. C'est pas que j'ai des mauvaises idées sur les bonnes sœurs, mais il y a d'autres choses à faire sur terre pour une personne du sexe féminin. Là-dessus je suis de l'avis de Michel, mon prof de français chéri, ah ! s'il avait su comme je répétais son prénom la nuit, jusqu'à en tomber en transes. C'est curieux comme j'ai quelquefois des sortes de crises la nuit en pensant à lui. Ensuite je dors merveilleusement.

Oui, le voilà parti sur son bateau et le canal Saint-George à la fois. Que ne lui dois-je pas ? De pouvoir écrire en français mon journal intime, et d'une, d'avoir le cœur mou, et de deux, et les susdites transes, et de trois. Me sentant si seule sur le bord du quai, j'ai pris solennellement deux résolutions en ce jour d'aujourd'hui, tandis que la lune des nuits se balançait lunairement immobile sous la sphère des cieux illunés, éclairant de sa pâleur lunaire le navire où Michel se prélassait vers son avenir universitaire et pas irlandais. Je pris donc la double résolution, deux points, d'abord, primo, de rédiger mon journal, non plus en anglais, langue de marins insulaires, ça n'est pas malin d'être marin quand on vit dans une île, mais bien en français, qui eux, les Français, habitent parfois des montagnes et même au milieu des plaines ; ensuite, secundo, d'écrire un roman. Mais un roman quelque chose de pommé, un qui n'ait pas l'air d'être rédigé par une jeune fille pas exploitée ; en irlandais par-dessus le marché, langue que j'ignore. Il va donc falloir que je l'apprenne et pourquoi est-ce que je veux l'apprendre ? Pour faire comme Monsieur Presle. Monsieur Presle est un linguiste : il sait toutes sortes de langues. Il a pris notamment des leçons de laze et d'ingouche avec M. Dumézil. Il a appris l'irlandais en un rien de temps : son séjour à Dublin a passé comme un éclair à travers le muscle de mon cœur. Mais c'est surtout en français qu'il y tâtait. Et quel bon professeur c'était ! La preuve : j'écris couramment mes intimités dans ce langage avec aisance et facilité. Si parfois un mot me manque, je m'en fous. Je continue droit devant moi.

Et le voilà qui partait. Le vent a commencé à souffler sur le port et le buvard des brumes a bu le bateau. Je suis encore restée quelque temps à regarder les ondulations du canal Saint-George, la ligne granitique des quais, la tension des cordages, la rigidité des bittes — un des premiers mots français dont Monsieur Presle m'ait appris le sens à cause de ses origines scandinaves : « *biti*, poutre transversale de navire ». Et les Vikings ne conquirent-ils pas notre verte Erin ?

Il était parti.

Le vent se mit à souffler avec énergie. Je retournai vers le train. Je longeais le quai. D'autres gens — des ombres — suivaient le même chemin, leurs adieux ou leur travail faits. La nuit épaisse était bousculée par un véritable ouragan. J'entendis de nouveau la sirène du paquebot.

Pour rejoindre le terminus, il fallait traverser une petite passerelle au-dessus d'une écluse. De l'autre côté, j'aperçus une voiture éclairée qui manœuvrait. Le cœur plein du souvenir de Michel Presle, je commençai à traverser la petite passerelle, mais au milieu du trajet je dus m'immobiliser. Je croyais que le vent allait m'emporter et me foutre là-bas, dans le bassin, au beau milieu d'une flaque d'essence qui étalait ses irisations à la lumière de la lune. Je m'agrippais à la balustrade, et, de l'autre main, j'essayais machinalement de saisir un autre point d'appui. Je sentis alors soudain la présence d'un monsieur derrière moi. J'avais deviné que c'était un gentleman : pas une femme ni un matelot. Et j'entendis une voix douce et polie me glisser dans le tuyau de l'oreille ces paroles secourables :

— Tenez bon la rampe, mademoiselle.

En même temps on plaça effectivement dans ma main demeurée libre un objet qui avait à la fois la rigidité d'une barre d'acier et la douceur du velours. Je le saisis convulsivement et, tout en m'étonnant que cette rampe demeurât tiède malgré l'aquilon qui soufflait de façon encore hivernale, je pus grâce à son aide atteindre saine et sauve l'autre rive.

L'aimable gentleman qui m'avait ainsi accompagnée rajusta

son macfarlane (à moins que ce ne fût un raglan ou un ouateurproufe, il faisait nuit, je n'ai pas pu distinguer. De plus je baissais
timidement les yeux). Je ne pus voir son visage, je ne distinguais
que, tracée sur les pavés inégaux du quai, l'ombre du macfarlane
(ou du raglan) (ou du ouateurproufe), qui, tout d'abord bosse-
lée, reprenait lentement et curieusement une ligne verticale, ou
du moins légèrement ondulée. Nous étions demeurés silencieux ; alors bien que je susse qu'il ne faut pas adresser la parole
à un monsieur auquel on n'a pas été présentée, je dis, avec toute
la gentillesse dont je suis capable :

— Merci, monsieur.

Mais il ne répondit pas et s'en fut.

De nouveau seule, de nouveau le port, la nuit, les sirènes. Le
tram avait fini sa manœuvre et se préparait à foutre le camp. Je
courus après. Je m'assis haletante. Il n'y avait, comme autres
voyageurs, que deux dockers somnolents et un jeune homme
que j'avais aperçu accompagnant une vieille dame (sa mère ?) au
paquebot. Comme je souriais vaguement, il rougit violemment
et fit semblant de lire un journal : ses mains tremblaient légèrement. Le tram démarra. Je payai ma place et je m'abandonnai à
mes pensées.

Ô doux émois d'un cœur de jeune fille, ô charmants frissons
du printemps d'une sensibilité, ô chastes curiosités d'une fleuris-
sante pucelle. Une mignonne exaltation m'emplissait toute et je
ne savais où donner de la tête. Mille idées contradictoires se heur-
taient sous ma chevelure (qui est belle... un peu auburn..
auburn foncé... auburn noir, très exactement) et une tendre chaleur montait et descendait le long de mon dos dans l'ascenseur
de ma moelle épinière, du rez-de-chaussée de mon séant au
sixième étage de mon bulbe. Je dis sixième, bien qu'à Dublin les
maisons n'aient guère plus de quatre étages, mais je suis plutôt
grande.

Je m'aperçois que je ne me suis pas encore présentée et que
mon cahier pour journal intime s'impatiente de ne pas mieux
connaître la personne qui griffonne sur ses pages. Eh bien voici,
cher confident : je me nomme Mara, le prénom est Sally. Je suis
régularisée depuis l'âge de treize ans et demi, un peu tardive-
ment peut-être mais je dois avouer qu'à ce point de vue-là je suis
une véritable petite horloge. Je n'ai plus mon père : il y a dix ans
il est allé acheter une boîte d'allumettes et jamais il n'est revenu,

il n'était pas nationaliste, mais il ne le disait à personne. J'avais alors huit ans. Je m'en souviens bien. Il était là, en pantoufles et dans sa robe de chambre à carreaux jaunes et violets. Il lisait le journal en fumant sa pipe. Il avait gagné au Sweepstake et avait donné tout l'argent de son gain à maman. Maman a dit tout d'un coup, comme ça :

— Tiens, il n'y a plus d'allumettes à la maison.

— Je vais aller en acheter une boîte, répondit paisiblement papa sans lever la tête.

— Tu sors comme ça ? demanda maman calmement.

— Oui, répondit paisiblement papa.

C'est le dernier mot que je lui ai entendu prononcer. Jamais on ne l'a revu.

Il me fessait régulièrement deux fois par jour pour manifester, disait-il, son attachement aux méthodes d'éducation recommandées par la couronne d'Angleterre.

Ma mère avec sa petite fortune personnelle et le montant du Sweepstake nous a tout de même fait donner une bonne éducation, à moi, à ma sœur et à mon frère : moi, personnellement, je ne fais rien, mais je pourrais être étudiante si je voulais. Ma sœur, qui a deux ans de moins que moi, voudrait être demoiselle des Postes : elle veut gagner sa vie et être indépendante, une idée à elle. Elle apprend beaucoup de géographie pour pouvoir un jour y parvenir. Joël, mon frère, c'est l'aîné, lui, il boit pas mal, surtout du ouisqui et de la bière Guinness que nous avons ici à la source. Il aime aussi beaucoup le ricard. Mais c'est difficile d'en trouver. Monsieur Presle lui en avait procuré une bouteille. On a bien ri ce jour-là ; on l'a vidée dans la soirée. Moi j'aime le hareng au gingembre, le poireau bouilli et les rollmops. Je mesure 1 m 68, et pèse 63 kilos. J'ai 88 cm de tour de poitrine, 65 de tour de taille et 92 de tour de hanches. Je porte des jupes très courtes, un slip, des souliers à talons plats. Les cheveux aussi je les porte très courts, et je ne me mets ni rouge à lèvres, ni poudre de riz. J'appartiens aussi à une société sportive. Je cours le 100 m en 10 secondes 2/10. Je saute 1 m 71 en hauteur et lance le poids à 14 m 38. Mais ces temps-ci j'ai un peu négligé l'athlétisme. J'aime croiser les jambes, je trouve cela prude et distingué à la fois, c'est aussi ce que pensait sans doute le jeune homme dans le tram, car de temps à autre il abaissait un peu son journal, levait ses paupières pour glisser un regard, puis rapidement il les laissait retomber, ses paupières. Moi je pensais à celui qui voguait maintenant sur les flots du canal Saint-George.

Nous arrivâmes dans la ville. Et nous — ce jeune homme et moi — par hasard, bien sûr, nous levâmes en même temps, pour descendre à la même station. Je ne l'avais jamais vu dans le quartier. Je m'aperçus que ses jambes tremblaient. Un instant je me demandai si ce n'était pas le monsieur qui m'avait si aimablement aidée à traverser la passerelle. Mais non, c'était impossible : ce jeune homme était assis déjà lorsque je montai dans le tram et le galant gentleman s'en était allé dans une autre direction.

Le tramway brinquebalant, le jeune homme se mit sur le marchepied pour descendre avant l'arrêt complet de la voiture. J'eus peur pour ce garçon et je faillis lui crier : « Tenez bon la rampe, monsieur ! » mais déjà il avait sauté, couru et disparu dans la nuit.

Je saisis à mon tour la rampe et la trouvai humide et glacée, elle n'avait pas la douceur, ni la tiédeur, ni la force, de celle de tout à l'heure.

À la maison, je trouvai Mary en train d'apprendre par cœur les sous-préfectures des départements français, toujours pour ses examens de demoiselle des Postes. Joël, l'œil mou et l'air vague, était assis, immobile et muet devant sept bouteilles de Guinness, cinq vides et deux à vider. Il ricana en me voyant. Il croyait que j'étais triste à cause du départ de Monsieur Presle.

Maman a beaucoup parlé de Monsieur Presle avec Mrs. Killarney. Joël poussait de temps à autre un hoquet idiot. Mais moi je souriais. Mary l'a remarqué. Après le dîner elle a voulu me faire parler, mais je me suis méfiée : je lui en ai raconté long sur la rampe et je n'ai presque rien dit au sujet de Monsieur Presle.

14 janvier

Cette nuit j'ai rêvé que j'étais dans une sorte de parc d'attractions comme le Coney Island que l'on voit dans les films américains. Un monsieur très aimable m'offrait un sucre d'orge, mais la friandise était si grosse que j'avais beaucoup de mal à la mettre dans ma bouche et à la sucer. C'est bête les rêves…

Monsieur Presle m'a dit que, sur le continent, et en Angleterre même, il y a des charlatans qui expliquent les rêves. Ça dure une heure et on doit s'étendre sur un divan devant eux, ce qui n'est pas très convenable, il me semble. Dans notre pays, le clergé est tout à fait opposé à ça.

J'ai toujours l'intention d'écrire un roman. Mais sur quoi ?

18 janvier

En relisant les premières pages de mon journal, je me demande si j'ai bien employé le mot « vierge ». Car dans le dictionnaire, il y a : « se dit d'une terre qui n'a été ni exploitée, ni cultivée ». Et moi, sans me flatter, je suis plutôt cultivée. Mais il faut que j'en prenne mon parti, il y aura plus d'une faute dans ces pages destinées à la seule postériorité.

20 janvier

Je commence à prendre des leçons d'irlandais, le jeune homme du tram aussi, c'est singulier. Notre professeur s'appelle Padraic Baoghal. C'est un poète. Il a de longs cheveux mous et une belle tête de bœuf. Il porte une lavallière noire comme en portent les Français (Monsieur Presle n'en portait pas : seulement des nœuds papillons). Son regard est fulgurant bleu. Je n'ai pas lu ce qu'il a écrit parce qu'il n'a écrit qu'en gaélique. Il donne des leçons particulières pour gagner sa croûte. Madame Baoghal y assiste. Aux miennes, du moins. Elle est assise dans un coin et peint des miniatures toutes petites avec application sans jamais lever les yeux. Le jeune homme du tram vient juste après moi. Quand je traverse le vestibule pour sortir, il est là qui attend. Il baisse les yeux alors.

25 janvier

Tiens, Monsieur Presle qui ne m'écrit pas.

27 janvier

Ce n'est pas très intime mon journal. Moi qui voulais y déposer toute ma petite âme (immortelle) ! Il est vrai que je passe beaucoup de temps sur l'irlandais qui est une langue très difficile. Padraic Baoghal trouve que je fais beaucoup de progrès. Mais où est mon intimité dans tout cela?

29 janvier

Joël ne pense absolument plus qu'à boire. Après le dîner, tandis que, seule dans ma chambre, j'étudiais la troisième déclinaison (*ceacht* et *badoir*), il est entré tout doucement et sans prononcer un mot s'est assis sur mon lit. Il me regardait sans méchanceté; il n'était pas d'humeur à casser quelque chose comme ça arrive quelquefois. Non, son regard humide était celui d'un veau doux. Je le trouvai hideux. Nous nous reluquâmes quelques instants en silence, puis il souleva son derrière (il y a un autre mot en français, mais je ne m'en souviens plus pour le moment) et sortit de sous ses fesses (ah, voilà! mais non, il y a encore un autre mot en français pour désigner le périprocte, impossible de le récupérer pour le moment), un livre qu'il avait caché en entrant. Il me le montra :

— Tu connais ce bouquin? me demanda-t-il.

Si je le reconnaissais! Il portait la jaquette en papier peint dont mon chéri professeur de français avait l'habitude de recouvrir ses livres. Lorsqu'il s'absentait quelques instants, je bondissais dessus et je les palpais sans oser les ouvrir (il me l'avait défendu). Lorsque j'entendais son pas qui revenait, je les remettais en place et, la gorge sèche, je prenais l'air d'une qui vient de se mettre dans le ciboulot la règle «pou, chou, genou...».

— Tu l'as volé? m'écriai-je.

— Il l'avait oublié, répondit Joël.

— Tu l'as pris de quel droit?

— Pour que tu ne le lises pas.

— Et toi, tu l'as lu?

Il soupira.

Je dis :

— Alors?

— Alors, j'ai découvert quelque chose de terrible.

Je n'osais plus le questionner, mais il répondit tout de même.

— J'en ai.

— Des quoi?

— Des complexes.

— Kéxé ?

Ainsi Monsieur Presle écrivait-il parfois le français afin de mieux m'en faire sentir les subtilités de l'orthographe. Naturellement, en anglais, je prononçai simplement la syllabe :

— Ouatt ?

Joël répondit :

— Oui, des complexes. Je me suis fait expliquer ce que c'était par un étudiant agronome qui connaît bien la question. Je ne vois pas comment je pourrais répéter à une jeune fille de ton âge des choses aussi secrètes. C'est pire que les péchés au confessionnal ; les péchés on les raconte une fois et puis c'est fini, tandis que les complexes on en parle pendant des années sans en venir à bout.

— Je ne comprends rien à ce que tu racontes, balbutiai-je.

— J'espère bien.

Je commençais à avoir un peu peur qu'il ne profère de ces mots indicibles et singuliers, qui, foutre ! auraient pu me faire rougir.

Il continua :

— Les curés, ils s'en font pas. Vous collez des *Pater Noster*, des *Ave Maria* et des chapelets et après on se tire. Le péché ? Lavé. Mais les complexes ? Ils s'en moquent ! C'est bien trop long pour eux. Ils n'auraient pas le temps de gagner leur biftèque s'ils devaient s'occuper des complexes de toute la population.

— Oh, toi, tu n'as jamais beaucoup aimé les curés.

Ce n'est pas que je les aime tellement, moi non plus. Dans notre famille, on est catholique. Mais sans excès : je crois fermement à la virginité de Marie, mais, quant à Dieu, les preuves que l'on donne de son existence me paraissent inspirées surtout par la superstition. Je vais à la messe (malgré le pince-fesse, ça ne rate jamais, au moins trois, quatre fois par séance) ; je me confesse, je fais mes Pâques, mais ça me tourmente pas autrement. Quant aux curés, comme maman dit, ce sont des hommes comme les autres, simplement ils sont de ceux qu'on n'épouse pas.

Mais Joël continuait :

— Tiens, tu veux que je t'explique ?

Je ne dis ni oui, ni non.

— Tiens, prends par exemple Mrs. Killarney...

(C'est notre ménagère.)

Il s'interrompit.

— Eh bien, quoi ? dis-je.

Je ne comprenais vraiment pas où il voulait en venir.

Joël se taisait toujours.

— Eh bien, quoi ? repris-je. Elle a de la moustache ?

Joël eut dans les yeux un éclair de vivacité. Ça faisait bien longtemps que ça ne lui était pas arrivé, à cet ivrogne. Il y avait anguille sous roche — je suis très calée sur le chapitre des proverbes ; mon prof' chéri m'en faisait apprendre des tas par cœur, ou des expressions comme : « Il en a deux comme le curé de Lisieux » ; « À pine perdue, rien d'impossible » ; « Laisser pisser le mérinos vaut mieux que chier dans la sauce » ; « Bordel pour bordel, j'aime mieux le métro, c'est plus gai et puis c'est plus chaud », etc. Quelle belle langue, tout de même, la française, quel plaisir pour moi, seule dans ma robe de chambre près d'un feu de tourbe irlandaise, de pouvoir manipuler les vocables exotiques et savoureux qu'utilisent au-delà de la Manche les dockers havrais, les cochers de fiacre, les moutardiers de Dijon et les nervis marseillais. Aaah ! je fonds, je fonds, tellement ma pensée est près de ma langue. Mais, bon Dieu de bon Dieu, je m'égare. Revenons au frangin. Après son mouvement de lucidité, il se leva pensivement et dit doucement :

— Oui, c'est bien ce que je disais, c'est bien ce que je disais.

Et il sortit.

En emportant le livre.

30 janvier

J'ai fouillé dans sa chambre. J'ai trouvé cinq bouteilles de ouisqui sous son lit, mais pas de bouquin. Il l'a drôlement bien planqué.

31 janvier

Pas de nouvelles de Monsieur Presle. Il n'est pas gentil tout de même ; lui qui avait tellement bien promis de m'écrire.

2 février

Toujours pas moyen de mettre la main sur le bouquin aux complexes.

3 février

Pas de lettre de Monsieur Presle, encore aujourd'hui. Le faisan !

4 février

J'ai pris aujourd'hui le tram pour Dunleary — c'est-à-dire Kingstown, le port de Dublin. Je dis Dimleary, à l'imitation de mon maître Padraic Baoghal. Je trouve d'ailleurs un peu noix ce patriotisme linguistique, mais enfin je peux me permettre ça dans ma journalintimité. Il fait nuit encore assez tôt, et brouillard. Je me suis promenée sur le port. Je ne m'y reconnaissais pas très bien. J'hésitai entre différentes passerelles. Enfin je reconnus la mienne, éclairée faiblement comme le jour du départ de Michel Presle. Mon cœur battit plus vite dans ma poitrine, et je me souvins avec force de cet autre proverbe français que m'avait appris celui qui était parti : « Aux innocents, les mains pleines. » Mais je ne retrouvai pas mon galant gentleman.

Et dans le tram, il n'y avait même pas mon collègue, le jeune irlandisant timide. Il y avait simplement un peu moins de brouillard sur Dublin, mais l'odeur de Guinness était plus intense.

5 février

Ma sœur Mary n'a plus à apprendre que les sous-préfectures du Tarn-et-Garonne et du Var. Joël n'a pas dessaoulé depuis trois jours. Je regarde Mrs. Killarney et n'arrive pas à découvrir ce qu'elle peut avoir de complexe.

6 février

Mme Baoghal m'a invitée à prendre le thé chez elle. J'étais terriblement émue. J'ai fait trois fois ma petite commission avant de sortir, et voilà que dans le tram, à la hauteur de Cuff Street, me voilà reprise d'une envie. Mon Dieu, mon Dieu, qu'est-ce que j'allais faire ? Mon cœur battait, une vraie panique. Tellement intimidée. Il y aurait d'autres grands poètes et leurs dames qui m'examineraient, et des jeunes gens qui voudraient sûrement me marier, et parmi eux certainement le jeune homme du tram qui apprend l'irlandais comme moi. Et mon désir de me soulager qui allait en s'accroissant et ce brinquebalement du tram qui ne faisait qu'augmenter mon besoin et projeter ma vessie dans ma lanterne. Je serrais les mâchoires, sans bouger la langue. Je m'agrippais après mes genoux. Je regardais au-delà de tout, à travers les vitres, sans rien vouloir fixer du regard. Je commençais à me sentir un peu de sueur sur les reins et sous les bras. Il me sembla même que quelques gouttes devaient perler entre mes jeunes seins. Je me dis que je pourrais résister jusqu'à la rencontre avec Mme Baoghal, évidemment il y aurait l'escalier et c'est terrible de monter un escalier lorsqu'on est tourmentée par une impulsion aussi nécessaire et puis, évidemment aussi bien sûr, la première chose que je n'oserais jamais dire à l'hôtesse ce serait : « Où se trouvent les commodités ? » il me faudrait attendre avant de poser la question, d'obtenir la réponse et de me rendre au lieu demandé. Mes inquiétudes viscérales se multiplièrent donc d'angoisse et alors, qui est-ce qui prend le train à l'arrêt de Dame Street ? Le jeune irlandisant. Des frémissements électriques circulèrent autour de ma tête, du menton aux oreilles, de la nuque à l'occiput. Et dans mon ventre, c'était comme si on y avait greffé une bouillotte d'eau chaude, un aquarium tropical, une marmite urique. Je faillis hurler ; ça n'était plus possible. Je vis arriver Great-Brunswick Street et je songeai à ma tante Cornelia. Ça faisait deux ans que je n'avais pas été la voir, la tante Cornelia, mais elle ne me refuserait pas ce service. Je me dressai, et j'aperçus l'œil effaré du jeune irlandisant. Il croyait à coup sûr que je ferais le voyage avec lui jusqu'à la Colonne de Nelson, que nous descendrions du tram ensemble, alors il m'adresserait la parole, quelque chose comme : « Mademoiselle, il me semble que nous nous sommes déjà rencontrés...» Même s'il était atrocement ballot, ce foutu irlandisant aurait été *obligé* de m'adresser la parole. Mais voilà que j'ai pensé à la tante Cornelia, alors je me suis dit : « Tout de même, je ne vais pas souffrir plus longtemps, d'autant plus qu'ils sont à l'anglaise. » Alors je suis descendue brusquement du tram.

Heureusement que la tante Cornelia était chez elle. Et j'ai bonne mémoire : ils étaient vraiment à l'anglaise.

7 février

Il paraît qu'à Paris en France il y a eu du grabuge. Ici, on en a vu d'autres. Pourvu que Monsieur Presle n'ait pas reçu un mauvais coup, bien que ce ne soit pas un homme à se bagarrer. D'ailleurs, il m'a dégoûtée des chemises bleues de notre général O'Duffy et, de plus, complètement purgée de tout sentiment patriotique depuis qu'il m'a appris que l'Irlande est une plus petite île que Terre-Neuve : ce que l'on nous cache toujours.

15 février

Un journal intime c'est bien si c'est pas labeur. Tous ces jours-ci, pas envie, *envie* de quoi ?... Décidément je fais de plus en plus intime. Tout de même ça me donne une certaine fierté de penser qu'à coup sûr, aucune jeune fille anglaise, écossaise, terrenovienne ou autre n'est aussi intime que moi.

Je m'aperçois à ce propos que je n'ai pas terminé le récit du thé chez Mme Baoghal. Donc, après ma rapide visite à la tante Cornelia surprise, j'ai repris le tram pour Sackville Street. J'étais en retard et rougissante ; effectivement de nombreuses personnes se trouvaient là : le maître et madame m'accueillirent aimablement et protectivement et me présentèrent les intellectuels et tuelles présents. Le poète Connan O'Connan, son ami le poète Grégor Mac Connan et son beau-frère le poète Mack O'Grégor Mac Connan ainsi que le barde-druide O'Cear et le philosophe primitiviste Mac Adam, ainsi que leurs épouses Mrs. Connan O'Connan, Mrs. Grégor Mac Connan, Mrs. Mack O'Grégor Mac Connan, Mrs. O'Cear et Mrs. Mac Adam et leur fils George

Connan O'Connan, Phil Mac Connan, Timoléon Mac Connan, Padraic O'Grégor Mac Connan, Arcadius O'Cear, Augustin O'Cear, César O'Cear, Abel Mac Adam et Caïn Mac Adam, et leurs filles Irma Connan O'Connan, Sarah Mac Connan, Pelagia Mac Connan, Ignatia O'Grégor Mac Connan, Arcadia O'Cear, Beatitia Mac Adam et Eva Mac Adam, ainsi que le jeune irlandisant timide du tram : Barnabé Pudge. Ainsi appris-je son nom. Et il rougit plus que je ne le fis, car je réussis quelque chose d'assez bien genre personne pâle.

— Allons, mes amis, dit Padraic Baoghal, maintenant que connaissance est faite et que nous sommes au complet, nous allons...

— Une tasse de thé ? me proposa l'épouse du maître de céans, tandis que celui-ci tapotait discrètement le mien, de séant.

Jamais, il ne s'était permis de me traiter ainsi, comme une écolière. Je suis une étudiante, moi. Je n'en croyais pas ma croupe.

— Merci, répliquai-je, et je me secouai légèrement comme une jument qui chasse les taons.

— Elle est charmante, susurra Mme Baoghal.

Comme si elle ne me connaissait pas ! Elle qui ne décarre, pas d'un centimètre pendant toute la durée des leçons !

On distribue des tasses de thé et chacun marivaude autour des pierres de sucre.

— Elle est charmante, confirma le grand poète.

Un petit essaim d'admirateurs de plusieurs sexes l'emporta. Alors surgit devant moi Barnabé Pudge, la face écarlate.

— Mais... dit-il.

— Eh ? interrogeai-je.

— ... ne nous ?... continua-t-il.

— ... ne serait-ce... pas ? rétorquai-je.

— ... avons-nous pas ne pas ?...

— ... me semble que...

— ... je...

— ... vous...

— ... tram...

— ... ouai...

Les gouttelettes de sueur se mettaient à dévaler son beau front de linguiste.

— ... je que ne vous ne pas ?... demanda-t-il.

— ... re ce que je repeux..., répondis-je.

\- ... alors vous vous vous oui oui..., insista-t-il.

— ... mais si vous y en eu eut..., répliquai-je.

— ... ba la ble ble hihi..., poursuivit-il.

— ... ah... Ah..., fis-je

— ... eu eu... eu eu...

Il revint aussitôt sur ce sujet :

— ... eu eu... eu eu...

Pendant tout ce temps, je ne pensais qu'à une chose : en aurais-je un souvenir assez exact pour pouvoir scrupuleusement noter cette conversation dans mon journal intime. Et je le fais pourtant huit jours après.

— ... eu eu...

Padraic Baoghal passa près de nous et dit :

— Allons, allons, ce n'est pas le moment de faire du sentiment.

La séance, en effet, allait commencer. J'étais arrivée en retard. On se préparait.

Barnabé (autant l'appeler tout de suite par son petit nom), Barnabé me confia dans un murmure :

— Comme vous êtes mystérieuse, mademoiselle.

Je frissonnai de plaisir. C'était plus que bath, tout de même, d'intriguer un jeune homme distingué.

Cependant, Mme Baoghal, qui est une vieille femme d'une trentaine d'années, s'était installée dans un fauteuil et commençait à se recueillir tout en tapotant et tiraillant sa robe d'une main coquette et machinale. La robe en question était tout ce qu'il y avait de plus chouette : en gros crêpe aubergine avec une encolure légèrement drapée, des manches jaune canari très volumineuses au-dessus du coude et une large ceinture de satin bleu pâle nouée intelligemment sur le côté.

Tout le monde avait fini par se placer ; on éteignit les lumières. Aussitôt, ça n'a pas raté, une main d'homme se posa sur ma cuisse droite, et une autre sur la gauche. Celle de gauche (une main droite par conséquent) était inquisitive et mobile, celle de droite possessive et sculpturale : la griffe d'un lion.

La séance commença : de l'oreille de Mme Baoghal commença de sourdre une substance blanchâtre et gluante qui prit peu à peu une forme vaguement ovoïde. Je surveillai la chose attentivement (je n'y crois pas) et pour ne pas me laisser distraire, je pris la main de droite et la mis en contact avec la main de gauche; elles se palpèrent un instant, puis se retirèrent avec vélocité.

La forme ovoïde se transforma peu à peu en une tête vaguement humaine; puis elle se contracta et rentra dans l'oreille éjaculatrice (voilà un mot bien savant, ce n'est peut-être pas dans ce sens-là qu'il faut l'utiliser, mais il est tard et j'ai la flemme de regarder dans le dictionnaire). Alors, Mme Baoghal se mit à parler d'une voix étrange et préfabriquée, décrivant la vie des habitants de Jupiter, qui sont trigames, hermaphrodites et se reproduisent par bourgeonnement. Je trouvais ce discours bien rasoir, répugnant, et je me demandais si, pour passer le temps, je n'allais pas, moi, poser mes mains sur les cuisses de mes voisins pour voir ce qui se passerait. Mais je n'osai pas.

Enfin le laïus se termina, Mme Baoghal poussa quelques gémissements et l'on redonna la lumière.

Mon voisin de droite (Padraic Baoghal) se tourna vers moi et me demanda d'un air stupide :

— Alors, petite fille, vous n'êtes pas trop impressionnée?

— Oh non! m'sieur, répondis-je.

Mon voisin de gauche (le barde-druide O'Cear) regarda Baoghal d'un air insolent.

— Mademoiselle ne perd pas facilement le nord, il me semble.

J'entendis une voix intérieure qui murmurait :

— Tenez bon la rampe, mademoiselle.

Et je revis le port avec son doux contact.

L'âme tout occupée par le souvenir de mon gentleman, je passai le reste du temps à papoter avec Arcadia et Pelagia, tandis que mon œil se posait distraitement ici et là sur le pantalon de ces messieurs.

18 février

Le temps passe. Je m'ennuie et je me sens toute drôle. Ce n'est pourtant pas l'approche de la ménopause (un mot encore dont il faut que je vérifie le sens dans le dictionnaire) mensuelle qui me tourmente. À ce point de vue-là, je n'ai pas à me plaindre. Mais je me sens une boule sur le jejunum qui m'oppresse au point que je voudrais m'acheter une robe neuve, une belle robe comme celle de Mme Baoghal, une robe française. À propos,

Michel ne m'a pas encore écrit : peut-être a-t-il péri en mer. Ça ne me déplairait pas d'avoir apprécié un homme qui se serait négativé dans l'eau salée des océans. Il me semble que la nuit, les jours d'orages blancs, je verrais son fantôme, tout vert comme la frange d'une huître.

19 février

Dire qu'il y a tant de ses admirateurs qui voudraient le connaître, Padraic Baoghal, et moi je le vois familièrement trois fois par semaine, toujours très correct (son égarement ne fut qu'éphémère) et toujours, je dois le dire, en présence de Madame qui ne croit pas aux choses éphémères (elle a l'esprit très haut placé) et continue à peindre minutieusement des miniatures. Elle ne me les montre jamais. Je crois qu'elles représentent des scènes de l'autre monde.

20 février

J'ai mis Mary au courant de l'histoire du livre. Elle a souvent des idées subites. Et Joël est plus doux, plus con avec elle qu'avec moi.

21 février

L'orthographe irlandaise est invraisemblable. Si je n'avais vraiment pas une très forte envie d'écrire un roman dans cette langue celtique, je ne l'apprendrais point. On écrit *oidhce* ce qui se prononce *i* et *cathughadh* ce qui se prononce *cahu*. Padraic Baoghal trouve ça superbe parce que ça fait la pige au français. Comme si ça avait un rapport.

23 février

Ma sœur Mary n'a pas été capable, malgré mes confidences, de soutirer à mon frère un aveu quant à l'endroit où il a planqué ce bouquin qui m'intrigue tant. Tout ce qu'elle a pu faire, c'est de recevoir un coup de pied au cul (ah, voilà le mot que je cherchais l'autre jour). Elle apprend maintenant les cantons suisses, Argovie, Appenzell, Glarys, Schwyz, Untenwalden, Jug, non mais qui est-ce qui connaît ces endroits-là ? Ça m'agace.

24 février

Enfin, il m'a parlé. Il m'attendait dans la rue.

— Bonjour, mademoiselle, me dit-il lorsque je sortis.

— Bonjour, monsieur, répondis-je avec modestie.

— Mon nom est Barnabé Pudge, ajouta-t-il d'une voix légèrement angoissée. Nous avons été présentés chez Padraic Baoghal.

— Oui, monsieur, confirmai-je modestement.

C'est rudement bien écrit ça : « confirmai-je modestement ». Monsieur Presle, il m'a tout de même foutrement bien appris la langue française. Évidemment, il y a une répétition : quelques lignes plus haut j'ai mis « avec modestie ». Tout de même je ne dois pas être trop exigeante avec moi, sans ça je n'en sortirais plus. Faut avouer aussi que ça m'englue, cette histoire de Barnabé. Ce qu'il peut me barber, ce gars-là. Enfin je raconte la rencontre malgré tout, pour faire journal. Un jour ça m'amusera peut-être de relire ça.

Nous fîmes donc quelques pas ensemble, ah oui, j'oubliais, il m'avait demandé si je ne voyais pas d'inconvénient à ce qu'il m'accompagnât un bout de chemin et j'avais répondu : Ma foi non. Nous les fîmes en silence, les quelques pas ; il cherchait un sujet de conversation. Enfin, il toussote et dit :

— C'est une langue bien difficile, n'est-ce pas, mademoiselle, que notre irlandais celtique.

Il avala sa salive avec sans doute en supplément la moitié de sa langue et répéta la même phrase en irlandais :

— *Is an-deacair an teanga au Gaedhilig.*

— *Taib*, répondis-je, *is an deacair an teanga an Gaedhilig.*

— Surtout l'orthographe, ajouta-t-il.

— Oui, certes, répondis-je en rougissant de dépit.

Je trouvais sa réflexion banale, alors ça me vexait de l'avoir inscrite sur ce journal il y a deux ou trois jours.

Puis tout retomba dans le silence et nous arrivâmes au coin d'O'Connell Street.

— Monsieur Pudge, lui dis-je, vous allez être en retard à votre leçon.

— Oh non, bêla-t-il, j'ai pris mes dispositions pour ne pas.

— Ah ? fis-je interrogativement.

— J'ai prévenu monsieur Baoghal que je ne pourrai pas venir aujourd'hui à ma leçon.

Il abaissa ses longs cils supérieurs sur sa paupière inférieure.

— J'ai donné comme excuse la mort d'une vieille tante. La mort imaginaire, ajouta-t-il en gloussant.

— Oh ! fis-je scandalisée.

Il croyait sans doute que j'allais admirer son astuce de collégien. Il se renfrogna.

— Vous ne croyez pas que ça pourrait lui porter malheur ? me demanda-t-il d'une voix chevrotante.

Il ne fallait pas tout de même pas tout de même, que la conversation tourne au saumâtre. Je le laissai quelques instants mariner dans son jus superstitieux, puis je répondis d'un air guilleret :

— Malheur ? Vous voulez dire qu'elle peut en crever la gueule ouverte et pas plus tard qu'asteure présente.

Je me tournai vers lui et je m'aperçus que je l'avais drôlement fait débander, son ressort intérieur ; il avait l'air d'une montre qui s'essouffle et pantèle pour n'avoir pas à se croiser les aiguilles à minuit.

— Vouvous croicroicroyez ?

— Oui, à votre place, je foncerais dare-dare chez monsieur Baoghal pour ne pas avoir un décès sur l'inconscience.

— Ah bien, ah bien !

Il était d'un vert un peu pomme avec du jaune coing çà et là. Un peu dégueulasse à voir, le Barnabé. Je m'aperçus que ses jambes tremblaient et que c'était tout juste s'il n'allait pas jouer au cul-de-jatte, mais tout de même ça n'était pas à moi de lui tenir la rampe, la situation n'était pas la même et ma petite rampe à moi autant dire qu'elle ne lui aurait été d'aucun secours, à supposer que je la lui eusse offerte.

Il finit par s'esquiver, sans grandes formalités de politesse.

Et tout ça, sans clair de lune.

10 mars

Pas revu Barnabé. Je dois être trop mystérieuse pour lui.

11 mars

Joël est rentré encore complètement noir à la maison. Sans l'attendre on avait humé la soupe. Lui, aussitôt arrivé, il s'est mis à déboutonner son pantalon. Comme ça nous faisait rire, il a couru à la cuisine et on a entendu Mrs. Killarney qui poussait de drôles de gémissements.

À ce propos, l'autre jour, elle s'est roussi sa robe par derrière. Je n'ai jamais pu lui faire expliquer comment.

12 mars

Il était très tard lorsque Joël descendit pour prendre son breakfast. Sa mine lamentable m'apitoyait. Sans me voir, il s'assit et plongea son couteau dans le beurre pour s'en tartiner ensuite le creux de la main. Il avait oublié d'y mettre un toast. Je le lui fis remarquer. Il me répondit :

— Ah ! enfin, tu daignes m'adresser la parole. Tu sais, je suis tout de même ton frère et ton aîné, le chef de famille puisque père n'est pas là. Je le suis et je le reste...

Il interrompait ses phrases pour se lécher la paume.

— ... même si j'ai grimpé la cuisinière.

— Tu as grimpé sur Mrs. Killarney ! m'écriai-je. Mais pour quoi faire ?

Il me regarda d'un air de pitié qui m'irrita profondément.

— Oui, continuai-je, si tu avais besoin d'attraper quelque chose dans le placard, tu n'avais qu'à prendre l'escabeau, et pas à monter sur les épaules de Mrs. Killarney.

Il haussa les épaules, s'essuya le creux de la pince et siffla sa tasse de thé tiède.

— Pouah ! fit-il. Quelle boutique ! Quant à toi, ajouta-t-il, il serait grand temps que tu te fasses grimper, même par un âne.

— En voilà une idée ! Je ne me vois pas portant un aliboron sur mes épaules !

Je pouffai, mais réussis à ajouter :

— Et j'aurais bien aimé te voir à cheval sur les épaules de Mrs. Killarney pour attraper le pot de marmelade.

J'en pleurais de rire. Mary aussi. Joël donna un grand coup de poing sur la table. Toutes les tasses firent un petit bond.

— Idiote ! Je te le répète. Il est grand temps. Tu comprendras un jour ce que je voulais dire. Mais alors, tu seras pourrie de complexes. Comme moi ! tiens : comme moi !

Les tasses recommencèrent à faire de petits bonds. Quant à moi, je n'en pouvais plus. J'en gloussais. Maman accourut :

— Qu'est-ce qu'il y a ? Qu'est-ce qu'il y a ? Pourquoi ce bruit ? Cette hilarité ?

— Il a grimpé sur Mrs. Killarney, hoquetai-je en montrant Joël. Il a grimpé dessus ! Il a grimpé dessus !

Un doux sourire vint se poser sur les lèvres de maman :

— Ce n'est pas bien ça, lui dit-elle gentiment, tu lui as manqué de respect. Que tu fasses ça avec des amis pour jouer, mais avec cette brave femme... Que va-t-elle penser de toi ?

— Elle aime ça, gronda Joël.

Maman soupira :

— L'humanité est bien bizarre. Enfin, faut de tout pour faire un monde.

Elle sortit.

— Moi aussi, je me tire, dit Joël. Adieu, ma belle.

— Adieu.

— *Cuir amach do theanga !* gueula-t-il.

Et il disparut.

Comme il ne connaissait pas un mot de gaélique, je me demandai où il avait bien pu apprendre cette phrase, dont je ne compris pas le sens. Et je n'oserais pas demander la signification de ces mots certainement choquignes à mon maître, le poète Padraic Baoghal. Comme tous ces événements avaient quelque peu froissé ma sensibilité, je sombrai dans la mélancolie.

Je sentis le besoin d'abord d'aller au petit coin et ensuite de reprendre contact avec ce qui élève l'âme (immortelle) : l'Art. Aussi, quelques minutes plus tard, me trouvai-je devant la National Art Gallery, West Merrion Square. Ce n'était pas la première fois que j'y foutais les pieds, mais ce jour-là une émotion toute

particulière étreignait mon âme (immortelle). Je m'attendris,
comme d'habitude, devant le portrait de Stella, ne me sentis pas
le courage de monter au premier étage pour voir les tableaux de
Leslie, Maclise, Mulready, Landseer et autres Wilkie et allai me
promener dans le jardin. J'étais seule, les arbres encore sans
feuilles tendaient la trame sévère de leurs branches au-dessus de
ma tête, je regardai une à une et longuement les statues d'après
l'antique qui ornent çà et là les allées. Ce ne sont pas des vraies,
ce sont des moulages, des copies : les unes en bronze, les autres
en plâtre, d'autres enfin en marbre ou en granit. Celle qui m'attira tout d'abord, après une tournée générale, fut l'Apollon dis-
cobole. Comme tous les autres dieux il portait un caleçon (court,
mais caleçon tout de même). Il paraît que dans la réalité les
dieux n'en ont point, du moins leurs statues. Pourquoi le conser-
vateur du musée leur en offre-t-il? C'est un mystère. Il doit se
cacher quelque chose là-dedans.

Une petite bande de gazon me séparait de l'œuvre d'art.
Après avoir regardé autour de moi, mais non, personne, je la
franchis, cette bande, et me trouvai le nez contre les mollets du
divin athlète. J'entrepris de les lécher. Mais ils étaient en plâtre,
et au bout de peu de temps un goût de fromage blanc trop
écrémé, un peu trop sec, m'emplit la bouche. Je regagnai le gravier et, quelques pas plus loin, fis choix d'un Hercule Farnèse.
Celui-ci avait des arpions de marbre. J'enjambai de nouveau le
gazon. Coup d'œil circulaire. Non, personne. Commence à pleuvoir un peu. Toutes petites gouttes. Je penche la tête, j'applique
mes lèvres sur le gros orteil du héros, ma joue se pose sur son
métatarse. Une goutte d'eau tombe devant mon œil, sur le pied
semi-divin. J'entrouvre ma bouche, allonge la langue, étale la
bénéfique rosée sur les divines ondulations que forme à chaque
doigt la naissance du prochain. D'autres gouttes d'eau tombent,
je les annexe. Tout cela est frais et gracieux. J'explore les fos-
settes interdigitales et je polis de ma salive les ongles, délicieusement fignolés par Glycon, de ce mastodonte de la mythologie
dont j'appréciais en perspective la musculature éclatante. Les
panards ne me suffirent plus.

Il pleuvait de plus en plus. Toujours personne dans le jardin.
Aux fenêtres du musée, nul guetteur. Un petit rétablissement
(enfantin) me permit de me hisser sur le socle et je me trouvai
nez à nez avec la statue. Je l'enlaçai, me collant contre elle, mais

je ne sentis rien de spécial. Ses yeux étaient vides et l'averse semblait la faire pleurer bêtement. Je lui soufflai dans l'oreille :

— Tu as peur de moi, hein, mon petit Barnabé Pudge, tu as peur de moi ?

Mais ce n'était vraiment que du marbre en caleçon. Les fureurs de mon imagination s'apaisèrent et je me préparai à redescendre lorsque j'entendis une voix qui me disait sans rire :

— Faites bien attention de ne pas tomber, mademoiselle.

Épouvantée, je ne m'en agrippai que plus fort à mon Farnèse et n'osai tourner la tête.

— Vous avez l'intention de rester longtemps là-haut ? reprit la voix. Désirez-vous que je vous apporte une chaise pour vous aider à redescendre ?

Comme elle chevrotait, cette voix, je soupçonnai que c'était celle d'un vieux ; comme elle n'avait rien d'ironique, je supposai que ledit vieux était compréhensif ; et je conclus que je devais me rassurer et que je n'allais pas tomber entre les mains d'un sagouin qui profiterait de ma situation délictueuse pour abuser de mes charmes et se livrer sur moi à des actes malhonnêtes comme me tirer les cheveux ou me faire panpan sur le tutu.

Je me retournai donc et aperçus ce que j'avais deviné, c'est-à-dire l'un des gardiens du musée, vieillard chenu (qu'est-ce que ça veut dire au juste « chenu » ? Il faudra que je regarde tout à l'heure dans le dictionnaire), que je connaissais d'ailleurs de vue (et lui, peut-être moi, ce n'était pas naturellement la première fois que j'allais au musée, mais jusqu'à présent jamais encore je n'avais osé toucher à la sculpture) et qui portait des cheveux blancs sous sa casquette et des décorations sur sa redingote. Que ces décorations aient été gagnées au service de l'Angleterre ou de notre Eire natale, voilà ce dont je me foutais éperdument.

— Bonjour, monsieur, lui dis-je d'un ton qui me parut des plus naturels.

Mais je me rendis compte à ce moment que je devais avoir l'air fine, accrochée sous la pluie, à ce gros butor en marbre. Je rougis de dépit.

— Bonjour, mademoiselle, répondit l'ancêtre bien poliment. Comment allez-vous faire pour descendre de là ? Attendez, je vais vous chercher une chaise.

Il y tenait, le mignon.

Pour qui me prenait-il ?

Je me dissociai de mon Hercule et d'un bond gracieux atterris dans une petite mare de boue au milieu de l'allée, éclaboussant ainsi le vieux schnock. Tout en s'essuyant, il me disait toute son admiration :

— Ce que mademoiselle saute bien, disait-il. Ce que mademoiselle saute bien. Mademoiselle est sûrement une sportive.

Je ne savais pas trop que lui répondre.

Après s'être débarbouillé, il remit son mouchoir dans la poche et, cessant ses louanges hypocrites, il me demanda froidement en me regardant droit dans les yeux.

— Alors, cet Hercule, est-il beaucoup plus beau de près ? À la loupe ?

— C'est, monsieur, que j'ai la vue basse, crus-je astucieux de répondre.

Des frémissements annonciateurs de tempête parcouraient ses mains velues et grisonnantes. Il continuait à pleuvoir et le gardien à m'interroger.

— C'est le muscle qui vous intéresse ?

— Non, monsieur, la mythologie.

— Parce que du muscle, ce n'est pas la peine de grimper sur un socle pour en sentir. Tenez, tâtez !

Il couda le bras pour que j'apprécie son biceps. Mais je n'en fis rien.

— Sans intérêt, murmurai-je.

Un peu de haine colora son regard. Il commençait à m'agacer, ce stupide, et même à me faire peur. S'il allait se mettre à me toucher. Nous étions toujours seuls dans ce jardin déplumé par le précédent automne et que le printemps n'avait pas encore fait reverdir. Est-ce qu'il me faisait vraiment peur, ce stupide ? Je l'examinai impartialement. Non. D'une pichenette j'aurais envoyé ce débris dans la bouillasse.

Mais il voulait m'avoir à l'intimidation.

— Mademoiselle, vous devez savoir qu'il est rigoureusement interdit de cracher sur le parquet, d'introduire des chiens dans la salle des maîtres hollandais, de s'appuyer sur les vitrines et de se hisser sur le socle des statues. Toute personne enfreignant ces défenses sera punie d'une peine allant de cinq à vingt-cinq coups de chat à neuf queues.

Encore un qui ne pense qu'à ça, me dis-je. Il me rappelait mon père. Tiens, qu'est-ce qu'il devenait celui-là ? Peut-être n'avait-il pas encore trouvé sa boîte d'allumettes? Au fond, tous à la maison, on était bien débarrassés. Évidemment, s'il avait été là, Joël ne serait sans doute pas devenu un ivrogne. Mais depuis que papa était parti, j'avais eu au moins le derrière tranquille. Ceci compensait largement cela.

Pendant que ces pensées (si j'ose dire) traversaient ma petite âme (immortelle) à la vitesse d'un pur sang harcelé par un pur taon, le satyre des Beaux-Arts avait entrepris de poser ses mains attentatoires sur différentes parties de mon imperméable. C'est fou comme ça me faisait peu d'effet. Je jugeai donc inutile qu'il insistât; afin de l'en persuader, je lui fis une clé arrière au bras suivie d'un coup de talon sur le tibia gauche et d'un écrasement des doigts du pied droit.

Je le laissai par terre en proie à ses méditations et sortis du musée pour me rendre chez Baoghal. Un peu émue malgré tout, j'éprouvai le besoin de me soulager et fis une visite, très brève, à la tante Cornelia, encore plus surprise que la dernière fois. Ce devait être une journée à événements : Mève, la petite bonne de Mme Baoghal, m'apprit que le Maître et son épouse étaient partis pour Sligo enterrer une arrière-grand-tante. Je demeurai là sur le palier toute chose, ne sachant que faire.

— Entrez donc tout de même un peu, mademoiselle, dit Mève.

Elle est très gentille et très aimable, Mève. Elle vient du Connemara et parle aussi bien le gaélique que l'anglais. Elle en sait plus long que Baoghal lui-même. Elle lui sert un peu de dictionnaire. Il va souvent la consulter en cachette. De me trouver seule en face d'elle fit surgir en ma petit âme (immortelle) l'idée (si j'ose dire) de lui demander le sens de la phrase que m'avait dite ce matin même mon frère, mais craignant qu'elle (la phrase) ne fût très sale, je crus bon préalablement de faire un bout de causette avec la gosse, d'autant plus qu'elle y avait l'air fort disposée.

— Peut-être, répondis-je. Oui. Je veux bien…

— Voulez-vous vous reposer un instant dans le bureau?

C'est là où je prenais mes leçons.

Nous entrâmes.

Tout était en ordre, chaque livre à sa place. Le fauteuil buté contre la table de travail du maître me parut singulièrement vide. L'autre table de travail, celle de Madame, était couverte d'une sorte de housse, défi à la curiosité, véritable provocation. Je ne connaissais pas les œuvres de Mme Baoghal, je n'en mourais pas d'envie, mais enfin de la voir là, dans son coin, maniant ses pinceaux et ses godets, j'avais fini par m'en irriter.

Mève, qui me surveillait, me dirigea de ce côté, mine de rien.

— Madame est secrète, me dit-elle. Elle cache tout. Non seulement ses bariolages, mais encore le sucre et le beurre.

Elle rit d'un air narquois et complice qui me gêna un peu.

— Vous savez, mademoiselle, c'est moi qui prépare l'espèce de saloperie qui sort de l'oreille de Madame pendant les séances de spiritisme. C'est ce qui m'amuse le plus dans la place. Ce n'est sûrement pas Monsieur.

Elle jouait négligemment avec la toile de Jouy qui recouvrait le petit matériel de peinture de Mme Baoghal.

— Mademoiselle a peut-être envie de voir les œuvres de Madame, continua-t-elle avec une insolence accrue qui me fit rougir. Je suis sûre qu'elle ne les connaît pas. Il n'y a que Monsieur qui les ait vues — et moi.

D'un geste brusque elle enleva la housse.

— Venez donc regarder, mademoiselle.

Elle manipulait sans timidité les objets placés sur la table et me tendit l'une des miniatures.

— Tenez celle-là, par exemple, me dit-elle. C'est un habitant de la planète Cérès, à ce qu'il paraît. Un pur esprit.

Je m'approchai pour y jeter un coup d'œil, sans y toucher.

— Ah! fis-je après avoir vu.

Cela représentait un homme nu avec des ailes dans le dos et des attributs bizarres entre les jambes.

— C'est bien dessiné, non? fit Mève d'un ton connaisseur.

— Quelle drôle d'imagination, murmurai-je.

— Quoi? ça?

Elle désigna les ailes.

— Non ça, répondis-je.

— Oh, ça! Que les esprits viennent de Saturne ou de Jupiter ou d'ailleurs, la patronne n'oublie jamais de leur en coller une bonne paire. Et c'est rudement bien fait, ajouta-t-elle en approchant l'image de ses yeux, il y a tous les détails.

Elle posa la miniature et en prit une autre.

— Ah! celui-là, dit-elle, c'est Napoléon en exil sur la planète Neptune. Il est en exil parce qu'il s'est laissé battre par les Anglais.

Cette fois-ci je pris l'objet entre mes mains et l'examinai avec attention. Il fallait, en effet, reconnaître que c'était très bien dessiné. Napoléon était parfaitement ressemblant, avec son petit chapeau ; pour le reste, il était comme le précédent, entièrement nu, avec les attributs inférieurs d'un volume sensiblement plus considérable que celui de ceux de l'autre. Sans doute, dans l'idée de Mme Baoghal, était-ce une marque de distinction, un grade sans doute, comme des épaulettes ou des galons.

Je me perdais dans de rêveuses considérations sur la vanité humaine lorsque je sentis le corps de Mève se blottir contre le mien.

— La patronne, ça la tourmente, me dit-elle.

— Quoi donc ?

— Ça.

En me montrant la chose du doigt, de son autre bras elle m'entoura la taille. Comme elle est beaucoup plus petite que moi, sa joue s'appuyait sur mon sein. C'était agréable, mais enfin ce n'était ni ma mère, ni ma sœur.

— Tout cela est bien singulier, proférai-je avec gravité.

Je rendis l'objet à Mève et, bien que je craignisse de lui faire de la peine, je me dégageai doucement. Elle remit tout en place en silence.

— Mève, lui demandai-je timidement, pouvez-vous me dire ce que signifie : *Cuir amach do theanga ?*

— Tire ta langue, répondit-elle sans me regarder.

— C'est tout ?

— Oui. Qu'est-ce que vous voudriez de plus ?

Elle avait pris un air buté. Nous nous quittâmes sans plus de mots.

Après cette matinée bien remplie, je suis rentrée à la maison pour le lunch.

18 mars

Padraic Baoghal est revenu des funérailles. Pendant ma leçon, je ne pouvais m'empêcher de regarder sa femme de temps à autre, trop souvent même à ce que me fit remarquer mon professeur. Elle était appliquée, travaillant avec méthode.

Ça m'a laissée rêveuse.

Mève est très polie avec moi. Elle baisse les yeux lorsqu'elle m'ouvre la porte.

19 mars

Je n'ai guère que trois amies : ma sœur Mary, Arcadia O'Cear et Pelagia Mac Connan. Arcadia et Pelagia sont venues hier prendre le thé à la maison. Nous nous sommes fait des confidences : Arcadia dit qu'elle est amoureuse de George Connan O'Connan et Pelagia dit qu'elle l'est de Padraic O'Gregor Mac Connan. Moi je leur ai dit que j'aimais Baoghal. Elles l'ont cru.

Nous avons ensuite échangé quelques propos sur des frivolités féminines : ainsi Arcadia a de violentes coliques la veille de ses règles, quant à Pelagia elle souffre plutôt de la constipation. Ensuite, nous avons parlé de l'immortalité de l'âme et de la sculpture antique. Nous avons terminé en nous promettant bien d'aller un jour à Paris pour visiter les Galeries Lafayette et un cabaret de nuit avec des tziganes où des messieurs à monocle et plastron blanc se débauchent.

21 mars

Pour fêter le printemps, Joël a décidé un « batter » de huit jours, c'est-à-dire qu'il s'est enfermé dans sa chambre avec vingt bouteilles de ouisqui et deux petits tonneaux de Guinness d'un bouishayoul chacun, soit, en utilisant le système métrique, soixante-douze litres sept décilitres et deux centilitres de bière. Je donne ces détails parce que je ne connais pas de mot français équivalent. Sans doute en France ne pratique-t-on pas cette coutume ? J'écrirais bien à Monsieur Presle pour lui demander son avis à ce sujet mais je ne lui écrirai pas tant qu'il ne m'aura pas écrit.

Sa négligence m'indigne.

28 mars

Joël a terminé son « batter » aujourd'hui. Maman était si contente qu'elle a préparé un grand festin. Joël n'est descendu que pour le dîner, pas rasé mais très gai. On a mangé des harengs au gingembre, du lard aux choux, un disque de fromage de dix livres et une tarte aux algues. On a gentiment bu, on a chanté en chœur, on a couché maman vers minuit parce que la tête lui tournait et on a continué à rire et à dire des limericks jusqu'à trois heures du matin. Les limericks, moins je les comprends, plus je les trouve jolis. J'ai retenu celui-ci qu'a récité Joël :

> *Michael l'épicier n'est pas le seul à dire*
> *Que le melon pour l'homme est un divin plaisir*
> *Et qu'un jeune garçon vous met en allégresse*
> *Quant à la femme ? Bonne à continuer l'espèce.*

C'est incohérent mais c'est ce qui me plaît là-dedans.

29 mars

Ce matin je me suis réveillée très tôt et je suis descendue à la cuisine pour me faire chauffer une tasse de café. Mary m'y a aussitôt rejointe.

— Déjà levée ? lui dis-je. Tu as mal dormi ?
— Devine ce que j'ai fait ?
— Tu as appris par cœur la liste des républiques soviétiques ?
— Non. Hier soir, tu n'as pas remarqué ?
— Tu étais un peu saoule.
— Pas du tout. Tu n'as pas vu que je me suis absentée cinq minutes ?
— Quoi d'étonnant ?
— C'était pas ce que tu as pu croire. J'avais eu une idée
— Toi ?
— Oui, moi. J'ai pensé qu'après son « batter », Joël n'avait pas dû très bien cacher le bouquin qui t'intéresse.
— C'est vrai, je n'y pensais plus.
— Eh bien, je suis montée à toute vitesse dans sa chambre et qu'est-ce que je vois par terre entre deux bouteilles de stout ? Ton livre ! Hein ? Pas bête, la guêpe.
— Tu l'as pris ?
— Oui, même que je l'ai lu toute la nuit.
— Alors ?
— Alors ? C'est d'un intérêt prodigieux.
— Donne-le-moi.
— Je ne sais pas si je dois..

— Idiote. Donne-le-moi.
— Je ne crois pas que…
— Tu vas me le donner.

Mrs. Killarney entra.

— Oh, mistress Killarney, dit Mary en prenant un air très grave, racontez-nous ce qui s'est passé l'autre jour avec les pots de marmelade?
— Quels pots de marmelade?
— Mais oui. Et Joël.
— Je ne comprends pas, fit Mrs. Killarney avec dignité.

Je donnai à Mary un coup de pied sous la table, j'étais sûre qu'elle faisait une gaffe, mais laquelle.

Joël, à son tour, apparut.

— Vous en faites un chahut, dit-il d'un air rogue.

Il regardait d'un œil fixe Mrs. Killarney qui lui tournait le dos, penchée sur les toasts qui rôtissaient.

— C'est pas des heures pour se lever, ajouta-t-il d'un ton plus bas.

Je l'examinai de la tête aux pieds. En chemin, je fus surprise de constater qu'il était peut-être conformé comme les esprits de Mme Baoghal.

Je n'en suis pas encore revenue.

31 mars

Mary refuse de me donner le livre de Monsieur Presle. Nous avons de grandes engueulades.

2 avril

Rien à faire. La petite garce. J'ai fouillé la chambre. Elle a autant d'astuce que Joël pour inventer des cachettes, car je n'ai pas pu mettre la main dessus (sur le livre). Ce que ça peut être bête une enfant de seize ans. Dire que j'ai eu cet âge-là. Et que je vais avoir dix-huit ans dans quinze jours.

3 avril

Et puis je m'en fous de ce bouquin idiot.

5 avril

Rencontré Barnabé. Seulement quelques phrases de politesse entre nous. Est-ce qu'il continue à me trouver mystérieuse ? Chaque fois que je regarde un homme maintenant je lui trouve les particularités d'un pur esprit. Non pas qu'il porte des ailes, non. Mais le reste. Leur spiritualité se voit d'une façon plus ou moins nette, plus ou moins affirmée quand on y fait attention. Je vais de découvertes en découvertes. Un coup d'œil, un simple coup d'œil peut même éveiller chez un monsieur une spiritualité jusqu'alors latente. C'est même très curieux à observer. Il ne faudrait tout de même pas que mon œil soit toujours à rôder sur le pantalon des citoyens, que cela devienne une obsession et que je sombre dans une espèce de mysticisme avec des phallucinations. Je dois aussi songer à la matière : au marbre, au bronze, à tous ces matériaux durs et lisses utilisés pour les œuvres d'art.

Tiens, ça me donne l'idée de retourner au musée. Je n'ai pas osé jusqu'à présent. Qu'est-ce que je crains ? Je ne vais pas me dégonfler à cause d'un gardien trop zélé. Demain j'irai. Chiche !

7 avril

Le lunch terminé, maman sortit de la pièce, Joël s'évapora. Je restai seule avec Mary, laquelle très sournoise, faisait semblant d'apprendre la liste des différents États indépendants de l'Inde. Je suis lente à la compréhension : si Joël n'a pas gueulé comme un âne, c'est que Mary ne lui a pas piqué son livre. Elle a bleuffé, la petite sotte. Je ne dis rien, je me lève et je la laisse à ses principautés hindoues.

Je me suis donc dirigée vers le musée et je m'étais si bien mis ça dans la tête que je n'ai pas hésité un seul instant lorsque je me suis trouvée devant la porte. Je suis entrée. J'ai traversé le hall. Les gardiens ne m'ont même pas regardée, mon persécuteur n'était pas là. Je suis allée dans le jardin. Il n'y avait personne. Les statues se dressaient là, toutes bien en place, dans leur plâtre, leur bronze ou leur marbre, les unes en caleçon, les autres avec d'immenses feuilles de vigne en zinc. Les arbres avaient l'air moins morts, les bourgeons verdissaient, il faisait beau.

Je m'arrêtai net, j'avais senti quelqu'un près de moi, je tournai la tête et je vis Barnabé Pudge qui souriait d'un air niais, mais plein d'audace, comme si, soudain, je n'étais plus du tout mystérieuse pour lui.

Je me mis à rire.

— Chère mademoiselle, me dit-il, je ne vois pas ce qu'il y a de drôle ici.

— Ça, lui répondis-je.

Je désignai du doigt un homme que je venais de découvrir et qui montrait le bout de sa casquette derrière le socle d'une statue. Le gardien de l'autre jour.

— Je ne vois pas, dit Barnabé, ce que ce vieil homme a de drôle.

— Moi non plus, répliquai-je.

Je fis demi-tour et sortis, un peu à l'étonnement de ceux qui m'avaient vue entrer une minute auparavant.

Tout de même, j'y étais retournée, dans leur musée.

Je me retrouvai dans West Merrion Street avec Barnabé sur les talons.

— Ce n'est pas moi qui vous ai fait partir? Vous veniez d'arriver.

— Et vous?

— Moi? D'arriver? Je... je...

Il m'avait suivie, le benêt.

Qu'est-ce que j'allais en faire maintenant? J'étais bien entrée au musée, mais je n'avais pas eu ma statue. Cette fois-ci, je crois que j'en aurais choisi une avec une feuille de zinc. Et heureusement que Barnabé se trouvait là, car l'autre salaud m'avait vue venir. Barnabé ne se doutait pas qu'il m'avait rendu service, il était tout embêté d'avoir interrompu ma visite artistique, ça se voyait.

— Vous permettez que je vous accompagne, mademoiselle?

J'appréciai la formule. C'était bien trouvé.

— Mais je ne vais nulle part, répondis-je en toute franchise.

— Ah! fit l'autre.

Je le surveillais du coin de l'œil. Très curieux à considérer un homme (un gamin plutôt) en train de prendre une décision. À l'entrée du musée, sur le pas de la porte, des gardiens nous regardaient attentivement.

— Si nous allions faire un tour à Phoenix Park?

Ça ne me disait rien. Un trajet interminable en tramway. Il n'allait pas m'offrir un taxi.

— Oui, dis-je.

— Vous n'aimez pas Phoenix Park?

— Oh, si.

— On pourrait visiter le Zoo.

— C'est une idée.

— Vous n'aimez pas les animaux?

— Oh! voui.

Nous nous dirigions vers Gregson Street.

— Je crois que vous préféreriez autre chose, dit Barnabé.

— Mais non, mais non.

Tout en marchant à côté de lui, ou plutôt tout en le laissant marcher à côté de moi, je songeais au gardien de la National Gallery : il m'avait bien repérée, le sale bonhomme. Je cherchais un moyen de lui jouer une niche, un tour, une sale crasse, lorsque je découvris qu'après tout, ce devait être lui qui devait avoir envie de se venger. J'avais dû lui faire très mal, l'autre jour.

— Vous avez l'air préoccupée? Vraiment je m'excuse encore de vous avoir dérangée dans votre visite. Je me trouvais là et je me suis cru permis...

Nous arrivions dans Gregson Street. Je me serais bien arrêtée devant les magasins pour faire du lèche-vitrine, mais mon compagnon aurait peut-être pensé que je voulais me faire offrir quelque chose, ce qui l'aurait mis dans une situation délicate vu qu'il n'a certainement pas beaucoup d'argent de poche : il n'y a qu'à le regarder.

— C'est bien loin Phoenix Park, dis-je. J'ai horreur des longs trajets en tramway.

— Je ne déteste pas ce mode de transport...

Je lui jetai un coup d'œil : il avait pris un air fin et éveillé. Je compris aussitôt : il allait me tourner un madrigal. Je l'interrompis et lui demandai crûment :

— Vous avez un long trajet à faire pour aller chez M. Baoghal?

— Pas très, d'ailleurs je le fais à pied.

— Vous aimez vous promener ?

— Énormément, mademoiselle.

Est-ce que cet enfant de putain allait me dire où il habitait oui ou non. Que je sache son standing social, et quel genre de sorties on peut faire avec lui. Parce que mon standing social à moi, il est plutôt médiocre : ma mère est seule, abandonnée par son mari, elle a trois enfants à élever et le Sweepstake on a tapé largement dedans. Mais je n'allais pas lui raconter tout cela.

— Vous allez souvent à Phoenix Park ?

— Oui, souvent, ce n'est pas très loin de chez moi.

— Ah oui, où habitez-vous donc ?

Ce n'était pas mal ça, comme question, pour savoir ce que je voulais. Assez discret.

— Derrière l'église Sainte-Catherine. Dans Hambury Lane.

Comme je m'en doutais, c'était un miteux. Mais il devait tout de même avoir de quoi offrir le cinéma. Je lui proposai donc d'entrer au Shamrock Palace, nous passions justement devant, on jouait *Blonde Bombshell* avec Jean Harlow. Il y avait une grande photo d'elle devant la porte : quelle belle personne !

Barnabé paraissait empiégé.

— Vous croyez que je peux vous emmener voir cette production ?

— Elle est condamnée par l'Église ?

— J'ai lu l'affichage cette semaine à Saint-Jacques : c'est un film défendu même aux adultes.

Après avoir avalé sa salive, il ajouta :

— Si on entre, on va avoir l'air de protestants.

— La belle affaire, m'exclamai-je.

Je ne vais pas très souvent au cinématographe. L'occasion se présentait, le film devait être amusant, l'actrice paraissait belle comme Vénus callipyge (je ne sais pas pourquoi mais il n'y a pas de copie de cette statue au musée) et j'allais devoir y renoncer à cause du curé de Saint-Jacques ? D'abord, moi, je ne vais pas à la messe à Saint-Jacques.

Cependant, Barnabé, un peu choqué par ma dernière remarque, semblait de plus en plus malheureux. L'œil égaré, le sourcil froncé, il devait chercher des arguments dans sa petite tête de paroissien. Des passants se retournaient sur nous pour se moquer de notre hésitation.

— Moi j'entre, dis-je.

Et je me dirigeai vers la caisse en ouvrant mon sac pour faire semblant d'y chercher la monnaie. Barnabé bondit, réclama deux orchestres et une petite lumière nous conduisit à nos places. Des actualités : le 6 février à Paris. Quelle belle ville ! J'écarquille les yeux pour voir si Michel Presle ne serait pas parmi les manifestants, mais ça va trop vite. Comme je le connais, je suis sûre qu'il n'est pas allé se fourrer là-dedans. Tout de même, ça me fait plaisir d'avoir vu Paris-Lumière.

Barnabé m'offre un esquimeau brick. On suce. C'est bon. C'est ferme et glacé comme l'orteil d'une statue de marbre un jour d'hiver sous la pluie.

— Vous n'aimeriez pas aller à Paris ?

C'cst moi qui lui demande ça.

— Quel pays ! répond-il. Vous avez vu cette échauffourée ?

— On a fait mieux ici.

— C'est le passé ! Maintenant vont s'écouler des jours calmes. Nous avons trouvé notre équilibre.

Moi, je ne fais pas de politique et j'aimerais bien aller à Paris. Oh ! les Galeries Lafayette, le Bon Marché, le Printemps, les bouillons Chartier, les fontaines Wallace, les mendiants sous les ponts, les fiacres, les abattoirs, la gare Saint-Lazare, les fossés de Vincennes, le French-Cancan. Oh ! Paris !

Je me tus car *Blonde Bombshell* venait de commencer. Quelle belle personne, cette Jean Harlow ! Voilà comment je voudrais être ! Des hanches ! Des seins ! Mon Dieu ! Qu'elle est chouette ! ! ! Et avec ça une démarche du tonnerre ! Un coup d'œil catapultant ! ! ! Des cheveux gazéifiés ! ! ! Ah foutre ! aurait dit Monsieur Presle, elle est formi ! cette poule-là ! ! ! En plus, le film était marrant ! Je riais tout le temps ! et très fort ! ! ! C'est vraiment une invention épatante, le cinématographe ! ! !

Pour remercier Barnabé de m'y avoir emmenée — un peu contraint et forcé, faut dire, mais, quand même, c'était lui qui avait payé, je lui devais bien quelque reconnaissance — je voulus lui faire un petit geste amical, lui tapoter doucement l'avant-bras par exemple, ç'aurait été gentil. Mais je m'y pris mal et ma main se posa sur sa cuisse. Je ne m'en rendis pas compte tout d'abord et je remontai vers ce que je croyais être son coude. Mais au lieu de tomber sur ce que les Français appellent si curieusement « le petit juif », je me heurtai à un membre complémentaire : non pas des ailes, mais bien l'ornement trinitaire des esprits purs de

Mme Baoghal. J'en conclus que la spiritualité était beaucoup plus répandue chez l'homme moderne qu'on ne le pense actuellement et, malgré ma tendance à l'athéisme, que l'âme est peut-être immortelle, se durcissant à la mort pour traverser les cieux ou transpercer les enfers comme elle se raidit sous l'étreinte d'une poigne charnelle.

Sur l'écran, Jean Harlow, en costume de bain, se préparait à plonger. On la voyait de dos, elle s'inclinait lentement, bras tendus, vers le miroir des eaux et sa croupe emplit soudain l'écran de sa dualité joufflue. Barnabé poussa un soupir déchirant et, me prenant la main, la rejeta violemment vers moi. Derrière nous quelqu'un fit : « Tsseh ! »

Je ne comprenais pas l'irritation de mon compagnon. Qu'est-ce que j'avais pu faire pour le froisser ? Je me le demandais. J'en fus à la fois gênée, anxieuse et vexée. Je ne pris aucun plaisir à la fin du film.

À la sortie, Barnabé ne me proposa même pas de me raccompagner chez moi. Il tenait son chapeau à la main, bloqué contre son bas-ventre ; il me dit poliment au revoir et s'en fut. Je le regardai s'éloigner, tenant toujours son chapeau à la main bloqué contre son bas-ventre, marchant sans grâce. Vraiment, vraiment, je n'y comprends rien…

10 avril

Joël est parti pour quinze jours, sur le porte-bagages de la moto de Timoléon Mac Connan, le fils du poète. J'espère que Joël saura tenir son équilibre et ne pas se casser la gueule. Ils vont d'abord à Cork et reviennent par Limerick et Kildare. Ils sont partis à six heures ce matin. On a sonné, ça m'a réveillée. Je suis allée ouvrir : c'était Timoléon qui venait chercher le frangin ; il était vêtu de cuir, des bottes au casque, ses lunettes relevées sur le front. La moto, une très grosse, jetait mille feux dans le crépuscule du matin.

— Joël est prêt ? me demanda Timoléon sans même me dire bonjour.

— Je vais aller le prévenir. Vous ne voulez pas entrer ?

— Comment donc. Et vous n'auriez pas un petit coup de ouisqui à m'offrir ? Il fait un froid de canard.

— Mais si, mais si, entrez donc.

Je l'installai devant une bouteille et j'allai réveiller Joël.

— Oh! merde, fit-il, fous-moi la paix.

Je lui versai un broc d'eau sur les cheveux.

— Timoléon t'attend.

— Quelle heure est-il?

— Six heures.

— Fallait le dire plus tôt, grogna-t-il.

Je redescendis tenir compagnie à Timoléon. Il avait déjà vidé un tiers de la bouteille. Je lui demandai :

— Vous allez pouvoir conduire droit?

— Je vois, fit-il. Vous êtes encore une de celles qui font de la morale. Disciple du père Matthew ou de Matt Talbot?

— Oh, je disais ça comme ça.

— On ne vous voit pas souvent.

— Où?

— Vous n'allez plus au stade?

— Non, j'ai abandonné le sport.

— Pour Padraic Baoghal?

— Oui.

— Et pour Barnabé?

Je ne dis rien.

— Ce con, ajouta-t-il.

Je haussai les épaules.

Il haussa les épaules à son tour et répéta :

— Ce con.

Puis il me demanda pourquoi je n'allais jamais danser chez les sœurs Mac Adam. Il y avait une party chez elles tous les samedis. À vrai dire, je n'en savais rien. Ni Pelagia Mac Connan, ni Arcadia O'Cear ne m'en avaient jamais parlé. Ni Joël.

— Je n'aime pas danser, répondis-je.

Il haussa de nouveau les épaules.

Timoléon n'est pas mal de sa personne, mais je n'aime pas son genre. Il se versa une nouvelle dose de ouisqui. Je lui fis remarquer qu'il pourrait bien rentrer dans un arbre s'il continuait à pinter de la sorte.

— Vous pouvez être tranquille que c'est jamais une fille comme vous que j'épouserai, rétorqua-t-il. Je plains le gars qui vous aura comme épouse. Ce que vous serez tannante.

Joël apparut.

— Dis donc, Tim, tu as fini d'engueuler ma sœur.

— Un bon ouisqui ? lui proposai-je.

— Non, merci, mais je vais mettre la bouteille dans la sacoche.

Il la prit d'une main et de l'autre jeta sur la table un livre.

— Tiens, me dit-il, tu pourras le lire pendant mon absence. Je trouve finalement que tu es d'âge à absorber ça.

Il m'embrasse et dit à Timoléon : « Tu viens ? » Je les accompagnai jusque sur le pas de la porte, ils ne furent pas longs à démarrer avec grands bruits et ronflements. Le jour se levait. Timoléon fit semblant de faire des zigzags. J'agitai la main encore une fois et je revins dans la cuisine.

Je me précipitai sur le bouquin.

Vers neuf heures, Mrs. Killarney arriva pour préparer le breakfast. Je ne bougeai pas. Vers dix heures, j'entendis Mary derrière moi qui me disait :

— Qu'est-ce que tu fais là ? Tu ne viens pas prendre ton breakfast ?

J'avais presque fini.

— Ça a l'air bien passionnant ce que tu es en train de lire.

— Oui, dis-je, c'est le bouquin oublié par Monsieur Presle.

Mary ne répondit pas.

Je finis mon livre et j'allai la rejoindre à table. Maman étudiait les petites annonces de l'*Irish Stew Herald*, elle les épluche une par une tout comme les faits divers, elle espère toujours y trouver des nouvelles de papa.

J'avais faim. Je boulotte en silence, le livre posé à côté de moi. Je surveille Mary qui prend toutes sortes de mines et passe par toutes les espèces de couleurs. Elle ne peut pas voir le titre, le bouquin est recouvert avec du papier à fleurs pour coller sur les murs : une habitude de Presle.

Je me tape des tas de marmelade et je bois cinq tasses de thé. Maman plie le journal. Rien encore aujourd'hui.

— Alors, les petites, pas encore fini ?

— Non, mman.

— Moi, je vais aller faire un peu de couture.

Pauvre maman.

Elle nous laisse seules. Aussitôt moi :

— Hein, qu'est-ce que tu en dis ?

— De quoi ?

— Petite menteuse. Sale petite menteuse.

— Sally, ne dis pas ça.
— Tu veux le lire, ce livre ?
Elle blêmit.
— Tu parles sérieusement ?
— Oui, bien sûr.
Elle était de plus en plus pâle.
Elle tremblait.
— Oui, chuchote-t-elle.
Je pris le livre et j'arrachai la page de garde que je froissai en boule. Puis je poussai l'ouvrage devant elle. Je me lève et je m'en vais. Derrière mon dos, elle cria :
— Qu'est-ce que tu as enlevé ? Je veux tout lire !
Dans ma chambre je relis encore ce que Michel Presle avait écrit sur cette page de garde : *Qu'est-ce qu'elle devait tenir la comtesse comme complexes. Mais à côté de ceux des enfants Mara ce n'est rien.* Je la déchirai en petits morceaux que je voulus jeter aux vatères. Mais je préférai les avaler : ce chemin indirect me parut plus respectueux.
Lorsque je sortis pour aller à ma leçon, j'aperçus dans la salle à manger, ma sœur, coudes sur table, poings aux oreilles, plongée dans la lecture du *Général Dourakine*.

12 avril

Pelagia et Arcadia sont venues prendre le thé à la maison. Pelagia m'a dit :
— Mon frère t'a demandé de venir un de ces samedis chez les sœurs Mac Adam ?
Elle a ajouté rapidement :
— Quand il sera rentré.
J'ai répondu négligemment :
— Ah, oui, c'est vrai, j'ai vu ton frère, hier matin.
Et puis à mon tour, j'ai posé une question :
— Comment sais-tu ça ?
— Ils sont repassés chez nous. Tim avait oublié de mettre ses chaussettes.
— Tu sais, dit Arcadia, si on ne t'invitait pas, c'est parce que tu ne danses pas.
— C'est tout naturel, ai-je reconnu.

Après un silence, je repris :
— Un de ces jours, j'apprendrai.
Ensuite on a bavardé, mais ça n'était pas chaud, chaud.

17 avril

C'était hier mon anniversaire. Dix-huit piges que j'ai à partir de maintenant, dix-huit printemps aux prunes, toutes mes dents, bien formée de l'arrière et de l'avant, ah foutre, la belle journée.

Joël est rentré dans l'après-midi et maman avait préparé un gueuleton à chiquer partout, des harengs au gingembre, du lard aux choux, un disque de fromage de vingt livres et une tarte aux algues dans laquelle étaient circulairement plantés dix-huit feux de Bengale couleur mauve.

Et Monsieur Presle qui ne m'a pas oubliée ! C'était drôlement bien combiné de sa part : le jour même, on a reçu, expédiées de Paris, six bouteilles de Ricard à 45 degrés. Maman voulait qu'on en garde une pour, éventuellement, arroser le retour de papa. Mais, cré nom, la sixième on l'a liquidée comme les autres.

C'était une belle fête de famille. Mary a récité par cœur les noms des mille deux cents îles de l'archipel des Philippines, Joël a déclamé quelques exploits de Cuculain, maman a chanté le *Temps des Cerises*, chanson française traduite en irish brogue et moi je dodelinais doucement de la tête.

Et je continue ce matin, car bon Dieu de bois, ce que je peux y avoir mal, bon Dieu de bois, ce que je peux y avoir mal.

18 avril

Ce n'est pas tout. Non seulement Monsieur Presle m'a envoyé une petite caisse d'apéro, maintenant liquidée, pauvre Mrs. Killarney, c'est tout juste si elle en a eu un verre, mais encore il m'a envoyé un magazine de France avec écrit dessus de sa main : «Pour Sally, Michel.» Foutrement familière, cette dédicace. Heureusement que maman n'a pas biglé dessus. Le magazine en question s'appelle *Votre Beauté*. Je l'ai lu d'un bout à l'autre, les petites annonces et les réclames y comprises. Quelle drôle de civilisation ! Toutes ces femmes qui se préoccupent de leurs points noirs, de leurs dartres et de leurs cils trop raides, c'est marrant. À part ça, moi je n'ai aucun de ces trucs-là et sans me donner aucun mal. En voilà une, par exemple, qui s'affole parce qu'elle a la chair de poule en hiver et des plaques rouges sur la peau quand il fait froid. On lui donne des conseils, je note :

Huile de foie de morue : 250 g.

Résorcine : 15 g.

Salol : 5 g.

Teinture de quiliyala : q. s. pr. émuls.

Essence de wintergreen : q. s.

S'appliquer ça trois fois par jour avec un tampon de ouate. Elles ne doivent pas s'embêter les Françaises. Et puis toutes celles qui ont les fesses un peu larges, les cuisses un peu épaisses, les seins un peu mollassons ou un peu ratatinés. Il y a celles qui ne veulent plus de leurs sourcils, et puis il y a celles qui veulent se les faire repousser. C'est un monde.

Et on leur répond avec une patience, une gentillesse, une abnégation.

La cellulite, c'est le grand truc : une véritable infirmité. Il y a un article très savant sur la question. Ça doit leur foutre une drôle de trouille aux Françaises quand elles lisent ça.

Et puis aussi ce qui m'a intéressée c'est un grand truc : *L'homme et la femme, comparaisons esthétiques,* avec des tas de mensurations parallèles. Les miennes ne sont pas mauvaises, la poitrine n'est pas encore au point, mais pour ce qui est des hanches, pardon ! Ils font aussi une enquête : *Plastiquement, préférez-vous un bel homme ou une belle femme et pourquoi ?* Les réponses ne doivent pas dépasser vingt lignes. Moi, j'aime mieux plastiquement un bel homme. Pourquoi ? Parce que nous c'est trop graisseux, la substance de nos rotondités. Je préfère le muscle et l'os. Il n'y a aucune mesure indiquée quant à la spiritualité de l'homme. Ce serait pourtant très intéressant.

Et puis d'autres articles : sur le rouge à lèvres, sur les farines, sur les régimes, sur les parfums, sur les chapeaux. Elles ne doivent pas avoir un instant à perdre, les Françaises.

En tout cas, je trouve ça bien rigolo et Monsieur Presle se montre bien aimable de m'envoyer cette revue. Il va falloir que je le remercie.

19 avril

Il y a dans ce journal des phrases que je ne comprends pas très bien comme celle-ci (toujours dans l'article : *L'homme et la femme, comparaisons esthétiques*), qui se trouve p. 23 : « Le pli fessier de l'homme se trouve à la limite inférieure de la quatrième tête, tandis que, chez la femme, il descend notablement au-dessous. »
Non, je ne vois pas.

20 avril

Il n'est pas du tout question d'amour dans ce périodique.

21 avril

Je commence par le savoir par cœur, ce mensuel.

22 avril

Mary m'a rendu le *Général Dourakine*. Elle trouve ça très bien. Mais elle ne saura jamais ce que Michel Presle avait écrit sur la page de garde. Jamais. Jamais. Jamais.

23 avril

Je ne peux pas dire que ça me plairait tant que ça d'épiler mes sourcils, de porter une gaine et de me mettre du rouge. Mais c'est attirant.

25 avril

Il y a des tas de choses qui me paraissent obscures et que je ne soupçonnais pas autrefois. Mais elles sont d'ordre tellement varié et tellement contradictoire que je ne leur vois ni queue ni tête.

27 avril

Il me paraît avéré que les hommes ne doivent pas avoir de troubles lunaires, comme nous autres jeunes filles. Mais pourquoi n'en ont-ils pas? Voilà qui me paraît à la fois incongru et injuste. Je sais bien qu'ils ont besoin de tout leur sang pour défendre leur mère et leur patrie, mais enfin Adam n'avait ni mère ni patrie. Et ces phénomènes doivent remonter à ces temps lointains.

29 avril

Peut-être existe-t-il un rapport avec la maternité? Ce serait étrange.

3 mai

Pas encore remercié Monsieur Presle.

4 mai

Au fond toutes ces histoires qui me semblent si peu claires doivent avoir un rapport plus ou moins lointain avec la... Je n'ose coucher ce mot sur le papier. Allons, Sally, un peu de courage. Je n'ose. Si, ose. Et puis, foutre, est-ce un journal intime, oui ou non? Oui. Eh bien... doivent avoir un rapport plus ou moins lointain avec la... nuptialité. Je rougis d'avoir écrit ce vocable.

5 mai

D'accord avec Joël et Mary, j'ai renvoyé le *Général Dourakine* à son propriétaire. C'est moi qui suis allée le porter à la poste; je suis rentrée à la maison pour le thé et je leur ai montré le bulletin de recommandé. Joël était en train de beurrer un toast avec son doigt (il se saoule beaucoup moins en ce moment, je crois qu'il sort quelquefois avec une jeune fille. J'ai oublié de le noter. Mais je ne sais si c'est avec Pélagie, avec Arcadia, avec Sarah, avec Irma, avec Eva, avec Beatitia, avec Ignatia ou avec une autre. En tout cas, il ne taquine plus Mrs. Killarney). Il demanda brusquement à Mary :

— Qu'est-ce que tu penses de ce qu'il avait écrit sur la première page ?

— Le titre ? répondit cette idiote.

— Idiote, non, ce qu'avait écrit Presle.

— Je n'ai rien vu, dit Mary.

— Ah, tu n'as rien vu ? Sally, ce n'est pas la peine de piquer un fard comme ça.

— Pourquoi rougit-elle ? demanda maman sans lever les yeux.

Elle tricotait des chaussettes pour le jour où papa rentrerait.

— Aussi gourdes l'une que l'autre. Tiens, donne-moi un verre de ouisqui.

Maman se leva pour aller chercher la bouteille.

— Ce que tu es gaffeur, dis-je.

— Qu'est-ce que tu oses me dire ?

Il fit mine de se lever pour me flanquer une gifle.

— J'ai déchiré cette page pour qu'elle ne la lise pas.

— Oh ! fit Mary. La vache !

Elle se pencha vers Joël et lui secoua le bras.

— Qu'est-ce qu'il y avait d'écrit ? Qu'est-ce qu'il y avait d'écrit ? Dis-moi ! Dis-moi !

Maman apportait la bouteille et la mit devant Joël.

— Dis-lui donc, dit-elle avec douceur.

Elle n'aimait pas qu'on se dispute.

Joël vida son verre de ouisqui d'un air méditatif, puis récita les yeux fermés :

— *Qu'est-ce qu'elle devait tenir, la comtesse comme complexes. Mais à côté de ceux des enfants Mara ce n'est rien.*

Mary, qui connaît moins bien le français que Joël et moi, lui demanda de répéter la phrase, ce qu'il fit.

— Qui est-ce qui a écrit ça ? demanda-t-elle.

— Presle. Michel Presle.

— Je n'ai pas de complexes, observa Mary avec un grand sérieux.

— Tu ne sais pas ce que c'est, dis-je.

— Moi ? Je ne sais pas ce que c'est ? Une étudiante en chirurgie dentaire me l'a appris l'autre jour.

— Et qu'est-ce que c'est, alors ?

— Des trucs dans l'inconscient...

— Par exemple ?

— Eh bien, par exemple, pour un fils de vouloir épouser sa mère.

Maman fut prise d'un fou rire :

— Je vois d'ici Joël en train de me faire une déclaration.

Elle en hoquetait. Mary et moi, nous nous esclaffâmes.

— Eh bien quoi, fit Joël vexé. Je peux faire une déclaration aussi bien qu'un autre.

— Je ne m'imagine pas, dit maman.

— Maman, maman, s'exclama-t-il tout à coup d'une voix pleurnicharde. Tu ne m'aimes plus ? Tu ne m'aimes plus ?

— Mais si, mais si, répondit maman d'un air rassurant et attendri. Seulement si j'étais d'âge à me marier, ce n'est pas toi que je choisirais.

— Ah ! Et pourquoi ça ?

— Tu bois trop.

— Et papa ne buvait pas, lui ?

— Normalement. Jamais plus de huit à dix cuites par semaine. Tandis que toi, tu n'arrêtes pas. En tant que mère, ça ne m'est pas désagréable, mais en tant qu'épouse, ça me déplairait.

— En tant qu'épouse, en tant qu'épouse. N'empêche que ton époux, tout poivrot qu'il n'ait pas été, il a foutu le camp et il t'a plaquée. Non ?

— Il reviendra, dit maman avec une calme assurance.

Joël leva les bras au ciel, puis se tapa sur les cuisses :

— Ça alors ! S'il revient jamais, je veux bien qu'on me les coupe !

— Qu'on te coupe quoi ? demandai-je.

Joël s'énervait :

— Tu veux que je te fasse un dessin ?

— C'est ça, fit Mary très intéressée. Fais-nous un dessin.

— Maman, va me chercher un crayon que je leur fasse un dessin.

Maman se leva pour aller lui chercher un crayon.

— Et du papier, cria Joël.

Mary reprit :

— Qu'est-ce que ça veut dire au juste, cette phrase ? Rien. C'est de la littérature.

— De la littérature ! De la littérature ! beugla Joël en se versant un nouveau verre de ouisqui. Je voudrais t'y voir ! C'est affreux d'avoir des complexes. Tu n'as qu'à me regarder.

— Alors c'est vrai que tu voudrais épouser maman ? demanda Mary.

— Peuh ! Ça ne serait rien. Moi, c'est bien pire.

— Quoi donc ? susurrâmes-nous en chœur.

— C'est grand-mère, moi, que je voudrais épouser.

— Mais elle est morte !

— Justement. Alors, vous comprenez, espèces de gourdes, que ma vie est foutue !

— Tu déconnes drôlement, lui fis-je remarquer en toute impartialité.

— Tu veux ma main sur la gueule ? Je t'interdis de déprécier mes complexes.

— Qu'est-ce que c'est que ça, des complexes ? demanda maman qui rapportait le crayon et le papier. Vous ne parlez que de ça ce soir.

— C'est un mot français, répondit Mary. Tu ne comprendrais pas.

— C'est joli, le français, dit maman. Ça a un joli timbre. Et, dans la phrase que Joël a récitée tout à l'heure, j'ai bien reconnu notre nom de famille au passage. Il était question de nous là-dedans.

— Est-elle fine, s'exclamèrent en chœur Joël et Mary.

Maman sourit, très flattée.

— Mais non, dis-je. C'est du français aussi, c'est la troisième personne du singulier du prétérit du verbe « se marrer », première conjugaison, régulier.

— Ce que tu peux être pédante, observa Mary.

— Et toi, avec tes mille deux cents îles de l'archipel des Philippines, répliquai-je.

— Ce que vous êtes connardes toutes les deux, dit Joël. Tenez, je vais vous exécuter le dessin annoncé. Amenez-vous là.

On se mit, chacune d'un côté, à le regarder faire.

En trois secondes, il avait terminé son croquis.

— Et voilà ! s'exclama-t-il d'un air extrêmement satisfait.

C'était tout à fait comparable aux attributs trinitaires des esprits de Mme Baoghal.

— On dirait un soufflet de forge, remarqua Mary.

— Ça alors! m'indignai-je. Je me demande où tu as bien pu voir un soufflet de forge.

— Dans le dictionnaire, répondit Mary.

— De la littérature, quoi, fis je.

— Ah! toi, modère tes mots, cria-t-elle.

— Allons, allons, ne vous chamaillez pas, dit maman. Montre voir.

Joël lui tendit le bout de papier.

— Tu ne dessines pas mal, dit-elle. C'est malheureux que tu sois si poivrot, tu aurais pu devenir peintre.

Elle lui rendit le bout de papier.

— Sans ça, qu'est-ce que tu vas faire dans la vie?

— Je peux toujours m'engager dans la Légion étrangère des Français.

— Belle perspective!

— Mais, m'man, tant que tu auras des sous, je n'aurai rien à craindre.

Nous nous tûmes.

— Et alors? nous demanda-t-il en étalant le dessin devant lui, qu'est-ce que vous en pensez, les petites?

Nous demeurâmes rêveuses, toutes les deux. Quant à moi, des multitudes de choses, de faits, d'actes, de mots, s'éclairaient brusquement, les uns, les autres, lentement. Des associations s'établissaient entre des gestes, des phrases, des objets...

— Ça porte à réfléchir, dis-je lentement.

— Et on se demande à quoi ça peut servir, ajouta Mary non moins pensivement.

— Ah! voilà, répondit Joël d'un air faraud.

— À pas grand-chose, fit maman d'un ton désabusé.

— Tout sert à quelque chose, dit Mary avec décision.

— La queue des chiens on ne voit pas trop à quoi ça leur sert, remarquai-je.

— À montrer leur joie en l'agitant.

— Et tu crois que ça aussi ça sert à la même chose?

Joël et maman s'esclaffèrent.

— Ce n'est pas la peine de vous moquer, dit Mary vexée et toute rouge. On ne trouve pas toujours tout de suite la solution des problèmes.

— Allons, allons, ne te fâche pas, dit maman encore secouée par le rire.

Nous examinâmes le dessin plus attentivement.

— C'est troué, remarqua Mary.

C'était à mon tour d'être vexée et jalouse des dons d'observation de Mary. Pourrai-je jamais devenir une femme de lettres romancière si je ne développe pas les miens? *Voire*, comme disait Montaigne, *mettons nos manchettes*, comme disait Buffon, et *paix à la syntaxe*, comme disait Victor Hugo.

— C'est exact, approuva Joël.

— Elle n'est pas bête, cette petite, dit maman. Elle sera sûrement reçue à ses examens.

Et puis après?

À ce moment l'on sonna.

— C'est Tim, dit Joël. Il vient me chercher pour faire un billard.

Il se jeta sur le papier et le chiffonna pour l'enfouir dans sa poche. Il courut retrouver son copain.

— Ne t'enivre pas, fiston! lui cria maman.

— Non m'man! moins que demain.

La porte se referma sur lui.

— À moins qu'ils ne s'en servent pour une variété spéciale de billard, suggéra Mary.

— Mais alors, pourquoi serait-ce percé? objectai-je.

— Allons, allons, mes petites, fit maman. Laissez tomber ça, vous finirez bien par le savoir un jour.

— Ce qu'elle peut m'agacer celle-là avec ses airs supérieurs, murmura Mary.

Nous nous levâmes de table.

Pour le dîner Joël n'est pas rentré saoul. Il n'est pas rentré du tout.

8 mai

On m'a piqué mon numéro de *Votre Beauté*. Ce n'est pas Mary, j'en suis sûre. Maman? peu probable. Mrs. Killarney? sait-on jamais!

Mary et moi nous continuons à avoir de longues conversations sur le sujet qui nous intéresse. Mary, qui a de la méthode et un esprit logique, est arrivée à deux conclusions : la première, c'est que cette chose, ayant un orifice d'une part et la forme d'un tube d'autre part, sert à l'écoulement d'un liquide sans doute sécrété par les deux sphères adjacentes. Mais quel liquide? Du lait, probablement. Deuxième conclusion : certains animaux étant pourvus d'un appendice analogue, nous pourrions arriver à une conclusion quant à sa destination par l'observation des actions desdites bêtes, à savoir les chevaux et les chiens. C'est ce que nous avons décidé de faire demain.

9 mai

Nous avons, Mary et moi, passé toute notre journée à circuler dans la ville, afin d'accumuler les renseignements. Le soir, nous avons confronté nos observations et nous avons abouti à la même conclusion : ce n'est tout simplement qu'un procédé très pratique et même astucieux pour satisfaire son petit besoin. Nous sommes déçues et un peu tristes en pensant que la Nature ne nous a pas favorisées à cet égard.

11 mai

Mais pourquoi les purs esprits de Mme Baoghal ont-ils besoin de cette adjonction?

12 mai

Barnabé ne m'adresse plus la parole depuis le jour du cinéma. Peut-être ai-je des excuses à lui faire?

13 mai

Après avoir longuement réfléchi, je me suis décidée. Je l'ai attendu à la sortie de sa leçon et j'ai fait semblant de me cogner contre lui. C'était très bien joué, ça avait l'air parfaitement naturel.
— Oh! a-t-il fait.
— Ah! ai-je fait.

On se serra la pince.

— Ça ne vous ennuie pas si je fais quelques pas avec vous ? lui demandai-je.

— Euh... c'est-à-dire... Je ne sais pas si c'est très correct, murmura-t-il en baissant les yeux.

— Je vous promets que je ne vous prendrai pas le bras...

— Tournons alors par ici, dit-il en m'entraînant dans Catalog Lane.

— Oui, c'est ça, ce sera plus discret.

Nous fîmes quelques pas en silence. Je commençai :

— Barnabé...

— Mademoiselle...

— Vous n'êtes pas fâché contre moi, n'est-ce pas ?

— Oh, non, Mademoiselle.

— Barnabé, je m'excuse pour l'autre jour.

— Quel autre jour ?

— Au cinéma.

— Eh bien ?

— Je m'excuse.

— Mais pourquoi, pourquoi donc ?

— Vous ne vous souvenez pas ?

— Euh...

— Voyons, Barnabé.

— Ah ! parce que nous sommes allés voir un film interdit par notre Sainte Mère l'Église ? Mais, je me suis confessé le jour même...

— Non, ce n'est pas ça.

— Pourtant c'était grave.

— Oh ! Barnabé, si vous voulez. Je m'excuse aussi pour ça. Mais il y a...

— Je ne sais pas, Mademoiselle. Je ne sais rien. J'ai oublié.

Je le regardai : il était tout rouge. Je commençai à m'énerver :

— Mais moi, je tiens à m'excuser, Barnabé. Je n'aurais pas dû faire ce que j'ai fait dans le noir lorsque j'ai posé ma main entre vos jambes. Un accident est vite arrivé et je comprends fort bien que vous n'avez pas pu vous retenir. Je m'en excuse donc très sincèrement de tout mon cœur, Barnabé, et je vous promets de ne plus recommencer.

— C'est vrai, Sally ? me demanda-t-il avec empressement. C'est vrai ?

— Je vous le jure.

Il poussa un gros soupir de soulagement. Ou de satisfaction ? me demandai-je alors.

— Tant mieux, parce que mon confesseur m'avait conseillé de ne pas me laisser faire une autre fois.

Il demeura un instant silencieux et ajouta :

— C'était pourtant bien agréable.

— Vous ne savez pas ce que vous voulez, m'exclamai-je agacée. C'est vrai, ce qu'il pouvait être énervant.

— Non, non, je n'ai rien dit, bégaya-t-il tellement vite qu'il prononça ces mots sans hésitation. C'est un petit bout de phrase qui m'a échappé, un petit bout de phrase de rien du tout. Que je retire. Que je retire. Non, non, non. Je m'en tiens à ce que m'a dit mon confesseur et à ce que vous m'avez promis tout à l'heure. C'est ça, c'est ça, c'est ça : nous retournerons au cinématographe et vous vous abstiendrez de mettre la main sur mon outil. C'est ça : nous irons de nouveau dans le noir ensemble. Demain, par exemple ? Voulez-vous ? On ira voir un Tarzan. C'est ça : un Tarzan. Au revoir, Mademoiselle, il faut que je rentre maintenant. Au revoir... Sally !

— Au revoir, Barnabé.

Nous nous serrâmes la main et il s'en fut.

Je trouve très joli et très juste d'appeler ça un « outil ». Est-ce de son invention ? Barnabé serait-il poète ?

14 mai

Nous sommes allés voir un Tarzan. Tout s'est bien passé. Mais, comme c'est drôle : puisqu'il avait trouvé ça agréable, pourquoi ne lui faisais-je pas ce petit plaisir ? Il est vraiment dommage que je lui aie promis de ne pas le faire. Je l'ai même juré. Tout de même...

Tout de même, j'ai résisté.

Et pourtant.

Les films de Tarzan sont autorisés par notre Sainte Mère l'Église, comme il dit, Barnabé. Et pourtant, le Tarzan en question, il est aussi beau gosse qu'Apollon ou Hermès ou Hercule. Une vraie statue, ce Tarzan : les épaules, le muscle, le visage, c'est un vrai dieu. Le pur esprit de la jungle. Quant à son outil, avec cette espèce de pagne qu'il porte tout le temps, on ne le distingue pas du tout. Pourtant j'ai fait bien attention. J'avais toujours l'œil fixé à cet endroit, pour me renseigner. Et quelles cuisses il a, ce Tarzan, quels mollets. Tout de même c'est beau l'anatomie des porteurs d'outils. Je me serais bien consacrée sur-le-champ à cette étude. J'en avais un sous la main, mais ce qui est promis est promis, ce qui est juré est juré.

Je suis rentrée à la maison, avec une mauvaise humeur rentrée. Ou plutôt une bonne humeur rentrée (celle que j'aurais eue si…) et qui ressortait sous les espèces de propos amers et dégoûtés.

Ce qui avait l'air d'intéresser Mary.

15 mai

Ça me fait de la peine d'avoir perdu mon *Votre Beauté.* Je sais maintenant que c'est Joël qui me l'a barboté. Ce matin, il m'a demandé si Presle ne m'en avait pas envoyé un autre numéro. Question cousue de fil à la patte, comme on dit en français. Mais qu'est-ce qui peut bien l'intéresser là-dedans ? Comparer ses mensurations avec celles du prototype français ?

Et Presle, celui-là. Pas encore écrit pour le remercier. Tiens, je vais le faire tout de suite, incognito, comme on dit en français.

17 mai

Écrit hier à Monsieur Presle. Je le remercie, lui donne de mes nouvelles, des nouvelles de ma famille, des nouvelles de Baoghal et cætera et cætera et termine en lui en demandant des siennes, de nouvelles, de ses nouvelles à lui quoi (il me semble que j'oublie un peu le français en ce moment) et aussi des nouvelles de son outil.

Je ne sais pas s'il va piger l'allusion, mais, s'il comprend, ça va bien le faire rire.

19 mai

Padraic Baoghal cesse de donner des leçons à partir de la semaine prochaine. Il va passer six mois en Italie, l'heureux cornard. Mme Baoghal va offrir le dernier thé de la saison aux amis et connaissances. Elle ne montrera pas d'ectoplasme à cette occasion, cette substance blanchâtre qui lui sort de l'oreille comme on raconte aux enfants que c'est par là qu'ils naissent.

Au fait, par où naissent-ils ?

20 mai

J'ai fait des progrès notables en gaélique, mais enfin je suis encore loin d'être capable d'écrire un roman dans cette langue. Ce sera pour plus tard. D'ailleurs, je n'ai pas d'idées. Mais je ne perds pas de vue ce projet et je voudrais que cette œuvre future — dont je ne sais encore rien d'autre — soit plaisante tout en présentant une certaine utilité, par exemple pour l'éducation des jeunes filles ; bref, en hommage à Barnabé, ma devise sera : « Joindre l'outil à l'agréable. »

21 mai

Rencontré ma tante Patricia dans Sackville Street. J'avais quelques remords à son sujet car je n'avais pas été la remercier à la suite de mes deux visites intempestives et intéressées. Ce que je craignais arriva :

— Bonjour, tante Patricia, dis-je poliment.

— Bonjour, ma grande Sally, répondit ma tante. Alors ? Voilà bien longtemps que tu n'as eu envie d'utiliser les commodités de mon appartement !

— Mais, tante Patricia... Je ne voudrais pas abuser...

— Mais si, mais si, ma grande Sally. J'aime bien mettre les gens à leur aise. Surtout lorsqu'ils sont de ma parenté, ajouta-t-elle.

— Eh bien, tante Patricia, je vous remercie... à l'occasion...

— Eh bien, j'espère que ce sera prochainement.

— Peut-être pas, tante Patricia. Je ne vais plus aller dans votre quartier pendant l'été : je cesse de prendre des leçons.

— Des leçons de quoi donc, mon enfant ?

J'avais oublié de le lui dire.

— D'irlandais.

— Très bien, très bien, et avec qui ?

— Padraic Baoghal.

— Le poète?

— Oui, tante Patricia.

— Cette saloperie vivante?

— Oh! fis-je.

Tante Patricia parut très agitée.

— Oui, une saloperie vivante. Tu ignores peut-être que je devais l'épouser.

— Vous, tante Patricia?

— Cela t'étonne, pécore?

— Mais... tante Patricia...

— Parfaitement. Il a voulu m'épouser. Il m'aimait, ce gros dadais, et puis toc, voilà qu'il fait un enfant à une serveuse de cabaret. Pan, il est obligé de l'épouser et floc, il me laisse tomber. Un poète, lui? Un lubrique paltoquet.

— Mais, tante Patricia, comment a-t-il pu faire un enfant à la demoiselle s'il n'était pas marié avec elle?

Elle me regarda d'un œil rond et méchant. Puis elle sourit:

— C'est un roublard. Il a ses trucs à lui. Méfie-toi.

Je ne vois pas de quoi j'avais à me méfier. Les enfants c'est un produit du sacrement du mariage, un monsieur et une dame qui n'ont pas été bénis par le prêtre auront beau s'embrasser jour et nuit pendant des semaines, ça ne pourra pas faire un enfant, lequel est la bénédiction apportée lors de la cérémonie par God ou par un de ses anges, couvé je ne sais comment et qui réapparaît à la lumière on se demande de quelle façon. Je dis ça maintenant mais sur le moment je pensais à autre chose.

— Mais la madame Baoghal actuelle, c'est la serveuse en question?

— Parfaitement.

— Elle peint rudement bien.

— Elle? Elle peint?...

— Oui, tante Patricia. D'adorables petites miniatures d'esprits célestes, avec tous leurs attributs.

— Tu as vu ça, toi?

— Elle est là, à chacune de mes leçons.

— Ah, elle assiste à toutes les leçons. Avec le poète?

— Oui, tante Patricia.

— Pas bête, la guêpe.

— Et je la vois qui travaille.

— Eh bien, jamais je n'aurais pensé qu'elle puisse avoir un talent quelconque.

— C'est délicieux et très ressemblant.

— Je me demande comment tu peux savoir que c'est ressemblant.

— Enfin, je veux dire, on dirait de vrais hommes.

— Ah! fit tante Patricia en m'examinant avec curiosité de son œil rond.

— Mais, tante Patricia, et l'enfant?

— Quel enfant?

— Eh bien, monsieur et madame Baoghal n'ont pas d'enfant à ma connaissance. Qu'est-ce qu'il est devenu?

— Rien.

— Non? Rien? Comment ça?

— Il n'a jamais existé.

Je trouvai que tante Patricia commençait à déconner. Je m'étais bien doutée que tante Patricia racontait des histoires avec cette fille qui aurait eu un enfant sans avoir été mariée.

Il y eut un instant de gêne et nous nous tûmes.

Tante Patricia reprit la première :

— Et ta mère, ça va toujours?

— Oh, oui, tante Patricia.

— Tricote toujours des chaussettes pour l'époux?

— Oui, tante Patricia.

— Et Joël, toujours ivrogne?

— Toujours, tante Patricia.

— Et Mary, travaille toujours?

— Elle passera son examen l'année prochaine.

— Eh, eh. Je vois que tout va bien. Alors, au revoir, ma grande Sally.

— Au revoir, tante Patricia.

— Et, je te le répète, mes commodités sont toujours à ta disposition.

— Je vous remercie, tante Patricia.

— Et n'oublie pas de dire à ton Baoghal que je le considère comme une décoration de fumier assaisonnée à la crotte de bique.

— Je ne lui dirai pas, tante Patricia.

— Je vois. Il a des vues sur toi. Pauvre péronnelle. Cette grosse andouille dépendue de la dernière Saint-Patrick, ce couillon de quinquagénaire fessu en pince sûrement pour la volaille à satyre que tu es. Ma nièce, méfie-toi, ma nièce.

Et elle s'en fut.

Pauvre tante Patricia.

Faut-il que ce soit bon d'être mariée pour que celles qui ne le sont pas aient de telles crises.

J'en verse une larme et mouille mon papelard.

Et moi, qui ne voulais pas me marier. Quel truc ça doit être. Avec son mari, on doit être intime, plus encore qu'avec son journal. En lui parlant, on peut employer des mots grisants et défendus comme : caleçon, diable, rasurel, aubergine, boutique, troufignon.

Moi, je n'oserai jamais.

Tiens, Monsieur Presle, il ne m'a pas encore répondu.

22 mai

Eh bien, contrairement à ce que je croyais, une dame peut avoir un enfant avec un monsieur sans qu'ils soient mariés ensemble. Oh, c'est toute une histoire, toute une histoire. J'en suis comme deux ronds de flanc. J'en suis baba. J'en suis soufflé(e). J'en suis chocolat. Ça alors, il faut que je raconte ça.

Donc aujourd'hui, pour le dîner, on était tous les quatre à table. Mrs. Killarney prépare le dîner, et elle s'en va tout de suite après, elle ne le sert pas, c'est maman. Donc on était tous les quatre à table, il y avait un petit dîner, une soupe aux choux, quelques mètres de boudin avec des pommes de terre au lard, un disque de dix kilos de fromage et une tarte aux algues et à la margarine, lorsque — voyons voir où en étais-je ? — Oh, je suis émue, si émue que je ne sais plus où j'en suis, voyons voir, voyons voir. Donc, on absorbait notre soupe aux choux, de bon appétit, ma foi. Joël n'était pas trop ivre. De temps en temps il versait le contenu de sa cuillère dans ses chaussettes mais enfin pas trop souvent, ça pouvait aller.

On avait à peu près fini, on raclait le fond de nos assiettes, lorsque Mrs. Killarney, que l'on croyait sortie, entre et dit à maman :

— Madame, j'aurais deux mots à vous dire.

— Je vous écoute, répondit maman en léchant sa cuillère et

en se passant la langue autour de la bouche (ce qu'elle peut aimer la soupe aux choux).

— Je voudrais vous expliquer ça dans le particulier, dit Mrs. Killarney.

— Pourquoi donc, dit maman. Je n'ai rien de caché pour mes enfants.

— C'est devant ces demoiselles que ça me gênerait.

— Dis donc, maman, intervint Joël, tu devrais aller chercher le boudin et les patates au lard, ils vont attacher.

— J'y vais, j'y vais, dit maman ; vos assiettes, mes enfants.

Maman sortie, Joël dit à Mrs. Killarney :

— Deux mots ça suffira pour dire ce que vous avez à dire à maman ?

Mrs. Killarney, très digne, ne répondit pas.

— Vous auriez pu choisir un autre moment pour lui raconter vos trucs, continua Joël. Pourvu que les patates n'aient pas pris au fond. J'ai horreur de ça. Ça sent pire que le brûlé proprement dit.

— Monsieur est un délicat.

Et Mrs. Killarney ricana.

— Oh, toi, ta gueule, vieille pouffiasse !

— Oh ! m'exclamai-je, stupéfaite.

— Je sais ce que je dis. Tu vas voir ! Tu vas voir !

Et lui aussi se mit à ricaner en étendant du beurre sur une biscotte avec son nez. D'habitude il le faisait avec habileté, mais sans doute cette algarade l'avait-elle troublé, car il s'en mit plein les oreilles.

Sur ce, maman revint, et on attaqua le plat de consistance.

— Eh bien, Mrs. Killarney, dit maman en sectionnant le boudin avec ses ciseaux à charcuterie, on vous écoute, on vous écoute.

— Devant ces demoiselles ?

— Pourquoi pas ? Elles sont mes filles tout autant que Joël.

— Je ne suis pas ta fille, dit Joël.

— Est-il fin, dit Mary.

— Tu veux mon morceau de boudin par le travers de la gueule ? lui demanda Joël.

— Et son outil en prime, ajoutai-je en m'esclaffant.

Maman, Joël et Mary m'accompagnèrent et nous nous roulâmes, tous les quatre, pendant cinq minutes sans pouvoir nous empêcher de rire. Nous en pleurions. Pendant ce temps les pommes de terre au lard refroidissaient et Mrs. Killarney demeurait tout aussi digne.

— Mais, s'écria tout à coup maman qui s'était calmée, asseyez-vous donc avec nous Mrs. Killarney. Vous allez partager notre repas. Mais si! mais si! Tenez, je vais vous mettre votre couvert. Mais si! mais si! Tenez, ça y est. Et un bon bout de boudin. Et de ces excellentes pommes de terre au lard de votre fabrication, Mrs. Killarney.

Elle se laissa faire et à cinq on eut vite fait de vider la marmite. Puis les dix kilos de fromage y passèrent ainsi que la tarte aux algues et à la margarine pour laquelle notre cuisinière s'était surpassée. Là-dessus, le café et la dose de ouisqui. Joël met ses pieds sur la table et allume sa pipe, maman recommence à tricoter, Mary et moi on fume une cigarette en se caressant doucement le ventre, Mrs. Killarney se verse machinalement une nouvelle ration d'alcool.

— Au fait, lui demande maman sans lever les yeux, bien appliquée à son ouvrage, que vouliez-vous donc me dire tout à l'heure?

— Moi? sursauta Mrs. Killarney. C'est vrai. Il ne faudrait pas que je m'en aille avant de vous avoir dit ça.

Elle eut un hoquet assez retentissant.

— Pardonnez-moi si je m'excuse, continua-t-elle. Voici donc ce que j'avais à vous expliquer de but en blanc : ce sacripant (elle désigna Joël du doigt) m'a mise dans la situation d'une femme en espérance de postérité.

— C'est très intéressant, dit maman en continuant son travail, mais qu'est-ce que vous entendez par là au juste?

— Faut donc vous mettre les points sur les i?

— En gaélique on n'en met pas, remarquai-je. Par contre on en met sur les lettres b, c, d, f, g, m, p, s et t pour marquer l'aspiration.

— Vous êtes bien savante, mademoiselle, mais ça n'empêchera pas que votre frère, ici présent, m'a fait un enfant.

— Elle veut rire, dit maman que la construction de sa chaussette semblait fasciner.

— Mais, m'écriai-je, comment voulez-vous avoir un enfant puisque vous n'êtes pas mariée?

— Vous voyez, dit Joël à Mrs. Killarney, c'est sans réplique.

— Elle est pas difficile pourtant à trouver la réplique.

— Et quelle est-elle ?

— C'est un fait.

— Un fait que quoi ?

— Que je suis grosse.

— Pas tellement, dis-je.

— Il y a des femmes de votre âge qui sont bien plus obèses que vous, ajouta Mary.

— En tout cas, dit Mrs. Killarney, moi je sais bien qui m'a obésée.

— Qui donc ? murmura maman en levant enfin les yeux vers elle.

— Je vous le répète : ce jeune homme a mis un polichinelle dans mon tiroir.

— Je n'en crois rien, ce jeu n'est plus de son âge, fit remarquer maman.

Alors, Mrs. Killarney proféra une horreur terrible que j'ose à peine transcrire dans ce journal, mais enfin il le faut, puisque je me suis juré de dire toujours la vérité toute crue. Donc Mrs. Killarney dit :

— Je suis enceinte.

Et elle répéta :

— Comme j'ai l'honneur de vous le dire, Mrs. Mara. Je suis enceinte des œuvres de votre fils !

Mary et moi marquâmes notre extrême surprise en poussant chacune un sifflement admiratif. Joël ne broncha pas.

— Vous ne me ferez jamais croire ça, dit maman.

— Comme je vous le dis, répliqua Mrs. Killarney.

— Vous allez fort, dit maman.

— Pas tant que lui, répliqua Mrs. Killarney.

— Et comment le savez-vous ? demanda maman.

— Ça fait deux mois que je ne me suis pas dilapidée, répondit Mrs. Killarney.

— C'est le retour d'âge, répliqua maman.

Ce qui laissa Mrs. Killarney muette, coite et à quia.

Ainsi, en cinq minutes, que dis-je, en quatre-vingt-dix secondes, je venais d'apprendre qu'une femme pouvait avoir un enfant sans être mariée (alors, à quoi ça sert, le sacrement ?) et de plus, que l'engendrement des enfants avait un rapport avec les phases de la lune.

Maman poursuivait son avantage :

— Comment n'y avez-vous pas pensé, Mrs. Killarney. C'est évi dent, voyons. C'est évident.

— Vous croyez, Mrs. Mara ?

— Bien sûr, bien sûr.

— Mais, Mrs. Mara, il y a des femmes qui...

— Mais non, mais non.

— Et tout de même, Mrs. Mara, M. Joël il m'a pourtant...

— Ce n'est rien, ce n'est rien. Des taquineries de grand enfant. Rentrez donc chez vous, Mrs. Killarney, et dormez sur vos deux oreilles.

— Vous croyez, Mrs. Mara ?

— Mais oui, mais oui, dit maman. Allons, tout est bien qui finit bien. Je vais faire une grande soupière de punch flambé pour fêter ça.

— N'oublie pas de mettre du clou de girofle dedans, dit Joël.

Maman posa les chaussettes sur la table et disparut direction cuisine.

— Qu'est-ce que vous ferez demain à déjeuner ? demanda Joël à Mrs. Killarney.

23 mai

Pas le temps d'épiloguer sur mes découvertes d'hier, je n'ai d'ailleurs pas eu celui d'y réfléchir. Je me suis levée à midi (on a bu du punch flambé jusqu'à quatre heures du matin) et je me suis préparée pour aller au thé chez Mrs. Baoghal.

J'étais moins émue que la première fois, mais tout de même, en passant devant l'appartement de ma tante Patricia, je suis allée lui faire une petite visite.

— Je te le répète, méfie-toi, méfie-toi, me dit-elle sur le pas de la porte.

— Oui, tante Patricia.

Je lui dis ça par politesse, pour ne pas la vexer, mais, depuis la séance d'hier soir, et bien, comme je l'ai écrit plus haut, que je n'aie pas eu le temps d'y réfléchir beaucoup, je suis de plus en plus persuadée que c'est la cérémonie qui fait l'enfant.

Je fus reçue à la porte par Mève, qui est plutôt froide avec moi.

Je me demande pourquoi. «Bonjour Mève», «Bonjour Mademoiselle», voilà tout ce qu'on se dit.

Mme Baoghal m'accueillit avec affabilité, elle était magnifiquement fringuée avec une robe pistache à rayures jaunes et mauves, plus un enroulé savant du corsage en taffetas lie-de-vin. Manches larges et ouvertes. M. Baoghal, redingote grise et gilet à fleurs, me dit quelques mots aimables en gaélique :

— *Conus tà tù ?*

Il y avait là Connan O'Connan, le poète, avec sa femme, son fils et sa fille Irma. Il y avait aussi Sarah avec ses deux frères Phil et Tim, sa mère et son père Grégor Mac Connan le poète. Il y avait également Padraic O'Grégor Mac Connan avec son père Mark le poète, sa mère et sa sœur Ignatia. Il y avait de plus, Mrs. O'Cear, son mari, le barde-druide, ses trois fils Arcadius, Augustin et César et sa fille Arcadia. Il y avait enfin Mac Adam, le philosophe primitiviste, avec sa femme et ses enfants Abel, Beatitia, Caïn et Eva. Et je n'oublierai pas de citer Barnabé, venu sans père ni mère, ni frères, ni sœurs.

— Êtes-vous donc orphelin ? lui demandai-je.

— Mes parents habitent Cork, avoua-t-il.

— Je ne connais pas Cork, avouai-je, mais mon frère y est allé le mois dernier avec Tim Mac Connan.

— Mes hommages, Mademoiselle, dit Tim, qui écoutait derrière mon dos. Charmante ville, Cork, dit-il à Barnabé d'un air désinvolte.

— Ah bon, vous voilà, s'écria Pelagia. Il y a Ignatia qui vous cherche, Barnabé !

Elle l'entraîna.

— Ils se sont vus à une de nos parties du samedi, dit-il. Vous n'y venez toujours pas.

— Je ne sais pas danser, répondis-je, et puis je ne suis pas invitée.

— Oh, si ça ne vous plaît pas, je n'insiste pas. À part ça, comment va Joël ? Ça s'arrange avec la cuisinière ?

— Mais oui.

— Sans blague, elle garde le gosse ?

— Mais il n'y en a pas !

— Non ?

— C'est simplement le retour d'âge.

Tim me regarda d'un air stupéfait, je me demande pourquoi. Puis, très grave :

— Sally, vous ne voulez pas qu'on aille un jour ensemble au cinématographe ?

— Pourquoi pas, dis-je.

— Vous aimez le cinématographe ?

— Moyennement. Le dernier film que j'ai vu c'est un Tarzan.

— Un curieux choix. Vous aimez Tarzan ?

— C'est Barnabé qui m'y avait emmenée.

— Quoi ! Vous êtes allée au cinéma avec Barnabé ?

Il avait l'air de plus en plus surpris, mais qu'y avait-il là d'étonnant ?

— Sacré Barnabé, ajouta-t-il.

À ce moment, Mrs. Baoghal surgit.

— Sally, Sally ! Je vous cherchais, il y a là un monsieur français, un ami de M. Presle, qui désirerait vous être présenté.

L'ami de M. Presle était un personnage d'âge mûr, vingt-huit, trente ans peut-être, fort bien habillé avec col dur, pli raide au pantalon, une charmante moustache en croc et un lorgnon relié à l'oreille par un large cordon de soie noire. Il s'inclina pour me saluer en plaçant la pointe de son soulier droit derrière le talon gauche et en opérant une légère flexion des jambes.

Un vrai mousquetaire.

— Comme vous parlez bien français, Mademoiselle, s'exclama-t-il après que je lui eusse dit : « Bonjour, Monsieur. »

— C'est le fruit des leçons de M. Presle, lui répondis-je.

— Ah ! ce cher Presle ! Il m'a beaucoup parlé de vous. Il ne tarit pas d'éloges sur votre compte : sur vos dons, votre travail, votre intelligence...

Je ne pus m'empêcher de rougir.

Il s'inclina de nouveau.

Oh, oh, faisais-je, oh, oh, oh.

Le visage cramoisi, je me dandinais d'un pied sur l'autre, ce qui donne de l'élasticité à la timidité naturelle des jeunes filles.

— Je constate, continuait le monsieur français, qu'il n'exagérait pas. Je dirais même qu'il était au-dessous de la vérité, car je dois confesser que je n'ai jamais rencontré beauté comparable à la vôtre.

Il s'expliquait avec de grands gestes.

— Non, non, balbutiai-je, vous charriez.

— Si on allait bavarder dans un petit coin tranquille ? me proposa-t-il.

Me prenant le coude avec énergie, il m'entraîna dans le couloir, endroit obscur d'où l'on entendait, comme dans un rêve, le pépiement des invités au thé.

Nous nous assîmes sur des polochons brodés entassés sur un bahut breton, souvenir d'un voyage d'exploration de Padraic Baoghal.

Aussitôt installés, le monsieur français se projeta sur ma main, s'en saisit et l'étreignit nerveusement. « Foutre, me dis-je, comme il y va. » Cependant, le baratin continuait :

— Sally, me disait le monsieur français, Sally, vous me permettez de vous appeler ainsi ?

— Bien sûr.

— Moi, vous pouvez m'appeler Athanase, me murmura-t-il dans l'oreille.

Je le reniflai. Il était tout parfumé. Était-ce *Scandal*, de Lanvin, *Missive*, de Roger et Gallet, *Zibeline*, de Weil ou *Vol de Nuit*, de Guerlain, toutes substances odoriférantes annoncées dans le dernier numéro de *Votre Beauté*? Je n'aurais pu le dire et cela, tout de même un peu, m'intéressait de le savoir.

— Comme vous sentez bon, lui susurrai-je.

— N'est-ce pas, ma poulette ? C'est le bon air de France !

— Et qu'est-ce que c'est comme parfum ?

— Chhtt ! fit-il en se mettant un doigt sur la bouche. Chhtt ! C'est une surprise.

Il regarda autour de lui, puis, s'étant assuré que personne ne nous regardait, il déboutonna son pantalon et sortit quelque chose que je pris tout d'abord pour son outil.

— Chhtt ! fit-il de nouveau. Chhtt ! Je l'ai caché là à cause de la douane, m'expliqua-t-il et il me tendit un flacon de parfum. Un cadeau de notre ami Presle, commenta-t-il.

Je m'en emparais avec véhémence, le pressant tour à tour sous mon nez et sur mon cœur.

— Et c'est du *Scandal*, m'écriai-je béate. Comme c'est gentil à lui !

Je m'emplissais les narines à perdre haleine.

Pendant que j'étais ainsi absorbée par les plaisirs de l'odorat, l'élégant Athanase glissant un bras à travers les polochons m'avait saisie par la taille et glissant une main sous ma robe de cretonne verte à pois rouges s'orientait vers mon slip.

— Ce cher Michel, soupirais-je. Oh ! il ne m'a pas oubliée, le darligne !

L'ayant bien senti, je mis le flacon dans mon sac puis moi-même à envisager la situation d'une façon concrète. Le galant mousquetaire commençait à dérailler.

— Oh, oh, oh ! faisait-il en me gratouillant les cuisses, oh, oh, oh, comme elle est mignonne la belle petite fifille de la verte Erin, qui est-ce qui va lui enlever son petit slislip ? C'est le meilleur ami de son Mimi, de son Chechel, de son Prépréle.

Je lui saisis le nez entre deux doigts et opérai sur cet appendice une torsion de cent quatre-vingts degrés. Ainsi que le pétrole du sol de l'Oklahoma, le sang jaillit des narines tournées vers le plafond.

— Pas de boniments, lui dis-je tandis qu'il redonnait à son pif l'inclination normale. Et merci tout de même, ajoutai-je.

Je me levai et le laissai là en train de se colmater la gueule.

Aussitôt arrivée au salon, Barnabé me coinça et gémit :

— Vous savez, Sally, j'allais intervenir.

— Vous m'espionnez ?

— Je vous l'avoue, gémit-il. Avec ce Français, je me méfiais.

— Sentez-moi ça, lui dis-je en lui passant le flacon de *Scandal* sous le blair.

— Quelle horreur, gémit-il. Ça pue.

— Un cadeau de Michel Presle !

— Ces Français ! gémit-il.

Mme Baoghal accourut attirée par l'odeur.

— C'est divin, bêla-t-elle en promenant son nez sur le bouchon.

— Un cadeau de Michel Presle, expliquai-je.

— Où est donc notre visiteur ?

— Il se reboutonne, expliquai-je.

Mme Baoghal eut l'air surprise.

— D'ailleurs le voilà.

Il s'approcha : le centre de son visage luisait. Il grimaçait, ça devait lui faire encore mal. Mais enfin il ne le montrait pas trop, fidèle en ceci aux traditions de courage de sa nationalité.

— Cher monsieur ! N'est-ce pas que c'est une jeune fille d'élite ?

— Remarquable, acquiesça-t-il en s'inclinant.

Mais lorsqu'il parla, ça lui fit de nouveau péter les vaisseaux de la tête et le sang se remit à pisser. Il se tamponna le tarin.

— Mon Dieu! s'écria Mme Baoghal. Qu'est-ce qui vous est donc arrivé?

— Je me suis cogné contre la chasse d'eau, donna-t-il comme excuse. Mais ce n'est rien, ce n'est rien.

— Elle fonctionne toujours? s'enquit la maîtresse de maison.

— Ne craignez rien, chère madame.

— Ce sont de ces petites aventures qui font le charme des voyages, dit Mrs. Baoghal.

— Je vous en souhaite de pareilles, répondit le Français en souriant.

— Est-il fin, s'attendrit Mrs. Baoghal. Dites-nous, cher monsieur, comment trouvez-vous notre ville?

— À point.

— Est-il charmant!

— Avez-vous visité notre musée? Non? Je suis sûre que Miss Mara se fera un plaisir de vous y accompagner.

— *Is cumadhom*, dis-je en gaélique, c'est-à-dire : C'est pas mes oignons.

— *Nà biodh eagla ort!* me répliqua Mrs. Baoghal, c'est-à-dire : Soyez pas trouillarde.

— Bon, bon, fis-je.

24 mai

Et voilà pourquoi aujourd'hui j'ai amené Athanase à la National Gallery. Nous nous sommes retrouvés devant ce monument. On a consciencieusement admiré les deux vues de Dresde du Canaletto, le *Saint François* du Greco, les *Adieux du Christ à sa mère* de Gérard David, le *Portrait de femme* de Goya, quelques Gainsborough. Athanase se tint correctement pendant toute la visite, esquissant à peine un pincement de fesses de temps à autre. Ses moustaches étaient cirées, ses chaussures peignées, son lorgnon brillait de mille feux : un vrai mousquetaire. Il devait croire que je me méfiais de lui, mais, à vrai dire, ce qui donnait à mon comportement une apparence peut-être légèrement embarrassée, c'est que je m'attendais à voir tout le temps apparaître le gardien que j'avais traîné dans la boue. Naturellement il n'était pas dans mes intentions de montrer à mon Athanase les sculptures du jardin. Je craignais trop d'y rencontrer mon ennemi, ensuite je pense qu'à Paris il devait avoir beaucoup mieux. Me mettant à sa place, je ne voyais guère qu'une Aphrodite et une Diane auxquelles il aurait pu lécher les mollets.

En traversant la salle des Préraphaélites, j'eus le tort de le laisser à la traîne. Négligeant les princesses lointaines qui estompaient leur absence de poitrine dans les brumes sépia de chefs-d'œuvre immortels, ne s'avisa-t-il pas de regarder par la fenêtre, et je l'entendis derrière moi s'esclaffer :

— Que c'est marrant, disait-il à mi-voix. Que c'est marrant !

— Quoi donc ?

— Les feuilles de zinc et les caleçons ! Allons voir ça de près !

Il m'entraîna. Je ne savais comment résister. Nous pénétrâmes dans le jardin et Athanase, dès la première statue, mon Apollon culotté, se mit à rire démesurément. Ainsi que je l'avais, hélas, prévu, un gardien surgit : le mien.

— Qu'est-ce qui ne vous plaît pas dans notre musée, monsieur ? lui demanda-t-il d'un air froid en faisant semblant de ne pas me voir.

— Qu'est-ce qu'il dit ?

Car l'autre s'était exprimé en gaélique.

— Monsieur ne parle qu'anglais, dis-je au gardien.

— Ce n'est pas un Anglais, répliqua-t-il toujours en gaélique.

Cependant Athanase, dédaigneux du gardien, s'était planté devant la seconde statue — mon Hercule — et poussait de profonds gloussements en se tenant le ventre à deux mains, avec l'authentique élégance d'un marquis du dix-huitième siècle. Profitant de cet éloignement, le gardien me souffla dans l'oreille le petit discours suivant qu'il avait composé en langue gaélique :

— Petite salope ! Petite putain ! Non seulement tu viens ici passer tes crises d'hystérie sur le corps de ces innocentes statues frigides, mais encore tu y amènes des voyous étrangers qui se moquent des saines limites que les conservateurs de ce musée ont su donner aux extensions de la chair humaine. Fille dévergondée ! Lubrique enfant d'Erin ! J'en sais long sur ton compte, je connais ton nom, ton prénom, ton adresse, ta profession. Attention ! Attention ! Si tu continues à déverser tes turpitudes dans le sein des fondations municipales esthétiques, si tu persistes à transformer la sculpture en motifs de satisfaction solitaire ou de rigolade collective, plainte sera déposée contre toi. Oui, plainte sera déposée contre toi, Sally Mara! Plainte! Plainte! Plainte!

Comment ce gros pataud connaissait-il mon nom? Ça n'était pas croyable! Mais, au lieu de frémir, j'eus plutôt envie de me joindre à l'hilarité d'Athanase. Pourquoi n'avais-je pas peur? J'en suis encore à me le demander en ce moment. Toujours est-il que je n'eus pas tort.

Au lieu de ramper à plat ventre, terrorisée, devant le surveillant des feuilles de zinc et des caleçons de plâtre, j'appelai mon compagnon qui s'empressa de me rejoindre et lui dis :

— Cet homme est un dégueulasse, il m'a fait de sales propositions.

— Euh, fit Athanase.

— Il a voulu que je lui passe la main dans les cheveux.

— Fi! fit Athanase et il voulut m'emmener.

Je résistai.

— Comment? m'écriai-je, vous ne voulez pas lui casser la gueule?

— Le pauvre homme! Je le comprends.

— Non? Vous ne voulez pas?

Le gardien qui ne s'attendait pas à cette réaction commençait à prendre un air inquiet. Athanase s'approcha de lui et dans un anglais trébuchant lui enjoignit de me faire des excuses, ce que l'autre entendit ne pas désirer comprendre. Alors, écartant le Français, du bras droit, je saisis mon compatriote par le revers de son uniforme et je l'envoyai foutre dans les fusains où il s'étala.

— Eh bien! dit Athanase. Quelle poigne. Ça ne va pas nous attirer des histoires?

— Ne craignez rien. Chaque fois que je viens ici, je le corrige.

— Oh! verte pucelle, déclama le mousquetaire.

Aussitôt sortis de la National Gallery, il s'empressa de prendre congé de moi. Je lui aurais bien demandé des détails sur la vie de Michel Presle, mais j'ai oublié. Et tout ça s'est fait un peu vite.

Mais je me demande comment l'autre sagouin sait mon nom.

24 mai

J'ai rencontré Athanase dans la rue, par hasard. Il m'a saluée fort poliment mais sans m'adresser la parole. Quel drôle de personnage. Je l'aurais pourtant bien chargé de plusieurs commissions pour Presle.

25 mai

Écrit à Monsieur Presle pour le remercier de son parfum et lui demander (discrètement) d'autres numéros de *Votre Beauté* ou publications de cet ordre. Une partie de ma lettre est rédigée en gaélique pour lui montrer mes progrès. Je lui parle aussi d'Athanase, sans grand enthousiasme ; comme c'est son ami, je ne veux pas le vexer et je termine par quelques compliments sur ses talents de société.

26 mai

Nous allons passer l'été chez l'oncle Mac Cullogh, le frère de maman. Il habite une ferme à quelques milles de Cork en allant vers Macroon.

27 mai

Mrs. Killarney a souvent des vomissements ; maman dit que c'est le foie qui la travaille, cette femme. Elle lui a conseillé quelques prières à saint Boldo, qui est souverain pour les affections de ce viscère.

28 mai

J'ai retrouvé mon numéro de *Votre Beauté* et voici comment. Depuis trois jours (j'ai oublié de le noter mais j'en ai assez de coucher par écrit toutes les cuites du frangin), Joël a commencé un « batter » du tonnerre. Ce soir donc, on dînait toutes les trois, maman, Mary et moi et maman se met à penser tout haut — « penser » enfin ce qu'elle, elle appelle « penser » — à ce qu'il faudrait emporter pour les vacances. Elle faisait son inventaire à haute voix, rêveuse et lointaine, légèrement romantique. Comme Joël nous accompagne, elle s'est souvenue tout à coup qu'il y avait deux boutons à recoudre à sa brayette. Je me suis proposée pour aller chercher l'objet (pas pour les recoudre, car maman fait ça très bien).

Je monte donc à la chambre de Joël, je toque par acquit de conscience, car je me doutais bien que, cuvant son ouisqui et sa bière, il ne me répondrait pas. Donc, n'entendant aucune réponse, j'entre.

Je trouve Joël étendu à plat sur le lit. Il avait dû entreprendre un travail quelconque et, accablé par la fatigue, s'être endormi sans avoir pu ranger l'outil qu'il tenait à la main. Par terre gisait mon numéro de *Votre Beauté*, grand ouvert à la page où un charmant modèle parisien photographié de fesse exhibe les qualités d'une gaine qualifiée de *Scandale*. La personne est ravissante, elle sourit. Ses bas montent haut le long de jambes apolliniaques, ou plutôt aphrodisiennes, je voulais dire en tout cas : divines, attrapés à mi-cuisse pour qu'ils s'étirent et moulent les gambettes par les jarretelles issues de la gaine, dont le tissu lastex légèrement transparent laisse apercevoir la partition en deux hémisphères de ce globe savoureux que nous autres femmes promenons en tant que cul.

L'étrange de l'histoire c'est que cette illustration était couverte d'une sorte de colle dont il me fut impossible d'établir la provenance.

Renonçant à la solution de cet intéressant problème, je pris son pantalon pour le passer à maman; il y manquait effectivement deux boutons.

14 juillet

Aujourd'hui c'est la Fête nationale de la République française. À Paris, il paraît que c'est formi. Michel Presle m'a écrit ça : les bals au coin des rues, les canettes de bière, les feux d'artifice sur les ponts. Ah ! quand donc, quand pourrai-je voir Paris ? Pour le moment, je n'ai sous les yeux que les vertes vallées d'Erin, car voici quelques jours que nous sommes installés chez l'oncle Mac Cullogh. Joël et lui s'entendent très bien : ils ne dessaoulent pas. Maman continue à tricoter des chaussettes pour le retour éventuel de papa. Mary et moi, on s'occupe comme on peut.

C'est la première fois, depuis l'âge de huit ans — God que c'est loin ! — que je vais à la campagne. C'est coquet la campagne. Ça a son charme : c'est vert, ça ne bouge pas, ça se transforme facilement en fumier ce qui est fort utile pour l'homme qui travaille ces champs, autrement dit l'agriculteur.

Mary et moi nous négligeons les plantes qui semblent dépourvues de tout outillage, en dehors de celui qu'on leur attribue à l'école : le pistil, les étamines et autres sornettes bonnes tout au plus pour figurer dans le catéchisme. Nous deux Mary, nous les dédaignons donc pour fixer notre attention principalement sur les animaux.

Ce que nous ne comprenons ni Mary ni moi, c'est leur manie de se grimper dessus, surtout les petites bêtes. Par exemple, les mouches, qui ne sont pas rares chez l'oncle Mac Cullogh, on les voit souvent s'abattre devant vous, l'une sur le dos de l'autre. Il est évident que c'est un truc de la part de celle qui est dessus pour empêcher celle qui est dessous de voler et la soumettre aux lois de la gravitation. D'une façon générale je les écrase toutes les deux d'une bonne tape, ce qui est peut-être injuste pour celle qui est dessous. Mary voudrait qu'on attrape celle de dessus pour lui enlever les ailes et lui faire la leçon : mais je ne suis pas favorable à cette pédagogie.

Dans le poulailler, il se passe des incidents analogues. Le coq ne pense qu'à une chose : se percher sur les poules, alors que ces braves volatiles ne pensent à ça que pour aller se coucher. De plus, ça ne leur plaît pas du tout, puisqu'elles glapissent. Aussi, une gaule à la main, je fais régner l'ordre dans ce petit monde. Sitôt que j'aperçois un coq qui se jette sur une poule, je le déloge.

Seulement chaque fois que j'entre dans le poulailler, le coq en question me saute dessus d'un air sauvage et rancunier. Il n'a pas l'air d'apprécier mes agissements. Est-ce ma faute ? Mais on dit que les coqs, ça n'est pas très intelligent.

3 août

Observé l'outil d'un âne. C'est quelque chose. Mais à quoi cela peut-il bien lui servir ? Pas à casser des noisettes tout de même. On n'attribue aucune industrie spéciale à cet animal. Ce n'est pas comme le castor qui fait des barrages avec sa queue.

25 août

Il n'y a pas que les petites bêtes qui se grimpent dessus, les moyennes aussi. Les braves toutous, par exemple, n'arrêtent pas d'essayer de jouer à saute-mouton entre eux, mais sans jamais y parvenir. Ils se mettent à cinq, six, il y en a un qui sert de tremplin (en général une chienne, me semble-t-il), ils se mettent sur deux pattes comme pour faire le beau, s'appuient sur les reins de l'autre, puis font des efforts convulsifs pour bondir par-dessus le partenaire, mais ces efforts ne sont jamais récompensés. Après s'être démenés quelque temps, ils retombent sur leurs pattes, épuisés, haletants. C'est comique et pitoyable. Les gamins font cercle autour d'eux, ce qui nous gêne beaucoup, Mary et moi, pour nos observations. Nous n'osons plus approcher, ce qui fait que jusqu'à présent nous n'avons pu étudier ce jeu dans le détail.

26 août

La chaleur ambiante, l'ardeur de mes recherches zoologiques et l'approche de ma mensualité, cette nuit, m'empêchaient de dormir. Vers trois heures du matin, je me levai, mis un peignoir et sortis dans la cour de la ferme. Tout était calme. La lune roulait majestueusement sur le tapis du ciel, éclaboussant de sa laitance la propriété de l'oncle Mac Cullogh. Soudain un cri déchirant s'élança dans le silence de la nuit et me foutit une trouille verte. Le blond duvet de mon jeune corps de vierge forte se hérissa d'horreur. Je m'immobilisai. Le cri reprit, lancinant, agressif, inquiétant. Je me mis à transpirer, d'abord du front, puis des aisselles, puis du creux des reins. La lamentation ne s'éteignait que pour reprendre avec une nouvelle intensité. J'envisageai un instant la présence de quelque fantôme dans la désolation, mais, comme on n'en citait jamais aucun dans le coin, cela me parut bien vite des plus improbables. Et puis, j'y crois si peu à ces trucs-là.

Une brise délicieuse transportatrice d'une bonne odeur de tourbe vint rafraîchir mon front. J'entrouvris mon peignoir pour qu'elle séchât le reste. Bien que la plainte n'eût pas cessé, je commençai à reprendre courage et décidai de voir ce qui pouvait bien gueuler de telle façon. Me guidant au son, je m'approchai de l'être sonore, avec combien d'hésitations, et j'aperçus deux chats. L'un d'eux, le bruyant, se tenait aplati, la tête au sol et les reins élevés. L'autre rôdait autour. De temps à autre, il s'approchait du premier, des coups de griffes s'échangeaient, des miaulements fusaient, puis, vaincu, il s'éloignait de nouveau pour rôder et surveiller son adversaire. Je ne tardai pas à conclure à la défaite de ce dernier étant bien considéré sa position et sa méthode de combat. Je peux en parler en connaissance de cause moi qui fais partie de la C.A.C.C.F.A. (Catch-as-catch-can Feminine Association), de la F.I.F.A. (Full-in Feminine Association) et de la G.R.W.F.A. (Greco-roman Wrestling Feminine Association). Il est vrai que je ne pratique plus depuis un an. Je n'ai même pas payé mes cotisations. Il faudra que je m'y remette. C'est l'étude de l'irlandais qui m'a pris tout mon temps, cette année. Et qui m'en prendra encore. La foutue langue, comme disait Presle, ce qu'elle peut être coriace. C'est autre chose que les études de postière de Mary. Mais je persiste dans cette décision : écrire un roman dans cet étrange langage. Je me sens une vocation littéraire et bizarre. Je pourrais écrire en anglais (ma langue natale) ou même en français (comme je le fais pour ce journal), mais non, je veux que ce roman soit en irlandais. Et je ne sais même pas de quoi il retournera dedans ! N'est-ce pas singulier ? Mais, où en étais-je ? Ah ! oui. Mes chats. Eh bien, ça s'est passé comme prévu. Le rôdeur a sauté sur le râble de l'autre et il te l'a secoué de belle façon.

Qu'est-ce qu'elles ont donc toutes ces bêtes à se grimper comme ça sur le dos ? On dirait qu'elles ne pensent qu'à ça et qu'il n'y a que ça dans la vie.

27 août

Ce matin, en contemplant les beaux champs de navets de l'oncle Mac Cullogh, je me remémorais des fragments de l'enseignement scolaire des Sciences naturelles. Il y avait bien quelques considérations sur la reproduction des végétaux, mais sur celle des animaux zéro. Je commence à entraver que tout ce qui m'a préoccupée ces temps-ci a quelque chose à voir avec cette question délicate. Cependant je ne saisis par les analogies ; l'outil masculin ressemble bien au pistil, mais est-ce là sa fonction ? Que seraient alors les étamines ? Les poils follets qui poussent vers mon centre. Mystère. Tout ceci n'est pas cohérent.

28 août

Malgré ma taille, et Mary n'est pas petite non plus, l'oncle Mac Cullogh nous appelle « petites ». Ce matin, il nous a dit :

— Petites, si ça vous amuse, on va mener la chèvre au bouc.

Nous avons dit oui, alors il a mis un licol à Betty, une biquette toute blanche, et nous sommes partis (quand il y a trois féminins contre un masculin, ne faudrait-il pas écrire « parties » ?) dans la direction de la ferme de Fyve O'Clogh, à deux milles de chez le tonton.

Nous avions peut-être marché pendant une demi-heure à peine que Mary et moi nous nous exclamâmes ensemble :

— Ah, mes aïeux, quelle odeur !

En effet, pour cocoter, ça schlinguait.

Je ne sens rien, dit le tonton. Mais ça doit être Barnabé.

— Barnabé, m'écriai-je avec un serrement de cœur.

Mary s'esclaffa.

L'oncle prit un air finaud.

— Toi, ma petite Sally, tu dois fricoter avec un Barnabé. Le nôtre, ici, c'est le bouc à O'Clogh.

— On devrait bien le laver, remarqua Mary.

— Ça lui enlèverait de son charme, hein ! biquette ?

Il lui donna affectueusement un bon coup de trique.

— Alors, ce Barnabé, reprit le tonton, à quand le mariage ?

— Elle n'est pas décidée, dit Mary.

— Je ne suis pas près de me marier. Surtout avec Barnabé.
Que je connais à peine. Je ne lui ai parlé que deux ou trois fois.

— Qu'est-ce qu'il fait?

— Il apprend l'irlandais.

— C'est bien du travail, dit le tonton.

— Je veux, approuvai-je.

— Pourquoi tu ne te marierais pas?

— Elle n'en sait rien, dit Mary.

— C'est pas dans mes idées actuelles.

Plus on avançait, plus ça puait. Et il fallait que je trouve des raisons par-dessus le marché. J'inventai celle-ci, la plus fausse de toutes :

— Si tu crois que l'exemple de maman est encourageant.

— Eh bien quoi! Elle a profité de la jeunesse de son mari, elle en est bien débarrassée maintenant.

— Elle l'attend, dit Mary.

— Du chiqué, répliqua le tonton.

— De la sottise, répliqua Mary.

— Petite effrontée, s'écria le tonton, insulter ma sœur!

Il avait l'air vraiment indigné. Pourtant tout le monde sait que maman est plutôt débile du citron.

— Tiens biquette, m'ordonna le tonton.

Je pris le licol, et le tonton prenant Mary sous son bras lui appliqua six claques sur le tutu. Puis il la laisse aller. Il va reprendre le licol. Mais il se ravise. Il saisit de nouveau ma sœur et lui dégèle de nouveau le bas des reins. Mary, libérée, reste en arrière. Elle boude. Elle a l'air toute chose. Le tonton qui a repris le licol, aussi. Je l'examine du coin de l'œil des pieds à la tête. Vers le milieu du corps, je constate que sa spiritualité se manifeste à tel point que, pour sûr, il pourrait s'en servir comme trique pour biquette. Qui bêle tout le temps et semble s'énerver. La ferme au bouc est au coin de la route. On marche en silence.

— Allons, dit enfin le tonton, fais pas cette tête-là, Mary.

Ça ne nous est arrivé, ni à l'une ni à l'autre, depuis le départ de papa, il y a dix ans. Joël a bien quelquefois essayé, mais il était le moins fort et on lui foutait une bonne raclée à nous deux. Une vraie lavette, le frangin! Mais je me souvenais bien de celles que me donnait le fazeur. Il était solennel et méthodique. Relever sa manche, baisser mon pantalon, me coucher sur ses genoux, tout ça prenait du temps, du temps. C'était une vraie messe pour lui, une communion. Et la vache, quel battoir il avait. Mais moi, je n'étais pas humiliée du tout. Punie encore moins. J'avais un grand sentiment de triomphe. Je trouvais que c'était lui qui s'abaissait en s'intéressant avec tant d'obstination à la partie de mon corps qui n'était pour moi que celle sur laquelle je m'asseyais. Je me considérais comme une reine, et lui n'était que l'esclave de mon derrière, une simple chaise à claques. Quand c'était terminé, je remettais mon pantalon sans un pleur (quelquefois, si, tout de même, quand il m'avait fait trop mal), et je m'en allais, digne et satisfaite, car, après tout, j'aime avoir chaud aux fesses.

Cependant Mary nous avait rejoints et marchait à côté de nous.

— Faut comprendre, lui expliquait le tonton, je sais bien que ta mère est une sacrée simplette, mais ce n'est pas à toi de le dire. Ah! Tout de même. Rrrh.

Il cracha fièrement.

— Nous y voilà. Une belle ferme qu'il a, O'Clogh. Et un beau bouc itou. Mes petites, vous allez voir le beau mariage que ça va faire.

Il s'esclaffa.

— Le beau mariage! Le beau mariage!

Mary et moi nous nous regardâmes; les mêmes appréhensions devaient cavaler sous nos ciboulots.

— Pourquoi donc menez-vous la biquette au bouc? demandai-je au tonton d'une voix trébuchante.

— Vous allez voir, mes petites! Vous allez voir!

On entre donc, on voit le père O'Clogh, on s'explique, ça bêle de tous les côtés, le bouc est dans la cahute là-bas, vous allez voir, mes petites, vous allez voir, on boit du ouisqui, on discute le prix des noces, puisque noces il y a, ça bêle très fort, on reboit du ouisqui, on est finalement d'accord, vous allez voir, mes petites, vous allez voir, on traîne biquette, la porte est ouverte, quelle odeur, quelle odeur, un être barbu piétine d'impatience, ses yeux fulgurent, il veut à toutes forces marcher sur ses pattes de derrière, il pose celles de devant sur le dos de la biquette et le voilà qui se démène comme un vrai chien avec un air très satisfait. Dans ma tête, tout tourbillonne, les purs esprits, les émotions de Barnabé, les mensualités de Mrs. Killarney, les grimpades de Joël, les outils asinins, les caleçons des statues, la reproduction des végétaux, des animaux et des hommes, la nuptialité. Tout s'enchaîne, tout s'explique — ou du moins, il me le semble. Des

éclairs sillonnent ma petite âme (immortelle). Je suis éblouie.
L'odeur bouquine m'étouffe. Je défaille. Je vais tomber à la ren-
verse.

— Tiens bon la rampe, me souffle le tonton dans le tuyau de
l'oreille.

Je tends la main et je m'attrape à sa trique.

Une vulgaire trique de bois.

L'oncle Mac Cullogh n'est pas un gentleman. Comme celui
du port.

1955

*13 janvier (anniversaire du départ
de* Michel *Presle et de ma rencontre avec le gentleman)*

Voilà six mois, non : un peu plus de quatre, que je n'ai rien écrit sur ce cahier. Je l'avais foutu au fond d'un tiroir et je n'y touchais plus, je ne savais plus quoi mettre dessus. Il ne s'est pas passé grand-chose depuis les vacances. J'ai repris mes leçons chez Baoghal, Barnabé aussi. Je ne sors jamais avec lui, ah, mais non. Avec aucun autre homme non plus. Mme Baoghal fait toujours ses miniatures avec la même application, ça me gêne, ça me colle une sorte de malaise, je travaille moins bien. Joël s'est acheté un phono. Pendant qu'il n'est pas là, Mary et moi, on apprend à danser. Maintenant elle va au bal, au moins une fois par semaine, quelquefois deux. Elle fréquente un certain John Thomas. Pourtant, le soir du bouc, tout à coup dans son lit, on avait la même chambre, elle s'est mise à pleurer en bégayant : « Pauvre biquette, pauvre biquette. » Et voilà comme sont les filles. Moi, je ne vais à aucune party. Qu'est-ce qui s'est passé encore ? Maman a donné congé à Mrs. Killarney à cause de son obésité croissante. Ça a fait du raffut. Elle a dit qu'elle reviendrait, que ça ne se passerait pas comme ça. On a maintenant une petite dans le genre de Mève. Joël la laisse tranquille. Il est toujours aussi alcoolique. Je ne le vois pas beaucoup. Mary d'un côté, Joël de l'autre, maman qui tricote des chaussettes pour papa qui reviendra peut-être un de ces jours, je me sens bien seule. Je n'ai envie de rien. Je suis toute mélancolique, pourtant mes ovaires vont bien, merci.

J'ai repris ce cahier parce que ça faisait un an que j'avais commencé à tenir mon journal intime, mais je n'ai plus beaucoup le cœur à ça.

Michel Presle m'a écrit deux fois, il m'a envoyé d'autres journaux français : *Vogue, Fémina*, etc. Ça me fait plaisir de les feuilleter, je porterais bien des belles choses comme on en voit dessus, mais c'est peu probable que ça m'arrive jamais, alors j'ai de grosses nostalgies. Et puis se faire belle, se pomponner, se bichonner, s'aduler, se parfumer, et ainsi de suite pour finir par se faire perforer par une brute puante, bien la peine !

16 janvier

En recommençant mon journal, je ne pensais pas que j'aurais si tôt l'occasion d'y consigner de fantastiques événements. Il s'est passé des choses inouïes, formidables, renversantes. Voici lesquelles :

On dînait. On venait de finir le hareng au gingembre pour entamer le lard aux choux, par hasard Joël et Mary se trouvaient là, c'est rare maintenant qu'on soit tous les quatre ensemble, il y a toujours, soit Joël, soit Mary qui manque. Joël, pas trop saoul, se curait distraitement les oreilles avec un cornichon. Maman coupait le lard, les choux sentaient bon, dehors il faisait froid, dedans il faisait chaud, on se sentait à l'aise, quand tout à coup on sonne à la porte : la petite y va. On entend des voix, des piaillements, un remue-ménage, la porte s'ouvre violemment et voilà Mrs. Killarney qui entre en bousculant Bess. Elle était toute dégonflée et portait un paquet dans ses bras. C'était le paquet qui piaillait. Elle le déposa sur les genoux de maman.

— Tenez, grand-mère, tenez, lui dit-elle, à vous de vous en occuper. Moi, j'ai autre chose à faire, bonsoir.

Elle fit mine de s'en aller.

— Ah, mais non ! s'écria maman. Va falloir remporter ça.

Et elle se leva pour refiler le moujingue à la commère.

— J'en veux plus, gueula Mrs. Killarney. Je l'ai eu neuf mois dans le tiroir, ça suffit comme ça.

— Rien à faire, hurla maman, pas de ça chez nous ! D'ailleurs, qu'est-ce qui nous dit que vous ne l'avez pas ramassé dans une voiture d'enfant pour nous faire une sale farce avec ?

L'intelligence de maman devenait stupéfiante.

Mary flanqua sous la table un coup de pied à Joël.

— Tu ne dis rien ?

Lui, qui regardait rêveusement le cérumen qui ornait le bout de son cornichon, répondit simplement : « Aïe ! » Il n'avait pas encore levé les yeux.

Maman faisait des prodiges de stratégie :

— Bess ! Bess ! Fermez la porte !

Bess y galopa en se marrant.

— Mrs. Killarney, vous ne partirez pas d'ici sans emporter avec vous cet adorable bébé.

— Hein, qu'il est gentil ? dit Mrs. Killarney.

— Ravissant. Il vous ressemble, ajouta maman.

— Vous trouvez ?

— Une vraie poupée. Il a vos yeux.

— Vous croyez ?

— Il a de très beaux yeux.

— Je trouvai qu'il avait plutôt ceux de son père, dit Mrs. Killarney.

— Et qui est son père ? demanda maman d'un air détaché.

— Eh bien, votre fils, répondit Mrs. Killarney.

— Allons, allons, fit maman avec indulgence, du moment qu'il est fils, il n'est pas père, voyons, Mrs. Killarney, il ne faut pas dire des choses comme ça, vous vous feriez moquer de vous. Tenez, vous prendrez bien un verre de ouisqui pendant que nous finissons de dîner. Vous n'avez peut-être pas dîné ? Bess ! un couvert pour Mrs. Killarney et une autre bouteille de ouisqui.

Mrs. Killarney se retrouva assise à notre table avec le bébé dans les bras.

— Vous allez nous dire ce que vous pensez du lard aux choux de Bess.

Maman lui en colla une platée dans son assiette.

— Merci, Mrs. Mara, dit Mrs. Killarney. Ça sent bon.

Elle se jeta dessus.

Et nous nous mîmes à dévorer le lard aux choux, puis une plaque de fromage de douze livres, enfin une tarte aux algues.

— Elle cuisine bien, la petite, dit Mrs. Killarney en s'essuyant la moustache du revers de la main. Tant mieux pour vous, car je ne suis pas prête à revenir.

— On vous regrette, on vous regrette, fit maman.

Le bébé s'était tenu jusqu'à présent tranquille. Je le regardais du coin de l'œil avec une curiosité honteuse. Mrs. Killarney mangeait par-dessus sa tête et il lui était tombé dessus quelques petits détritus de mangeaille. Ne plus entendre mastiquer l'éveilla. Il se mit à vagir.

— Il a faim ce petit, suggéra maman.

Mrs. Killarney acquiesce, dégrafe son corsage et en sort un hémisphère énorme, pétant le lolo, sur lequel le baby se précipite avec autant d'ardeur que nous sur le lard aux choux. Que cette molle chrysalide vorace fût (peut-être) mon neveu, voilà qui me remplissait d'autant de stupeur que la pensée qu'un jour, après avoir supporté le bouc, mes petits seins durs pourraient devenir aussi globuleux que ceux de Mrs. Killarney et que celle-ci avait dû certain jour se mettre à quatre pattes devant mon frère. J'imaginais mal comment cela avait pu se passer. Je ne voyais pas bien la scène. Je n'y croyais pas. Et tout se mêlait, se confondait, je n'en sortais pas. Et le baby glouton continuait à téter et maman avait un air attendri et Mary un dégoûté, et, finalement, dans le silence, Joël leva les yeux et dit :

— Mrs. Killarney, vous devriez cacher ça.

— Pourquoi donc ? demanda maman. Elle ne fait rien de mal, Mrs. Killarney.

— Ah ! s'écria celle-ci, monsieur daigne enfin m'adresser la parole.

— Cachez ça, je vous dis.

— Mal poli !

— Cachez, cachez !

— **Insolent** !

— Allons, allons, dit maman, vous n'allez pas vous disputer pour si peu. Joël, si cette vue te dégoûte, et je me demande pourquoi, tu n'as qu'à tourner la tête. Je pense qu'il n'en a plus pour longtemps à téter, ce petit.

— C'est une fille, dit Mrs. Killarney avec dignité.

— Et quel est son prénom ?

— Salomé.

— Oh ! Comme c'est mignon ce nom-là, gloussa maman.

— Je lui ai donné en souvenir de M. Joël. C'est comme ça qu'il m'appelait dans l'intimité.

— Il vous appelait Salomé ? lui demanda Mary en la regardant dans les yeux.

— Oui, mademoiselle. Il me disait comme ça : « Tu seras ma Salomé, mais tu garderas tes sept voiles. »

— Ça, Joël, dit maman avec fierté, pour de l'imagination, il n'en manque pas quand il veut.

Et elle se joignit à notre rire. Mary et moi, nous nous gondolions démesurément, on en pleurait.

— La vache, rugit Joël sans bouger avec un sourire en coin un peu jaune, la vache, gronda-t-il, et puis d'abord c'est pas vrai.

— Quel culot

— Foutez le camp !

Joël essayait de prendre un air digne.

— Kss, kss, fit Mary.

On n'en pouvait plus.

— J'ai été trop bon avec vous, déclama Joël. D'ailleurs, ou est toujours trop bon avec les femmes.

Je riais tant qu'il me fallut aller quelque part. Mon petit besoin soulagé, j'allais retourner dans la salle à manger où le tintamarre semblait aller croissant, lorsque la sonnette de la porte d'entrée tinta.

— J'y vais, criai-je mais d'ailleurs personne n'avait entendu.

J'ouvris la porte. Un homme était devant moi, le chapeau baissé sur les yeux, les mains dans les poches. Le débile réverbère qui éclaire la rue devant notre maison, la faible lumière qui venait du corridor ne me permettaient pas de voir son visage. L'homme était aussi grand que moi, large d'épaules, lesquelles un peu voûtées.

Encore toute à ma gaieté lorsque j'étais venue ouvrir, je demeurai stupéfaite. Je finis par balbutier :

— Vous désirez, monsieur ?

Il me demanda d'une voix sourde si Mrs. Mara habitait toujours ici. Je répondis que oui.

— Bien, fit-il.

Il s'essuya soigneusement les pieds sur le paillasson et sortit les mains de ses poches. M'écartant d'un bras décidé, il entra.

— Monsieur ! criai-je bêtement en le suivant. Monsieur !

Mais arrivé au bout du corridor, il s'arrêta.

— Quel vacarme ! murmura-t-il.

— Monsieur ! fis-je encore.

Il enleva son chapeau et le lança d'une main sûre dans la direction du portemanteau. Puis il me prit le menton.

— C'est toi, la boniche?

Je le repoussai. J'étais à peu près sûre de l'avoir reconnu.

— Non. Je suis Sally.

— Eh bien, dit-il calmement, tu peux embrasser ton père.

Je n'en avais nulle envie. Il m'attrapa par les épaules et m'embrassa. Il était mal rasé, sa barbe piquait. Il avait des yeux gris très froids et l'air plutôt déjeté. Je m'aperçus que je n'avais aucun souvenir véritable de lui. Je remarquai que son veston était plein de taches et élimé.

— Qu'est-ce que c'est, ce chambard? me demanda-t-il de nouveau.

Il paraissait à la fois curieux et au-dessus des événements.

— C'est notre ancienne ménagère qui prétend que Joël est le père de son enfant. Vous arrivez à pic.

Il réfléchit un instant, puis dit tranquillement :

— Merde. Ça commence bien.

Il se gratta la tête, et fit un pas dans la direction du portemanteau.

— J'ai bien envie de foutre le camp de nouveau.

À ce moment-là le chahut dans la pièce voisine redoubla d'intensité : un mélange incohérent de gueulantes, de rires, de vagissements, de meubles bousculés.

— Je vais tout de même aller voir ça, déclara papa. C'est marrant? me demanda-t-il.

— Par instants, répondis-je gênée.

Il ouvrit doucement la porte de la salle à manger et nous aperçûmes Joël, son outil hors de son pantalon, et qui voulait en presser l'extrémité avec un casse-noisettes. Maman lui criait d'une voix déchirante :

— Ne fais pas ça, Joël! Tu vas le détraquer.

Mrs. Killarney hurlait, le bébé vagissait, Mary riait d'un air fou, les yeux à moitié blancs.

— C'est coquet, murmura papa.

Joël fut le premier à l'apercevoir — et à le reconnaître.

— Père! s'écria-t-il.

Et laissant tomber le casse-noisettes, il se reculotta. Maman se retournant piaula : «John!» et bondit dans ses bras. Mary ne fit rien.

— Bonjour tout le monde, dit papa.

Il distribua des baisers à la ronde et serra la main de Mrs. Killarney en s'inclinant gravement. Une risette au baby. Puis il s'assit et se versa un verre de ouisqui qu'il vida par petites gorgées, l'air méditatif.

— Tu as rapporté les allumettes ? lui demanda maman.

— Oui. Tiens.

Il fouilla dans sa poche, en sortit une boîte toute neuve et la jeta sur la table.

— Merci, dit maman.

— Tu devrais ramasser le casse-noisettes, dit papa à Joël.

Joël sursauta, mais il obéit.

Papa s'adressa ensuite à Mrs. Killarney.

— Et vous, chère madame, qu'est-ce que vous avez l'intention de faire ?

— Ah, monsieur, je suis bien heureuse de vous voir ; je vais tout vous expliquer.

— Inutile. Je sais, je sais. Vous prétendez que ce lardon est mon petit-fils ? Eh bien, vrai ou pas vrai, vous allez foutre le camp immédiatement.

— Non, dit Joël.

— Qu'est-ce que tu as dit ?

— J'ai dit non ; elle reste ou c'est moi qui m'en vais.

— Elle fout le camp et tu peux foutre le camp avec si tu veux.

— C'est bon.

Il se leva et alla vers Mrs. Killarney. Il l'aida à se soulever de sa chaise et il déclama :

— Mrs. Killarney, permettez-moi de partager votre vie. Nous élèverons notre enfant dans l'honneur et la dignité !

Mary et moi, nous applaudîmes vigoureusement cette déclaration. Maman sanglotait.

— Demain je viendrai prendre mes affaires, continua Joël. Adieu ma mère, adieu mes sœurs, pardonnez-moi de vous quitter. Le devoir m'appelle.

Et, prenant Mrs. Killarney par le bras, il sortit tandis que nous redoublions nos applaudissements.

— Vous, nous dit papa, si vous voulez rester ici, vous allez marcher droit, sans ça, gare les corrections.

Nous nous immobilisâmes. On entendit la porte sur la rue se refermer. Le silence se poursuivit.

Enfin maman eut une idée. Elle dit avec un ton de doux reproche :

— John, tu en as mis du temps pour trouver une boîte d'allumettes.

— Les allumettes, ça n'est rien, répondit papa, le plus difficile c'était la boîte.

Et il se versa un nouveau verre de ouisqui. C'est ainsi que j'ai perdu un frère et gagné un papa.

25 janvier

Veule et sévère, il cristallise l'atmosphère en glace coupante ou bien il l'épaissit en une sorte de glu. Il boit presque autant que Joël (non, tout de même pas, de loin) mais ça ne se manifeste pas. Il ne sort pas beaucoup, à vrai dire, il n'est même pas sorti une seule fois depuis son retour. Maman reste radieuse, mais Bess est terrorisée. Mary a déclaré qu'elle s'en irait dès qu'elle sera demoiselle des Postes.

Oui, la vie a bien changé à la maison.

30 janvier

On est allé voir Joël, Mary et moi. Il habite dans la ruelle en retour d'équerre qui part de Cross Kevin Street, au coin de l'École Technique, pour rejoindre New Street. Au rez-de-chaussée, il y a un marchand d'abats et de viscères. Nous enjambâmes quelques têtes de lard faisandées, quelques gésiers de veau cirrhotiques et quelques couilles de bœuf efflanquées, et nous gravîmes les marches échardées d'un escalier obscur au milieu duquel un ruisseau d'urine avait creusé son lit.

— C'est formidable, gueula Joël en nous apercevant. Je ne me suis pas saoulé une fois depuis mon départ. Pas vrai, ma Salomé ?

Nous saluâmes Mrs. Killarney et nous allâmes jeter un coup, d'œil sur notre nièce qui roupillait dans un fond de valise organisé en berceau.

— Tenez, en ce moment, continuait Joël, je n'en suis qu'à mon huitième ouisqui (il était six heures du soir). Et je travaille, et je travaille ! Hier, j'ai porté une valise à la gare de Westland Row et avant-hier j'ai poussé une brouette tout le long de Cooks Lane. Je suis un homme régénéré !

Il se laissa tomber sur un tabouret en souriant avec satisfaction.

— Dis, ma Salomé, qu'est-ce qu'on leur offre. Du ouisqui?

— Y en a plus.

— Tu pourrais aller en acheter une bouteille.

— Pas d'oseille.

— O'Coghtail te fera crédit.

— Veut plus.

Il fouilla dans sa poche : il ne lui restait qu'un raol. Mrs. Killarney possédait encore trois pingins. Mary avait dans son sac un florin, et moi à peu près trois punts, mais je ne montrai que deux coroins.

— Ça ira, dit Mrs. Killarney qui s'en alla guillerette quérir la boisson.

— Et le père? demanda Joël en grattant avec ses ongles la boue séchée qui couvrait ses chaussures.

— Le père, j'en ai par-dessus la tête, du père, dit Mary, Je décarre dès que j'ai de quoi croûter.

— Tu iras vivre avec John Thomas?

— Peut-être.

— On parle de moi à la maison?

— Maman te souhaite bien le bonjour.

— Il parle que pour dire des vacheries, donner des ordres ou proférer des sornettes. Un con prétentieux.

— Et toi, Sally, tu ne dis rien?

— Oh moi, répondis-je, je m'en fous.

— Dis donc, Sally, ça ne va plus? Je te trouve toute changée depuis les vacances. Qu'est-ce que tu as?

— Moi? rien. Rien de rien.

— Elle souffre d'amour rentré, dit Mary.

— Tu vas me faire rougir, stupide.

— Elle ne sait pas où l'accrocher, son amour. Sa vie manque de portemanteaux.

— Tu ne vois plus Barnabé? me demanda Joël.

— Dis donc, tu t'intéresses beaucoup à moi, maintenant que tu ne vis plus à la maison.

— Je te le dis, je suis un homme régénéré.

Mrs. Killarney revint avec cinq bouteilles.

— Crédit pas mort, dit-elle en clignant de l'œil.

Nous nous installâmes le plus confortablement possible sur les débris de meubles qui gisaient dans la pièce et nous nous mîmes à parler de choses et d'autres, de la situation financière en Finlande, de la teneur en vitamines du lard aux choux, de l'existence d'Homère et de Shakespeare, de la gueule du prince de Galles, etc. Lorsque nous eûmes fini la troisième bouteille, Mary fit remarquer qu'il était peut-être temps de rentrer. Je lui répondis que je m'en foutais royalement. Nous convînmes de nous arrêter à la quatrième. Joël récita des limericks qui nous tirebouchonnèrent; maintenant j'en comprenais environ un sur cinq. Mary récita la liste des douze cents îles philippines et nous terminâmes par quelques chansons. Après avoir fait notre petit besoin dans l'escalier, chacune à notre tour, nous dîmes au revoir à Joël, à Mrs. Killarney et à Salomé que notre départ avait réveillée et pour laquelle nous promîmes de nous cotiser pour l'achat d'un joujou distrayant comme un meccano ou un microscope.

L'escalier se montra singulièrement à pic, le pavé singulièrement glissant. Les autres nous dirent un dernier adieu penchés à leur fenêtre où pendait un linge sale qui ne blanchirait jamais. Mary vomit sur un stère d'oreilles de truies qui attendait preneur et nous nous dirigeâmes vers la maison, maintenant non seulement maternelle mais encore paternelle. La marche nous paraissait un sport tout à la fois difficile et hasardeux, nous nous ragaillardîmes en chantant quelques couplets dans lesquels nous nous efforcions d'introduire le plus de mots possible dont le sens exact nous fût inconnu. Plusieurs passants nous acclamèrent. Quelques-uns même nous proposèrent de partager leur couche mais nous refusâmes, car, pour ma part tout au moins, j'aime bien mon dodo et j'y suis habituée. Chez l'oncle Mac Cullogh, par exemple, je dormais très mal.

À l'angle de Long Lane et de Heytesbury Street, nous nous heurtâmes à un jeune homme que nous crûmes reconnaître :

— Mais c'est Barnabé! m'écriai-je.

— Tu penses que c'est bien Barnabé? demanda Mary.

— Ça a tout l'air d'être Barnabé, répondis-je.

— Comment va, Barnabé? me demanda Mary.

— Barnabé, il ne va pas trop mal par les temps qui courent, répondis-je.

— Je suis vraiment ravie que Barnabé aille bien par les temps qui courent, déclara Mary.

— Il est de fait que Barnabé va vraiment très très bien par les temps qui courent, affirmai-je.

— Vous ne voulez pas que je vous reconduise? demanda Barnabé.

— Je crois que Barnabé a l'intention de nous reconduire, dit Mary.

— Si on demandait à Barnabé d'avoir l'intention de nous reconduire? proposai-je.

Après avoir échangé différents propos sur un mode plutôt monocorde, deux heures et demie plus tard nous nous trouvions devant notre porte.

— Je vais parler à votre mère, dit Barnabé d'un air confidentiel.

— Pas la peine, lui dis-je. On arrangera ça toutes seules.

Mary tira sur la sonnette. Barnabé s'éloigna.

— Quand est-ce que tu m'emmènes au cinématographe? lui criai-je.

Je n'entendis pas ce qu'il me répondit. La porte s'ouvrit et nous poussâmes un petit galop jusqu'à la salle à manger. À notre grande stupéfaction, la table était desservie.

— Alors quoi! dit Mary. On bouffe pas ce soir?

— Chtt, faisait maman, chtt, chtt.

— C'est vrai, dis-je. Qu'est-ce qui se passe?

Papa entra dans la pièce.

— Tiens, le voilà, celui-là, fis-je.

Et à maman :

— Alors quoi? Et la table? Pas encore mise?

— On a fini de dîner, répondit papa d'une voix de baobab.

— Pas nous, on n'a même pas commencé.

— Eh bien, ça ira comme ça pour ce soir.

— C'est que j'ai faim, moi, dit Mary.

— Tu as peut-être soif aussi?

— Naturellement. En voilà une question! Voyez-vous ça!

Elle reçut une forte taloche dont elle resta bouche bée. Cet acte de brutalité me poussa vers des actes extrêmes : je me dirigeai vers papa pour lui secouer un peu le paletot et lui apprendre à vivre. Je n'avais pas prévu qu'il pouvait avoir quelque connaissance de l'art de se battre en famille et le ouisqui que j'avais bu noyait quelque peu les souvenirs d'entraînements passés.

Quelques secondes plus tard, je me retrouvai donc sur les genoux de mon père, la jupe retroussée, le slip baissé, en train de recevoir une énergique fessée. Je commençai tout d'abord par réfléchir sur la vanité des choses de ce monde, les hauts et les bas de l'existence, la bonne et la mauvaise fortune, puis, la chaleur fondamentale aidant, j'en vins à penser à la reproduction des espèces végétales et animales, à la confection des vêtements d'homme en général et des brayettes en particulier, à la rosée des menhirs, à la barbe des boucs, à l'obscurité des salles de cinéma. Je commençai à délirer et, comme papa s'acharnait à rendre écarlate l'ample surface que j'avais l'honneur de mettre sous ses yeux, je sombrai dans une félicité singulière bien que j'essayasse de me raccrocher comme une bouée à ces paroles : «Tiens bon la rampe... Tiens bon la rampe... »

31 janvier

Barnabé m'attendait à la sortie de ma leçon. Il m'a rappelé que je lui avais demandé de m'emmener au cinéma. On est allé voir *New York-Miami*. J'ai fait bien attention de ne pas lui mettre la main sur la cuisse. Lui, de son côté, se tassait, il me semble, dans son fauteuil. Il m'a reconduite jusqu'à la maison. On n'a pas dit grand-chose. On a un peu parlé de philologie celtique. Je me demande ce qu'il peut penser. Papa était un peu plus loquace aujourd'hui. Il racontait des histoires de Chicago à maman, les bootleggers, les rafales de mitraillette, et comment il avait failli y trouver une boîte d'allumettes, alors il serait tout de suite rentré. C'était passionnant. Mais c'était à maman qu'il parlait, il ne s'adressait pas à nous. Il ne fait non plus aucune attention à Bess. Elle est très jolie, Bess, elle ressemble un peu à Mève, un peu maigrichonne. Je croyais que papa allait la bouquiner. Pas du tout. Il ne la regarde même pas. Ce qui n'empêche pas Bess de vivre dans la terreur.

1er février

Il ne faut pas qu'il s'imagine qu'il va recommencer tous les jours. Aujourd'hui, sous prétexte qu'il s'était pincé le doigt avec le casse-noisettes (toujours ce sacré casse-noisettes), il a voulu me faire rougir le tutu. Mais maintenant je connais sa force et son style. Je me suis approchée de lui et quand il a voulu m'attraper, je lui ai fait une clé au bras maison dont il est resté tout pantois.

3 février

Comme il ne peut rien faire avec moi, il est retombé sur Mary. Il y avait du merlan à déjeuner. Mary a eu la fantaisie de mettre un peu de sel dessus (d'habitude nous mettons du sucre, à l'anglaise). Ça a mis papa en fureur, il s'est jeté sur elle et l'a sévèrement corrigée. J'ai regardé attentivement; ce qui est le plus intéressant, c'est d'observer les changements de couleur de la peau. C'est curieux de voir comme un derrière, qui est en général très blanc, presque opalin (je parle pour moi et pour Mary) petit devenir aussi écrevisse qu'une tomate. Ce qui est étrange aussi, c'est de voir la tête que fait la personne fessée. Elle en avait un drôle d'air, Mary. Je me demande si j'avais le même minois, l'autre jour, quand c'était moi qui y étais passée.

Quand nous avons été seules, elle m'a fait une scène terrible. Que je n'étais pas venue à son secours. Que j'étais une fausse sœur, une vache perfide et une salope infinie. Peu à peu elle se calma et déclara :

— Ça ne va tout de même pas devenir la maison du général Dourakine ici. S'il recommence encore une fois, je fous le camp, même si je n'ai pas encore passé mon examen.

— Comment vivras-tu ?

— Avec John Thomas.

— Il faudra que tu te maries.

— Et puis après ?

— Oui, et puis après ?

Nous demeurâmes toutes deux pensives. J'examinai sa physionomie.

— C'est drôle, hein, lui dis-je, l'effet que ça fait.

— Quoi donc ?

— Eh bien, les claques sur le tutu.

— Oui, c'est vrai. Tiens, tu vois, en ce moment, je m'enverrais bien un gars.

— Qu'est-ce que tu dis ?

— C'est vrai. Tu ne comprends pas.

— Qu'est-ce que je ne comprends pas ?

— Tout ça.

— Tout ça, quoi ? Explique.

— Les choses de l'amour.

— Oh là, là, fis-je. Oh là, là.

Comme si cela voulait signifier quelque chose « oh là, là », mais je n'avais que ça à répondre. En effet, que savais-je des choses de l'amour, sinon qu'elles se font à quatre pattes et qu'elles ont un rapport avec la reproduction des espèces végétales et animales ?

Mary n'insista pas, forte sans doute d'une supériorité cachée que j'ignorais. Elle revint à sa préoccupation première.

— Dis, Sally, promets-moi que tu prendras ma défense s'il tente de nouveau de me toucher.

— Compte sur moi, Mary.

Mary réfléchit :

— Et si on s'y mettait toutes les deux ? Alors, là, il serait sûrement le moins fort.

— Et c'est nous qui le corrigerions.

Cette perspective nous fit sourire.

4 février

Barnabé m'a envoyé des fleurs, elles sont artificielles à cause de l'hiver, mais ce sont des fleurs tout de même. Il y avait joint sa carte, un bristol sur lequel il avait calligraphié son nom en lettres gaéliques.

C'est marrant de recevoir des fleurs. La première fois que ça m'arrive. C'est gentil, c'est éloquent, c'est allusif. On pense tout de suite au pistil, au pollen, à la fécondation. Je les ai longuement tenues par la queue avant de les mettre dans mon vase.

Je suis très touchée.

6 février

Je m'en doutais. Papa a la trouille. Tout à l'heure, j'ai levé brusquement le bras pour atteindre une tasse derrière lui, et il s'est machinalement protégé avec son coude. Après, il a rougi. Il ne dit plus rien à Mary. Il a dû entendre notre conversation de l'autre soir.

C'est une lavette.

12 février

Sortie deux fois avec Barnabé cette semaine. Nous avons de longues conversations sur l'avenir de la langue gaélique. Nous répétons ensemble nos leçons. Nous sommes de bons camarades, nos peaux ne se contactent que pour le bonjour et l'au revoir.

13 février

Profitant de mon absence, papa s'est jeté sur Mary parce que la veille elle avait mis trop de confiture sur sa truite, et il l'a tellement assaisonnée qu'elle peut à peine s'asseoir.
Elle enrage.

15 février

Ça faisait un mois qu'on n'était pas allées voir Joël. On a trouvé tout le monde qui ronflait ; il était environ trois heures de l'après-midi. En attendant qu'ils s'éveillent, on a raflé les fonds de bouteilles et on a trouvé de quoi se faire deux ouisquis convenables. On les a regardés en train de roupiller : Joël avait l'air d'un ange, mais Mrs. Killarney n'était pas belle à voir, sa moustache se hérissait au souffle livide de son haleine et un filet de bave lui coulait le long du menton jusque dans le cou.

— Comment peut-il s'envoyer cette rombière, se demandait Mary. C'est quelque chose quand même, un complexe, ça fait faire des trucs pas communs.

J'avais beau dans mon imagination mettre cette mémère à quatre pattes, je voyais pas du tout mon frère en train de la bouquiner. Il était beau, comme ça, lui, dans son sommeil, calme, éthéré, poétique. Quant à Salomé, elle avait rabougri depuis la dernière fois, elle vieillissait à fond de train, on lui aurait donné soixante ans à ce poupon.

Puis on s'est mis à regarder par la fenêtre le mouvement de la rue. Ça cocotait bien fort. Des porteurs d'abats et de viscères allaient et venaient, des chalands marchandaient, des mendiants mendiaient. Une gipsy passa, verte, rouge, jaune. Deux chiens forniquaient sous l'œil attentif d'une bande de marmots : en les voyant ainsi s'instruire, je songeai à ma jeunesse, au temps où moi-même je gravissais péniblement l'escalier des études sexuelles.

Ayant sans doute changé d'idées, les deux bêtes cherchèrent à se détacher. Elles n'y parvenaient point, l'une tirant à hue, l'autre à dia. Tout d'abord nous joignîmes nos rires à ceux des gosses, puis j'aperçus le visage de Mary se figer et devenir très grave. Je devinai son anxieuse interrogation : qu'est-ce qui se passe lorsque, dans les mêmes circonstances, l'épouse veut aller d'un côté et l'époux d'un autre et qu'ils ne peuvent pas ? Est-ce que c'était jamais arrivé entre Joël et Mrs. Killarney ? Entre Padraic Baoghal et Mrs. Baoghal ? Entre Marc-Antoine et Cléopâtre ? Entre Adam et Ève ? Mystère. Un seau d'eau lancé par le marchand d'abats et de viscères vint couronner l'effort des deux toutous et par là même disperser le rassemblement des mioches.

Nous abandonnâmes notre poste d'observation. Dans la chambre on ronflait encore. Nous vidâmes nos verres, on griffonna un mot gentil sur un bout de papier gras et nous nous en fûmes.

Nous marchions en silence depuis quelque temps lorsque Mary me dit :

— Tu sais, je ne suis plus vierge.

Je m'en doutais, bien que je ne connusse pas exactement le sens de ce vocable dont l'utilisation théologique me paraît indécente. Les curés qui râlent perpétuellement à propos de babioles, ils devraient rougir de souligner tout le temps un détail aussi intime à propos d'une figure historique qui inspire tout de même le respect. Comme la Jeanne d'Arc des Français, qu'on qualifie de pucelle long comme le bras. Ça n'est pas pur, ça. On pense tout de suite au contraire.

— Eh bien, tu ne dis rien ?

Non, je ne disais rien. Entre sœurs on peut tout se raconter mais je n'allais pas lui demander si, lors de son passage à son état actuel, elle avait eu des ennuis analogues à ceux des deux ouah-ouahs de tout à l'heure. La question s'imposait pourtant. Je me contentais de balbutier

— Euh... c'était... comment ?

— Oh, tu sais, ça ne peut pas beaucoup se raconter. Quand on ne connaît pas ça, c'est vraiment de l'inédit.

— Vraiment ?

— Vraiment. Ça ne ressemble à rien. C'est unique. Tu verras toi-même.

— Mais je ne tiens pas à voir.

— On dit ça.

Je ne répondis rien, mais je posai une autre question :

— Et... il y a longtemps que tu as... que tu n'es... que tu as... que tu n'es ?

— Tout de suite après les vacances. Le 2 octobre, à quatorze heures trente environ de l'après-midi.

— Et tu ne m'as rien dit ?

— À ce moment-là, ça t'aurait trop... peinée. Tu étais si chose depuis... l'histoire de la biquette.

— Tu n'as pas été dégoûtée ?

— Tout d'abord, tu comprends, j'avais vu ça par le côté senti-mental... la pitié quoi... cette pauvre petite chèvre blanche si mignonne... ce vilain fauve poilu... mais, tu sais, je peux te le dire maintenant, en amour, la pitié, ça compte pas... Oui, c'est ça, tout d'abord la pitié... la tristesse... la crainte... et puis ensuite j'ai réfléchi... Je me suis dit que c'était comme ça depuis le com-mencement du monde...

Elle en a de la tête, sœurette, et pas seulement pour retenir le nom de douze cents îles philippines et des cinq mille rues de Paris.

— Alors, comme John me le demandait, j'ai couché avec lui.

— Tu as couché ? dans le même lit ?

— Non, la première fois, dans un fourré de Phoenix Park.

J'essayai d'imaginer la scène en utilisant les rares données de mon expérience. Il y eut un silence.

— Je devine à quoi tu penses, reprit Mary. Mais tu sais, les hommes, c'est pas des bêtes. Avec eux, l'amour, c'est plus... varié.

Et elle ajouta :

— Je ne devrais pas te dire ça. Mais tu sais, c'est aussi très chouette.

Nous nous trouvions devant la porte de notre maison.

16 février

Tout de même, tout de même. Plus j'essaie de me représenter la scène, plus cela me paraît incroyable. (Tiens, mais c'est à

Phoenix Park que Barnabé voulait m'emmener le premier jour
que nous sommes sortis ensemble.) Et qu'est-ce qu'elle entend
par « varié » ? Varié comment ? Pourquoi ? Et qu'est-ce qui est
varié ? Ah, comme le dit si bien Hamlet : « Il y a plus de choses
dans le ciel et sur la terre que n'en rêve la philosophie. »

17 février

Mais j'y pense... elle va avoir un baby.

18 février

Non. Je le lui ai demandé. Il paraît que non. Il y a un moyen
de s'arranger, dit-elle. Je n'y comprends plus rien. Si ce n'est pas
pour avoir un baby que l'on fait ça, c'est pour quoi alors ? Je
n'ose pas le lui demander. Parce que c'est « très chouette » ? Ah,
comme je le disais si bien avant-hier, il y a plus de choses dans le
ciel et sur la terre que n'en rêve la philosophie.

20 février

Comment peut-on être à la fois aussi froid et aussi mou ? Papa
se tient tranquille en ce moment, il ne sort toujours pas, il ne veut
fesser personne (ce qui n'empêche pas la pauvre Bess d'en avoir
bien peur), niais il y a quelque chose de visqueux dans sa présence. Son regard coupe, taille, perce, pénètre, mais ça ne l'empêche pas, lui, de ressembler à un escargot, un escargot qui
cacherait sa coquille sous un veston et qui aurait toujours la tête
dehors.
    Ce qui m'intrigue c'est que, depuis quelques jours, il me dévi-
sage avec ironie.

24 février

Il y avait longtemps que je n'avais pas vu Barnabé. Il m'attendait aujourd'hui après ma leçon. Après nous être enquis de nos
santés respectives, nous avons fait quelques pas en silence, puis

je lui ai fait remarquer que le temps était superbe. Très froid, mais sec. Un soleil glorieux. Il ne pouvait le contester. Je suggérai une promenade à pied. Il ne s'y opposait point. Je le laissai proposer diverses destinations. Merrion Square ? Sans intérêt. Saint Stephen's Green ? Je n'aime pas. Rutland Square ? Le voisinage de l'hôpital m'attriste. Mountjoy Square ? Trop loin. Les quais, le long de la Liffey ? Trop de circulation. Il eut l'air chagrin. Il ne voyait rien d'autre. Mais heureusement j'eus une idée :

— Et si nous allions à Phoenix Park ? m'écriai-je.

— Mais c'est encore plus loin que Mountjoy Square !

— Nous sommes juste devant la station de tramway.

— Mais il va y faire un froid de canard.

— Je ne suis pas frileuse.

Il me paie donc le tramway jusque-là et, abandonnant l'avenue centrale, nous commençons à errer tout en parlant linguistique. Ou plutôt je le laissais monologuer. J'avais tout autre chose en tête. Il finit par s'en apercevoir.

— Sally, vous avez l'air de chercher quelque chose.

Naturellement, je fis ma surprise et je niai. En vérité, je me demandais lequel de ces fourrés avait vu la conjugaison de sœurette et de John Thomas. Interrogation tout à fait gratuite car il n'y avait certainement pas d'écriteau pour l'indiquer, ce pouvait être celui-ci aussi bien que celui-là.

— Je vois bien que vous êtes venue ici dans une intention précise, continua Barnabé. Oh ! je ne vous demande pas laquelle.

— Je pourrais vous répondre pourtant. Vous vous souvenez de notre première rencontre ?

— Dans le tram ? murmura-t-il en rougissant.

— Non, je veux dire, la première fois que nous sommes sortis ensemble.

— Je m'en souviens, chuchota-t-il.

— Il y a un an aujourd'hui.

Il bredouilla d'étonnement quelque chose comme « vous croyez » ou « pas possible ».

— C'est toute l'impression que ça vous a fait ?

— Je... je n'ai pas la mémoire des dates.

— Mais celle-là ?

Ce qu'il pouvait être confus, le pauvre garçon.

— Vous ne vous souvenez pas que vous m'avez attendue à la

sortie de ma leçon et que vous m'avez proposé d'aller nous promener à Phoenix Park?

— Voui, acquiesça-t-il humblement.

— J'ai refusé, mais j'ai pensé que pour cet anniversaire ce serait gentil de ma part de satisfaire votre désir.

Il me remercia d'une voix défaillante et se déclara très ému.

Comme les premières teintes de la nuit commençaient à imprégner le ciel, nous fîmes demi-tour.

Un peu plus tard, il me demanda d'une voix timide :

— Vous êtes sûre que c'est le même jour?

— Comment cela?

— Que je vous ai attendue et que je vous ai proposé de venir ici?

— Eh bien oui.

— Je crois que c'est une autre fois. Le jour où je vous ai rencontrée au musée.

Je le regardai froidement.

— Le jour du cinéma, n'est-ce pas?

Il sombra de nouveau dans le bredouillement.

— Vous manquez de tact, Barnabé, lui dis-je d'un air pincé.

Dans le tramway, il avait la mine basse et la queue entre les jambes. J'en eus sottement pitié. En le quittant, je lui accordai quelques mots aimables. Et cela suffit pour lui donner un air heureux.

En relisant mon journal, j'ai constaté qu'il avait raison. Mon erreur devait tenir à ce que je ne voulais pas faire allusion à cette séance de cinéma. Je ne comprends pas encore très bien ce qui s'est passé ce jour-là.

25 février

Pourquoi ne m'a-t-il pas entraînée derrière un taillis? S'il l'avait fait, qu'aurais-je fait? Et si je l'avais fait, qu'aurions-nous fait?

Réponse : ce que tout le monde fait en pareille circonstance. Ça paraît simple, mais pour moi c'est terriblement obscur.

Et puis ça m'embête de ne penser tout le temps qu'à ça, à me poser perpétuellement des questions.

Si j'y allais un bon coup?

Avec qui ?
Avec Barnabé ?
Mais il est si pocheté.
C'est le seul homme que je connaisse.
Papa, c'est défendu. Joël aussi. Il y a bien Padraic Baoghal.
Mais est-ce qu'il se reproduit à son âge ?
En y repensant, Michel Presle ne m'aurait pas déplu. À propos, ce salaud-là ne m'écrit jamais. Moi non plus d'ailleurs.
Il y a aussi le garçon laitier.

2 mars

Je signale à Mary qu'il va y avoir un examen de demoiselle des Postes dans quinze jours. Je croyais que la nouvelle lui ferait plaisir, mais elle l'a accueillie avec une certaine indifférence.

5 mars

Tout de même, elle prépare très sérieusement son examen. Aujourd'hui, je lui ai proposé de voir Joël. Mais elle voulait travailler. J'ai décidé d'y aller seule.
Sur le pas de la porte, je me suis heurtée à un jeune homme qui se préparait à tirer sur la sonnette. C'était Timoléon Mac Connan. Il venait voir Joël.
— Ça fait plus d'un mois qu'il ne s'est pas montré. Il est malade ?
Je lui répondis qu'il n'habitait plus avec nous. J'aurais dû lui raconter n'importe quoi d'autre. Qu'il avait une maladie contagieuse, par exemple. Parce que, bien sûr, il a posé des questions.
— Je ne sais pas ce que je dois vous dire, balbutiai-je.
— Mais, la vérité !
J'étais bien embêtée. La vérité, la vérité. C'était bien beau, mais qu'est-ce que c'était pour mon frère, la vérité ?
— Je vais lui dire que vous êtes venu, proposai-je.
— Vous le voyez bientôt ?
— J'y allais maintenant.
Ce n'était pas ça qu'il fallait répondre. Aussitôt il dit :
— Je vais vous y conduire.

Sa moto était devant la porte. J'avais très envie d'aller sur le porte-bagages, et puis ça n'aurait pas été poli de refuser une offre aussi gentille, et puis j'étais sûre que ça ferait plaisir à Joël de voir Tim.

J'accepte donc, je m'installe sur le porte-bagages, j'indique le chemin à Tim.

— Tenez-vous à moi si vous n'avez pas l'habitude.

Ça ronfle, on démarre à toute allure, je m'accroche à lui.

— Passez vos bras sous les miens.

J'ai trop la trouille pour ne pas obtempérer. Je l'étreins, je m'aplatis le nez contre son cuir. On file, c'est merveilleux. On tressaute. tout le temps, ça finit par vous faire un effet agréable au fondement, un frémissement ondulatoire qui vous remonte le long de la colonne vertébrale jusqu'au cerveau où ça explose en idées originales et fantaisistes.

On n'est pas long à arriver. Je lui montre la maison. Dehors toujours les abats, les viscères et autres faisanderies.

— Quelle horreur ! s'exclame Tim. Il est cinglé de loger dans un endroit pareil.

Je passai la première. Il me suivit dans le corridor parfaitement obscur et nous grimpâmes l'escalier toujours plus écaillé, toujours aussi pisseux. Nous étions à peu près arrivés à l'étage, lorsque je sentis la main de Tim me caresser le mollet. Geste amical, sans doute, ou machinal, ou cordial. Je m'arrêtai net. Tim aussi s'arrêta, mais sans enlever sa main. Sans me retourner, je descendis une marche et, comme lui il n'avait pas bougé, sa main avait monté d'autant. Je finis par la retrouver entre mes cuisses où je l'immobilisai. Nous demeurâmes ainsi quelques instants, légèrement oscillants puis, brusquement, je la libérai et d'une enjambée je me retrouvai sur le palier. Je frappai violemment à la porte. Ce fut Joël qui m'ouvrit, les cheveux emmêlés, bâillant, les yeux bouffis.

— Tim est là, lui dis-je

Et Tim, en effet, apparut et, avant de serrer la main de Joël, il me jeta un coup d'œil plein d'étonnement.

Joël était très content de voir Tim, il lui demanda des nouvelles des uns et des autres, il lui parla de sa vie actuelle, comment il gagnait quelques feoirlins tantôt à faire la chasse aux rats, tantôt à porter des paquets. Il pensait se lancer dans le commerce des peaux et chiffons. Le commerce des vieux os présentait aussi de l'intérêt et avec le marchand d'abats au-dessous il aurait de la matière première à domicile. S'il réussissait à mettre quelques pingins de côté, il s'achèterait un lot de petits outils et ferait des boutons avec ces vieux os, boutons qu'il irait vendre dans les rues. Plus tard, si les affaires marchaient bien, il ferait alors l'acquisition de pinceaux et de couleurs indélébiles pour orner sa marchandise.

Tira accompagnait ce discours de monosyllabes polies, mais je le devinais de plus en plus horrifié. De temps à autre, il me regardait toujours avec la même surprise. Ce que j'avais pu faire d'étonnant, je n'arrivais pas à me l'imaginer. Parce que l'incident de l'escalier, je n'avais voulu que fleurter, un point c'est tout. Je m'y étais peut-être mal prise. Les propos de sœurette m'avaient pourtant amenée à cette conclusion que ce n'était là qu'une prise de contact des plus habituelles entre jeunes gens et jeunes filles.

Tim d'ailleurs écourta sa visite. J'eus l'impression que Joël aussi bien que moi l'inquiétions. Je le laissai partir, car je n'avais pas envie de me retrouver seule avec lui dans cet escalier sombre, où peut-être l'idée lui serait venue de bouquiner sur mon dos.

Joël continua son monologue. Je l'écoutai distraitement en buvant mon ouisqui, dont il n'avait l'air jamais à court. Puis Mrs. Killarney rentra avec Salomé. On laissa Joël bavarder encore un peu, puis je pris congé.

En m'en allant, j'aperçus des papiers chiffonnés traînant sur le lit. Je reconnus l'écriture de mon frère. Ça avait l'air d'être des poèmes.

7 mars

Quand il commence à se passer quelque chose, il se passe des choses. Quand il ne se passe rien, il ne se passe plus rien.

Ainsi depuis le retour de papa, ça barde. Les événements se succèdent, se précipitent, se bousculent. Je vais de découverte en découverte, d'expérience en expérience. C'est une farandole qui gonfle mon journal et trouble ma petite âme (immortelle), le petit lac pur de ma conscience que fait doucement moutonner la brise rougissante des chastes émois pan-sexuels. Je me suis souvent demandée ce qui arriverait si je me trouvais seule dans une pièce close, en tête à tête avec Padraic Baoghal. Eh bien, c'est ce qui s'est produit aujourd'hui.

Lorsque Mève vint m'ouvrir, je remarquai aussitôt son visage bouleversé. Depuis des mois, nous ne nous sommes pas parlé. Mais aussitôt que je fus entrée, elle chuchota :

— Attention... Méfiez-vous...

Je lui demandai à voix non moins basse ce qu'il y avait. Elle m'expliqua rapidement que Mme Baoghal était malade, qu'elle avait des vers dans le nez, qu'on l'avait emmenée dans une clinique spécialisée pour les lui tirer, que par conséquent elle n'assisterait pas à la leçon aujourd'hui. Donc : « Méfiez-vous... attention... »

Et s'il me plaisait à moi de ne pas me méfier ? Je ne voulus pas froisser la pauvre Mève et je la remerciai. Alors dans un grand élan, elle jeta ses bras autour de moi et m'étreignis. Je fus émue par cette marque d'affection, mais l'expression de son regard me suffoqua. C'était sans doute ainsi que, la veille, j'avais tellement impressionné Tim.

Mais il ne me fut pas possible de penser plus longtemps à Mève. Je me trouvais maintenant seule en face de Padraic Baoghal. Je m'installai, pris mon livre, ouvris un cahier. Lui, il toussotait de temps à autre, moins, je pense, parce qu'il était intimidé que pour accroître ma gêne. Je commençai par lui conjuguer quelques pronoms prépositionnels. Je savais très bien ma leçon, il n'y avait rien à redire, alors nous reprîmes l'explication d'un passage de *Vingt ans de jeunesse*, de O'Sullivan. J'aime beaucoup ce livre qui est un petit chef-d'œuvre de frais humour et de naïve candeur[1], cependant de Mme Baoghal (qui, présente, m'obsédait pourtant) l'absence m'empêchait de suivre avec le respect voulu les remarques philosophiques, syntaxiques et stylistiques de mon professeur. Celui-ci qui m'avait reçue d'un air bougon et qui semblait guetter la moindre erreur de ma part dans des intentions que je n'arrivais pas à éclaircir, Padraic Baoghal, donc, ne tarda pas à s'apercevoir de mon inattention. Il s'interrompit brusquement.

— Vous n'écoutez pas ce que je dis.

— Mais si, monsieur...

— Non. Je le vois bien.

1. Il a été traduit en français par Raymond Queneau (Gallimard, 1936). (Note de M. P.)

— Mais si, monsieur. Tenez, vous venez de me faire remarquer que…

— Non. Je vous dis que vous n'écoutez pas. Comment voulez-vous arriver à apprendre le gaélique si vous venez ici pour penser à vos amours ?

Mes amours !

Il commençait à m'agacer, le cher poète. Est-ce qu'il me prenait pour une petite fille ?

— J'ai l'habitude de punir toute distraction avec la plus extrême sévérité, continuait-il.

C'est ça, ce gros futé me prenait pour une petite fille. Encore un qui, sous prétexte de discipline et de morale, voulait me mettre la main au tutu.

Il recula sa chaise et m'ordonna de venir près de lui. Le con. Encore un général Dourakine à la manque. Et tout patriotard irlandais qu'il fût, encore un fanatique de l'éducation britannique. Décidément, j'étais fermement opposée à ces procédés anglo-russes, mais quelle barbe d'avoir toujours à se défendre contre les entreprises des hommes. En y songeant, oui, que, pendant toutes les belles années de ma jeunesse, et même de ma maturité, qui sait après même, peut-être, encore, j'avais bien l'exemple de Mrs. Killarney, en songeant, oui, que pendant longtemps encore je devrais constamment protéger mes arrières de l'atteinte des boucs, je fus prise d'une grande lassitude et, un instant, j'envisageai d'aller me coucher sur les genoux du poète et de me laisser corriger.

Cependant, ma fierté triompha et je dis à Baoghal :

— Et pour quoi faire, monsieur ?

— Pour vous punir de votre inattention.

— Et comment allez-vous me punir ? lui demandai-je d'un air innocent mais d'une voix narquoise.

— Vous allez voir. Venez.

Mais il commençait à être embarrassé et même légèrement inquiet.

— Vous voulez, continuai-je, relever ma jupe, baisser mon slip et faire rougir mon cul ?

— Oh ! l'horrible mot ! Sally, vous n'avez pas honte ? Vous serez doublement punie.

Il se trémoussait tout rouge sur sa chaise mais ne sachant absolument plus quoi faire.

— C'est ça, n'est-ce pas ? Vous voulez me fesser ?

— Oui, c'est ça, murmura-t-il timidement.

— Eh bien, lui répondis-je, vous pouvez courir.

Il ne sut d'abord que répliquer, puis sur un ton aussi timide :

— Et si j'employais la force ?

— Essayez.

Il m'évalua d'un coup d'œil. Bien qu'il fût bel homme, c'était un mollasson, et pas sportif du tout. Il comprit tout de suite qu'il n'y parviendrait pas. D'ailleurs depuis le temps qu'il m'examinait en dessous, il devait s'en douter. L'intimidation ne donnant rien, il essaya brusquement autre chose, il se mit à délirer :

— Allons, petite Sally, fit-il d'un air papelard, soyez gentille, laissez-vous faire.

— Rien du tout.

— Petite Sally, petite Sally, soyez gentille, tenez, seulement deux petites claques.

— Non.

— Une de chaque côté.

— Non.

— Alors seulement la vue.

— Non.

— Je vais me fâcher.

— Fâchez-vous.

— Sally, Sally, laissez-vous faire. Tenez : une leçon gratuite pour une bonne fessée.

— Non.

— Deux leçons gratuites.

— Non.

— Trois.

— Non.

— Réfléchissez, Sally. Avec l'argent ainsi économisé, vous pourriez acheter des bas de soie, un soutien-gorge.

— Je n'en porte pas.

— Et puis, vous savez, Sally, ça ne fait pas si mal que ça.

— Je sais.

— Ah ! comment savez-vous ça ?

Zut, une gaffe.

— Non. Je ne sais pas.

— Il y a beaucoup de jeunes filles qui aiment ça.

— Pas moi.

— Et même des femmes mariées…

— M'est égal.

— Mme Baoghal, par exemple. Je la corrige matin et soir.

Qu'est-ce qu'il ne fallait pas entendre! Était-ce possible? La stupéfaction fut plus forte que l'envie de rire. Je demeurai bouche bée. Baoghal profita aussitôt de cet avantage :

— Là, vous voyez. Allons, Sally, petite Sally, laissez-vous faire. Venez là, sur mes genoux.

Mais je continuais à réfléchir. Tant de choses qu'on ne soupçonne pas. Tant de mystères. Tant d'actions cachées. Tant de secrets. Tant de masques. Je fus prise d'un vertige. Dans le lointain, j'entendis Baoghal susurrer :

— Alors, faut-il que j'aille vous chercher?

J'entendis ensuite un bruit de chaise remuée, je compris que Baoghal s'était levé, jugeant le moment favorable à cause de mon trouble. Heureusement la raison se réveilla en moi et me conseilla : «Tiens bon la rampe.» Je me levai d'un bond et lui criai dans le nez :

— Non!

Il ne fit pas un pas de plus. Et moi je me dirigeai vers la porte :

— Monsieur Baoghal, ne vous étonnez pas si je cherche un autre professeur!

Je n'avais pas tellement envie de changer de professeur, mais il fallait bien que je marque le coup.

Effectivement, ça l'affola complètement.

— Non, non, Sally. Je vous en supplie, pas de scandale, ne dites rien, je vous en prie, restez, je vous promets que je ne recommencerai pas, c'est promis, promis, mais que ça reste entre nous, Sally. Jurez-le-moi et continuez vos études avec moi, vous êtes ma meilleure élève, le fleuron de ma couronne magistrale, je vous en prie, demeurez mon élève.

Je n'avais pas l'air convaincue. Il s'exclama :

— D'ailleurs chez qui voudriez-vous aller?

— Chez Grégor Mac Connan.

— Grégor Mac Connan!

Il ricana :

— Toutes ses élèves doivent passer à la casserole.

— Qu'est-ce que ça veut dire?

— Que c'est un satyre.

— Un bouc?

— Oui, c'est ça.

Je ne l'aurais pas cru. Il était si digne et sa poésie si pleine de vierges sagement éthérées et de châtelaines jamais adultères.

— Son fils pourrait me donner mes répétitions.

— Timoléon? Tim, il ne connaît que la motocyclette. À peine s'il baragouine.

— Il y a O'Cear.

— Pire encore.

Je m'en doutais : un barde...

— Eh bien! J'irais trouver O'Grégor Mac Connan.

— Un pédéraste.

— Qu'est-ce que ça veut dire?

— C'est difficile à expliquer.

— Vous m'avez bien parlé de votre vie conjugale. Je suis prête à tout entendre.

— Eh bien, c'est un homme qui fait avec les hommes ce que l'on doit faire avec les femmes.

Encore une chose étrange.

— Un bouc pour boucs, quoi?

— C'est ça.

Je réfléchis et je conclus :

— Avec lui, je serais bien tranquille.

— Mais vous n'arriveriez pas à vous débarrasser de sa femme.

— Pourquoi ça?

— Une lesbienne.

— Qu'est-ce que ça veut dire?

— Une chèvre pour chèvres, comme vous dites.

De plus en plus curieux.

Voyant mon hésitation, Baoghal déclara d'une voix solennelle :

— Sally, je vous promets de ne plus jamais vous importuner.

— Vous me le jurez, monsieur Baoghal?

— Je vous le jure.

Il avait l'air sincère.

— Avec tout ça, lui fis-je remarquer, l'heure est presque passée.

— Je ne vous compterai pas cette leçon.

C'était naturel.

Maintenant nous ne savions plus que nous dire.

Heureusement que j'eus une idée. Une drôle d'idée, je l'avoue sans fausse modestie. Elle passa la barrière de mes lèvres avant même que j'en eusse pris conscience.

— Monsieur Baoghal, si vous me montriez les œuvres de Mme Baoghal?

— Quelles œuvres? demanda-t-il interloqué.

— Celles qu'elle peint là, sur cette table, pendant mes leçons.

Comme je l'avais prévu, il était complètement décontenancé.

— Ah! les œuvres qu'elle peint là, sur cette table, pendant vos leçons.

Il ne s'en sortait pas.

— Ah, oui, reprit-il, ses miniatures, oui, ses miniatures. Celles qu'elle peint, là, sur cette petite table?

Il pataugeait.

— Je ne pourrais pas les regarder? demandai-je avec mon visage le plus pur.

— Mais si, bien sûr.

Que pouvait-il dire d'autre? Il s'approcha de la petite table d'un pas mesuré et enleva religieusement la toile de Jouy qui recouvrait les travaux de la maîtresse de maison.

Je m'approchai. Il y avait trois ou quatre miniatures terminées ou presque, et deux ou trois esquissées. C'était toujours la même chose. Elles ressemblaient exactement et scrupuleusement à celles que m'avait montrées Mève. C'est singulier ça, comme les gens qui ont des obsessions ils persévèrent dedans et s'y cramponnent. De quelque planète ou nébuleuse qu'ils vinssent, les célestes génies et purs esprits de Mme Baoghal, à tout œil tant soit peu averti, comme l'était maintenant le mien, se révélaient, malgré leurs petites ailes, de simples boucs.

Du doigt je montrai l'une des images et je dis:

— En voilà un dont cette partie du corps me semble de proportions exagérées.

— Aoah…

— Vous ne trouvez pas, monsieur Baoghal?

— Ooah…

— Et celui-ci me paraît vraiment par trop favorisé par la nature.

— Oaoh…

— Quant à celui-là, il doit s'empêtrer les jambes là-dedans, à moins qu'il ne se la passe en bandoulière.

— Aooh…

— En voilà enfin un qui m'a l'air bien équilibré, quoiqu'il faille convenir qu'il n'arriverait pas à la passer par le trou d'une aiguille.

La tête de Baoghal m'enchantait. De si noble devenir si conarde, de si pompeuse hypocrite, de si stable fragile. Il déglutissait mes paroles avec stupeur comme si, sans que je le susse, c'eussent été des oracles.

— Et celui-là, en a-t-il une belle paire, déclarai-je en désignant les ailes déployées d'un esprit peut-être uranien.

— Ououououpiii! se mit à hurler Padraic Baoghal soudain déchaîné.

Il se mit à bondir à travers la pièce, en sautant par-dessus les chaises (celles qui n'étaient pas trop hautes) et en secouant sa crinière un peu grisonnante déjà. Après avoir parcouru deux ou trois circuits, il se retourna vers moi en manifestant des intentions clairement satyriques. Je l'attendis de pied ferme; un croc-en-jambe élémentaire me permit de l'envoyer valdinguer contre un mur. Son crâne s'étant heurté à cet obstacle, mon agresseur s'écroula complètement sonné.

Cette dernière scène avait fait un peu de bruit. Une porte s'ouvrit lentement, timidement. Le petit museau de Mève se montra. Après un coup d'œil circulaire, elle entra et s'approcha du simili-cadavre :

— Vous l'avez tué? me demanda-t-elle.

— Mais non, lui répondis-je. Il va se réveiller dans cinq minutes.

— Ç'aurait été bath, si vous l'aviez tué, murmura-t-elle.

Elle m'enlaça et se serra frileusement contre moi. Nous regardâmes en silence l'évanoui, elle, avec une intensité telle qu'elle entrouvrait un peu la bouche et qu'un petit bout de langue rose en dépassait. Elle s'aperçut que je la dévisageais et leva les yeux vers moi. J'y découvris tant de tendresse et de ferveur que bientôt nos lèvres se rencontrèrent et nos langues se mélangèrent en un baiser plein de retenue. Puis, d'une main chaste, nous estimâmes mutuellement nos charmes respectifs. Mon slip tomba pudiquement à mes pieds, la petite poigne énergique de Mève m'entraîna vers un divan et, là, les yeux fermés, je commençai à ressentir les effets de la spiritualité la plus pure. Dans la vallée ombreuse au ru bouillonnant, la chatte vint se désaltérer, sa langue râpeuse s'acharnait contre un menu rocher comme si elle voulait en faire sourdre une source. J'avais beau me répéter : «Tiens bon la rampe, tiens bon la rampe», je finis par me laisser emporter, car, me disais-je : «Quelle rampe, quelle rampe?» et bientôt le miracle s'accomplit, je fondis en étoiles et je mouillais le ciel.

Lorsque je redescendis à Dublin chez le poète Padraic Baoghal, une douce tête reposait entre mes cuisses et ses cheveux se mêlaient à ceux dont une fantaisie particulière de la nature orne les très-intimités féminines. Je passai lentement mes doigts dans la chevelure de Mève qui frissonna. Elle voulut redresser la tête, mais je la lui inclinai impérativement et de nouveau je jouis des pudiques transports de ma petite âme (immortelle).

Puis Mève me demanda :

— Vous n'oublierez jamais ?

Et je répondis :

— Non.

Je remis mon slip. En se tapotant les cheveux, Mève s'approcha de Baoghal dont la grande âme (immortelle) devait se balader du côté de Tir-na-nOg, le pays des bienheureux.

— Il faudrait peut-être le réveiller, dit Mève. Vous êtes sûre qu'il n'est pas mort ?

Je répondis :

— Oui.

Elle lui donna un coup de pied dans les côtes. Il grogna.

— La charogne, dit Mève.

Je répondis :

— Sûr.

J'ajoutai :

— Il n'y a qu'à lui jeter de l'eau sur le visage.

— Je lui verse une théière sur la cafetière ? demanda Mève.

— Non, dis-je, de l'eau froide serait préférable.

Elle alla chercher à la cuisine une serpillière crasseuse dont elle se mit à gifler la physionomie de mon maître. Deux ruisseaux de boue lui coulèrent le long des rides, une hémorragie nasale en réserve se déclara : le dégueulasse se mit à balbutier et à cligner des yeux. Nous le traînâmes sur le divan où Mève et moi nous avions confronté nos sensibilités et nous l'y installâmes. Il quittait peu à peu Tir-na-nOg et parvint au stade d'hébété. Il parut me reconnaître.

— Vous permettez que je me retire, monsieur Baoghal ? lui demandai-je respectueusement.

Il m'accorda probablement cette autorisation. Mève me reconduisit jusqu'à la porte. Nous nous étreignîmes une dernière fois et, sans échanger de phrases ni de mots, nos langues de l'une à l'autre communiquèrent les ardeurs angéliques de nos juvéniles petites âmes (immortelles).

Pendant tout le repas du soir je ne pensais à rien, je souriais idiotement. Mary m'examinait d'un œil inquisiteur. Maman tricotait des chaussettes pour papa qui était maintenant revenu.

Papa d'ailleurs ne tarda pas à se retirer dans sa chambre (il avait pris celle de Joël) ; il était toujours aussi ours et un peu plus serpent.

Après avoir attendu quelques instants pour être bien sûre qu'il n'écoutait pas derrière la porte, je racontai à Mary et à maman les aventures de Baoghal. Nous eûmes une bonne crise de fou rire. Naturellement je ne parlai pas beaucoup de Mève, seulement pour mettre en valeur l'originale façon dont elle voulait faire sortir des limbes notre poète, ce qui fit se tordre maman tellement qu'elle faillit s'étouffer. Mais sœurette montrait plus de discrétion, elle avait l'air de supposer des choses.

8 mars

Suis-je vierge ou ne le suis-je-t-y plus ?

Il faudra que j'en parle franchement à Mary pour en avoir le cœur net.

J'incline plutôt à croire que je le suis toujours.

9 mars

Effectivement je le suis toujours. Mary m'a rassurée à cet égard mais elle s'est moquée de moi. J'étais furieuse. Ce n'est pas parce qu'elle a sur moi la supériorité de ne pas l'être qu'elle doit prendre des airs.

16 mars

Tous ces jours-ci j'ai passé une bonne partie de mon temps à faire réciter à Mary le nom des vingt-deux cantons suisses, des quarante-deux comtés anglais, les quatre-vingts quartiers de Paris et les douze cents îles philippines.

Il ne faudrait pas que j'oublie de noter que je suis retournée chez Padraic Baoghal, deux fois même ; Madame assistait aux leçons, le nez entouré de pansements, Monsieur était très calme et Mève se contentait de me dire : « Bonjour, mademoiselle... Au revoir, mademoiselle. »

17 mars

Mary a passé aujourd'hui son examen de demoiselle des Postes.

En attendant son retour, maman et moi, on buvait du punch pour passer le temps. Papa s'était cloîtré dans sa chambre à branler je ne sais quoi.

— Pourvu qu'elle soit reçue, répétait maman mécaniquement, pourvu qu'elle soit reçue.

— Ne le souhaite pas trop.

— Pourquoi dis-tu ça ?

Pourquoi ne le lui aurais-je pas dit ?

— Si elle trouve un emploi, elle s'en ira.

Maman ne répondit rien.

— Et tu seras triste.

J'ajoutai de peur qu'elle n'ait pas compris :

— Elle veut s'en aller dès qu'elle pourra gagner sa croûte. Elle ne veut plus rester ici. Avec celui-là.

On l'entendait qui allait et venait au-dessus de nos têtes dans la chambre de Joël. Qu'est-ce qu'il pouvait trafiquer ?

— Il a toujours été comme ça ?

Maman hésita, puis :

— Non. Il a beaucoup changé. C'est cette histoire d'allumettes.

— Il ne pourrait pas aller en chercher une autre boîte et débarrasser le plancher ?

— Tais-toi, murmura maman.

Je continuai :

— Heureusement tout de même qu'il a compris.

— Qu'il a compris quoi, mon enfant ?

— C'est sans doute ça qui le rend triste.

— Mais quoi donc, Sally ?

Je m'énervai :

— Qu'il ne puisse plus nous claquer les fesses à sa fantaisie.

— Mais il continue.

J'ironisai :

— Sur les tiennes ?

— Non, sur celles de Mary.

Je béai de stupéfaction.

— Ça t'étonne, continua maman. Dès que tu n'es pas là, elle s'arrange pour recevoir sa fessée. Là-dessus, papa et elle, ils s'entendent comme larrons en foire.

Elle soupira :

— Drôle de fille. Je ne comprends pas son besoin de discipline morale. Enfin, j'espère qu'elle sera reçue.

Mary revint, très satisfaite d'ailleurs. Elle attendrait les résultats avec confiance. Je n'osais pas la regarder. Je ne savais que lui dire. Le dîner fut morne. Papa, naturellement, ne posa aucune question. Il avait l'air de s'en foutre, de ce que pouvait faire Mary si elle deviendrait demoiselle des Postes ou pas.

Une fois seules dans notre chambre, elle me demanda ce que j'avais :

— Tu fais une drôle de bouillotte.

— Tu vas t'en aller si tu travailles.

— Naturellement.

— Pourquoi ?

— Je te l'ai dit. Je ne peux pas supporter le pater. Il me crispe. Ce n'est pas une vie ici. C'est un fantôme, ce bonhomme. Ce n'est pas un être humain.

Elle ajouta :

— Il me fait de plus en plus peur.

— Et John Thomas ? Tu vas vivre avec lui ?

— Oui. C'est entendu. On se mariera. Un jour ou l'autre.

Seulement, voilà, je ne croyais plus à l'existence de John Thomas.

— Tu es contente alors, dis-je d'une voix distraite.

— J'ai le temps. Pour le moment j'attends les résultats.

— Bien sûr, acquiesçai-je d'un ton parfaitement faux.

— Toi, en tout cas, tu n'as pas l'air contente.

— Si.

— Non. Tu me caches des choses.

— Et toi ?

— Moi ? Qu'est-ce que tu veux que je te cache ?

Elle me regarda droit dans les yeux.

— Je ne sais pas.

— Je te dis tout. Bien sûr, pas les détails qu'une jeune fille comme toi ne saurait écouter sans honte et que tu connaîtras par expérience. Mais, pour le reste, je te dis tout. Tu ne crois pas ?

— Du moment que tu me le dis.

— Tu n'en as pas l'air sûre.

Je demeurai silencieuse. Elle s'enfouit sous ses draps en me criant :

— La barbe, si tes amours avec Mève te mettent dans cet état, je m'en moque ! La barbe et bonsoir !

À ma grande surprise, j'éclatai en sanglots.

Mary se releva aussitôt et me prit dans ses bras :

— Alors, grande dinde, qu'est-ce qu'il y a ? Dis-le-moi ce qu'il y a ?

Je ne parvenais qu'à hoqueter.

— C'est parce que tu es toujours pucelle et que ça te fait triste ?

— C'est pas ça, hoquetai-je.

— C'est parce que Mève n'est pas gentille avec toi ?

— C'est pas ça, hoquetai-je.

— C'est parce que tu préférerais avoir des intimités avec un garçon qu'avec une fille ?

— C'est pas ça, hoquetai-je.

— C'est parce que tu ne l'es plus et que tu n'oses pas me le dire ?

— C'est pas ça, hoquetai-je.

— C'est parce que je vais m'en aller ?

— C'est pas ça, hoquetai-je.

Et pourtant ça me faisait de la peine de penser que j'allais me trouver bientôt seule dans cette triste maison, entre une brute et une simple d'esprit.

— Alors quoi ? me demandait Mary. Explique-toi. Barnabé peut-être ? Il y a longtemps que tu ne m'en as pas parlé. Qu'est-ce qu'il devient ?

— Il a les oreillons.

— C'est tout de même pas ça qui te fait pleurer.

Je commençai à rire à travers mes larmes.

— Non, bien sûr.

— Alors, c'est quoi ?

— C'est que tu es un faux jeton.

— Moi?

— Oui, toi.

Je ne pleurais plus.

— Oui. Toi, toi, toi. Tu es une sale petite hypocrite. Je n'aurai plus jamais confiance en toi.

— Mais, grands dieux, qu'est-ce que j'ai fait?

— Tu te fais fesser derrière mon dos.

Elle me lâcha et alla s'asseoir sur son lit.

— Qu'est-ce qui t'a dit ça?

— Maman.

— Tiens! Elle s'en est aperçue.

— Ne ricane pas.

— Si ça me plaît.

— Et tu voulais que je te défende. Et tout à l'heure tu me racontais que tu me racontais tout.

— Oui, j'ai tout dit, sauf les détails.

— Et c'est un détail.

— Oui. Mes plaisirs intimes et personnels, c'est entre parenthèses. Je n'ai pas à te donner de détails dessus. Je ne voudrais pas faire rougir une pucelle.

— Belle excuse! Comme si tu avais toujours été si discrète.

— Et dis donc, toi, tes petits plaisirs personnels, tu n'en oublies jamais lorsque tu m'en parles?

Là évidemment il fallait bien que je mente un peu.

— Jamais, répondis-je.

— Jamais?

— Jamais.

Je la regardai droit dans les yeux, ça n'était pas si difficile, elle en avait bien fait autant.

— Et celui de plaisir personnel qui consiste à se frotter contre une statue, tu m'en as déjà parlé?

Je suffoquai.

— Dis-moi, reprit Mary doucereusement, dis-moi, tu m'as déjà parlé du plaisir qu'on éprouve à se coller contre un mâle de marbre?

Comment pouvait-elle savoir ça? Je lui fis part de ma surprise en lui demandant :

— Comment peux-tu savoir ça?

— Alors, c'est vrai?

— Comment peux-tu savoir ça?

— Je n'en étais pas tout à fait sûre. C'est le père de John Thomas qui le lui a dit. Son père est gardien au musée. Il se promenait avec John lorsqu'il t'a aperçue, tu étais avec moi, il a tout raconté à son fils qui me l'a répété, naturellement il ne sait pas que John me connaît. C'est drôle, hein ?

— Très drôle.

Comment aurais-je pu nier que ce ne fût très drôle ?

— Et, ajoutai-je, cela fait longtemps que tu as appris tout cela ?

— Peut-être un peu plus d'un mois.

Ainsi, depuis plus d'un mois, elle connaissait cette chose sur moi, et elle était demeurée la même à mes yeux. Et de même depuis plus d'un mois, elle prenait plaisir aux exploits de notre général O'Dourakine, sans que j'eusse perçu en elle le moindre changement.

— Alors, c'est exact ? reprit-elle.

— Oh, tu sais, ça ne m'est arrivé qu'une fois.

— Fallait-il que ça te travaille.

— Pour moi, c'est une vieille histoire, dis-je distraitement.

— Mève, c'est mieux, évidemment.

Je ne sais pas s'il y avait de l'ironie dans cette phrase, en tout cas, je ne réagis pas. J'étais là, figée. Figée comme une statue de plâtre.

— Tiens, dit Mary, tu devrais te coucher et dormir.

Je me couchai et dormis

18 mars

Les goûts singuliers de Mary, les indiscrétions du père Thomas, ces mystères, ces coïncidences, tout cela est bien invraisemblable. Je ne sais plus qui a dit ça, mais la vie se montre souvent beaucoup plus bizarre qu'un roman. C'est un problème qui se posera pour moi lorsque j'écrirai le mien : faut-il être plus, on moins, incroyable que la réalité ? Faut-il verser la forte dose ou n'y aller qu'au compte-gouttes ? Faut-il charrier ou mollir ? Faut-il en remettre ou en enlever ? Ah ! foutre ! que l'art est difficile.

20 mars

Je ne vois Mève que le temps très court entre le moment où elle m'ouvre la porte et celui où je pénètre dans le bureau de Baoghal. Dans le couloir, aujourd'hui, j'ai essayé de la saisir pour la serrer contre moi. Gentiment. Mais elle m'a repoussée.

25 mars

Barnabé a toujours les oreillons. Quel veau.

28 mars

Aperçu Tim et sa moto. Sur le porte-bagages, il y avait Pelagia. Tiens...

Il est vrai que je ne vois plus personne en ce moment. Pelagia pas plus qu'une autre ou un autre. Peut-être toute la ville sait-elle que j'ai fait des excentricités dans le jardin du musée.

2 avril

Oui. Si toute la ville savait cela? Pourtant personne ne se moque de moi lorsque je me promène. On me regarde plutôt avec sympathie et les messieurs s'efforcent toujours de m'en témoigner des marques. À la messe (j'y vais de plus en plus rarement) ou dans le tramway, c'est bien rare que je ne me fasse pas pincer les fesses deux ou trois fois.

5 avril

J'ai découvert que je haïssais Mary.

C'était pendant le dîner. Pour une fois, papa pérorait. Il avait lu dans le journal le récit du lynchage d'un nègre et ça l'avait mis en train. Quand il s'agit d'atrocités, il est intarissable. Ça l'émoustille et il bavarde comme une bonne femme. Moi, je m'en fous de ces histoires-là, s'il croit que ça m'impressionne, il se trompe drôlement, le général O'Dourakine. Je regardai Mary : elle n'avait pas l'air de faire non plus grande attention aux propos du tordu. Depuis la scène de l'autre jour, nous n'avons guère échangé de confidences ; plus exactement, nous n'avons pas. Je la regardai et je me demandai si elle continuait à entretenir avec son père des rapports infantiles et justificateurs. Il me revint soudain à la mémoire les révélations de Baoghal sur sa vie conjugale et ce rapprochement, cette ressemblance entre Mme Baoghal et Mary me scandalisèrent. Je me mis à la détester.

Pourvu qu'elle soit reçue à son concours et qu'elle s'en aille. Qu'elle s'en aille vite.

8 avril

Lettre courte, mais charmante de Michel Presle. Il me dit qu'il ira peut-être en Irlande cette année. Je suis toute troublée. Maintenant avec tout ce que je sais, si je me trouvais seule avec lui, qu'est-ce que je ferais ? Que ferait-il ? Que me ferait-il ? Et que lui ferai-je ? Que nous ferions-nous ? Peut-être des horreurs, comme s'embrasser le bout du nez ou s'entrelacer les doigts.

Mais je délire.

9 avril

Il m'a aussi envoyé, un peu en avance sur mon anniversaire, quelques journaux de mode français. Je les ai feuilletés avec mélancolie. Comme elles me paraissent étranges, ces femmes françaises avec leurs préoccupations multiples : les points noirs, les périodiques, les permanentes, la sueur sous les aisselles, la forme des cils, le maquillage bicolore des pointes de seins, les vitamines des carottes, la gymnastiquette matinale, à quoi ne pensent-elles pas ? Ça doit leur en prendre du temps, tout ça !

Je feuillette, je refeuillette, je rêvasse, je suis tentée et puis je ne suis pas tentée. Je ne me vois pas achetant une gaine ou me faisant friser. Je reste comme je suis, nature : des souliers plats, des socquettes ou des bas de coton roulés au-dessus du genou, un slip, pas de soutien-gorge (ah non, en écrivant ça — de la main

droite — je me caresse mes petits seins — de la main gauche) ;
une jupe très courte, un poulover (il ne fait pas encore bien
chaud) très ajusté.

12 avril

Mary et moi, on est allées voir Joël. Il avait déménagé d'au-
dessus le marchand d'abats et de viscères, il habite un peu plus
loin, près d'Harberton Bridge, cette fois-ci dans une impasse où
il n'y a même plus de marchands de quoi que ce soit. Un rat
galeux faisait sa toilette sur le seuil d'une bicoque. Nous reçûmes
le contenu d'un pot de chambre presque sur la tête, on avait mal
visé. Enfin nous atteignîmes au cul du cul-de-sac une sorte
d'échoppe verdâtre et vermoulue sur laquelle on avait écrit à la
craie cette mention : JOËL MARA, *spécialité de boutons sans trous en os
naturel de chats, lapins ou piafs au choix. Manches de couteau en fémur
de veau pur. Sur commande seulement : fixe-chaussettes en cartilage de
porc.*
     Nous entrâmes en baissant la tête. Au milieu de squelettes plus
ou moins désarticulés de petits animaux, notre frère ronflait.
Dans le fond un bébé geignait doucement et nous aperçûmes
dans l'ombre Mrs. Killarney qui dormait d'un sommeil presque
silencieux.
     Nous eûmes grand-peine à réveiller Joël qui mit un bon quart
d'heure avant de nous reconnaître. Il nous désigna des caisses
qui pouvaient servir de sièges et nous proposa aussitôt un ouisqui.
     Nous ne voulûmes point le contrarier.
     — Eh, Killarney, hurla-t-il, une bouteille et des verres !
     Mrs. Killarney fit un bond spasmodique et, les yeux à peine
ouverts, se dirigea vers la porte avec la précision d'une somnam-
bule. Elle disparut comme une flèche, une source certaine d'alcool lui étant probablement connue.
     Joël bavardait :
     — J'ai dit « des verres » parce que c'est incroyable comme ça se
casse facilement les verres. Je me sers des morceaux pour tailler et
polir mes boutons, naturellement je n'ai pas de quoi m'acheter
des petits outils. Enfin, je ne me plains pas, le commerce ne
marche pas mal, mais j'ai un boulot terrible, ce sont surtout les

boutons avec trous qui intéressent la clientèle, et creuser des trous, c'est coton, pas vrai, petites sœurs?

Nous acquiesçâmes.

— Et vous, qu'est-ce que vous devenez?

— Elle continue à apprendre le gaélique, dit Mary, elle a fait de sérieux progrès.

— Elle a passé le concours, ajoutai-je, elle attend maintenant les résultats.

— On les aura le 16 avril, dit Mary.

— Tiens, c'est le jour de ton anniversaire, remarqua Joël avec une présence d'esprit à laquelle je ne m'attendais pas.

— On est justement venues t'inviter pour ce jour-là.

— Ça c'est gentil, je vous remercie.

— Avec Mrs. Killarney et la petite naturellement, ajoutai-je.

— Merci, je vous remercie, je suis très touché.

Il commençait à avoir la voix hypocritement attendrie des ivrognes :

— Faut arroser ça, suggéra-t-il. Killarney! Une bouteille et des verres!

— Elle n'est pas encore revenue, lui fis-je remarquer.

— C'est terrible ce que ça se casse facilement des verres, heureusement que je me sers des morceaux pour mon travail...

À ce moment, Mary, tournant de l'œil, s'évanouit. Je la reçus dans mes bras. Joël ne fit pas un geste.

— Elle est enceinte? demanda-t-il avec indifférence.

— C'est plutôt l'odeur, répondis-je.

Dans un sens ça sentait moins fort que les émanations de viscères, mais c'était plus décourageant. Heureusement que Mrs. Killarney rappliquait avec une bouteille (pleine) et des verres. Une bonne rasade ranima Mary. Joël tenait à son idée :

— Tu es enceinte?

— C'est peu probable, répondit Mary.

— Comment faites-vous? lui demanda Mrs. Killarney.

— Ah, tu sais, lui dit Joël, découvrant soudain son existence, nous sommes invités à dîner chez mes parents pour l'anniversaire de Sally.

— J'oserai jamais, dit Mrs. Killarney.

— On vous en prie, dis-je.

— Votre papa est d'accord?

— Qui ça? demanda Joël. Leur papa?

— Oui, tu sais bien que papa est rentré?
— C'est vrai, bon Dieu. Il va être là, le salaud.
— Vous allez vous réconcilier, dit Mary.
— Je n'y tiens pas, dit Joël.
— Pour nous faire plaisir, dis-je.
Il fit semblant de réfléchir.
— Il y aura un bon dîner? demanda-t-il.
— Maman te soignera, dit Mary.
Il se tourna vers Mrs. Killarney.
— Qu'est-ce que tu en penses, ma Salomé?
— Ça fait longtemps qu'on ne s'est pas envoyé un bon gueuleton, remarqua objectivement Mrs. Killarney.
— Et vous êtes sûres que le père est d'accord?
— Sûres.
— Eh bien, on viendra.
Nous vidâmes la bouteille en l'honneur de la réconciliation future, Salomé (l'enfant) eut même le droit de s'en humecter les lèvres et nous nous quittâmes joyeusement, bien que Joël s'attristât de ne pas nous voir rester pour liquider d'autres flacons à venir grâce à l'habileté de Mrs. Killarney.

En me retournant pour jeter un dernier coup d'œil sur la dégoûtante masure où cantonnait Joël, je me demandai s'il écrivait toujours des poèmes.

13 avril

Je ne hais pas Mary tellement que ça. Mais je souhaite qu'elle soit reçue et qu'elle s'en aille. Ou bien que ce soit moi qui m'en aille.

15 avril

Barnabé m'attendait après ma leçon chez Baoghal. Mève reste insensible à mes gestes aimables; je n'y comprends rien. Encore ce jour-là — aujourd'hui — j'avais voulu déposer un baiser sur son front ivoirin. Elle me repoussa d'une main mignonne mais ferme. Cela m'irrita. Car je souhaitais vivement recommencer ainsi des amabilités qui se fussent terminées par une félicité totale. Mève ne veut pas, sans doute craint-elle Baoghal, ou Madame. Quoi qu'il en soit, ce refus m'irrita. Barnabé m'attendait :

— Alors, lui demandai-je, ces oreillons ?

— Je suis guéri, répondit-il avec un sourire stupide.

— Ça ne vous a pas trop déformé la physionomie, remarquai-je en l'examinant d'un œil critique.

Il rougit.

— Et vous, Sally, comment ça va ?

— Non, ça ne vous a pas trop déformé le faciès. C'est douloureux ça, les oreillons ?

— Euh... un peu...

— En quoi ça consiste, au juste ?

— On a mal... aux oreilles...

— Il n'y a pas de quoi se vanter.

— Non... évidemment...

— Et aux petits tests ?

— Je ne saisis pas. Je n'ai subi aucun examen psychologique.

— Moi non plus, répliquai-je.

Ce qu'il pouvait m'agacer, ce soupirant.

— Au fait, repris-je, comment s'appelle donc cette maladie, quand les oreilles tombent en lambeaux.

— Je ne sais pas...

— Les vôtres ont l'air atteintes...

— Vous... vous croyez ?

— Je ne le crois pas, je le vois. En tout cas, je suis très heureuse d'avoir de vos nouvelles.

Et je lui dis au revoir.

16 avril

Ce matin, je souhaitai très vivement que Mary fût recalée à son examen. Comme ça. Une idée.

Mon souhait n'a pas été réalisé. Elle est reçue.

Ce qu'elle peut être contente. Naturellement.

Elle n'aura plus sa correction paternelle et quotidienne, mais son John Thomas pour la vie.

Qu'elle dit.

Elle la regrettera peut-être, sa fessée paternelle et quotidienne. Ça la regarde.

J'ai dix-neuf ans aujourd'hui.

Aux prunes.

Il est cinq heures de l'après-midi. Tout à l'heure on va faire un gueuleton du tonnerre pour mon anniversaire.

Je me sens toute chose.

Pas à cause du gueuleton.

À cause de rien.

Si un type quelconque me tombait sous la main, je crois bien que je lui tirerais les oreilles. Et le paf. Non, le pif. Comme le français est une langue difficile.

La petite langue rose de Mève.

La main de Tim.

La brayette de Barnabé.

La rigidité des statues.

Ah, nostalgie, nostalgie !

Tiens bon la rampe, que je me dis. Tiens bon la rampe.

17 avril

On a attendu un certain temps le frangin, sa concubine et leur rejetonne ; ils ont fini par arriver entourés d'une sorte de halo éthylique quasi fluorescent. Joël et papa se sont donné l'alcoolade. Papa s'était composé une gueule aimable, à peu près celle du traître invétéré dans un mélo à la gomme. Mrs. Killarney a été reçue avec des tas d'honneurs et on a fait des risettes au loupiot vagissant. Mary fut congratulée pour son succès. Maman, radieuse, s'envoyait mécaniquement tous les verres de l'assemblée. On ne pensait pas beaucoup à mon anniversaire.

Après avoir sifflé à la régalade une bouteille de ricard 45 degrés envoyée par M. Presle et reçue très exactement dans l'après-midi même, nous nous installâmes autour de la table et Bess commença à servir le dîner qui devait se composer, je le dis tout de suite, de harengs au gingembre (j'adore ça), de lard aux choux, d'un disque de fromage cuit d'un quintal et d'une tarte aux algues ornée de dix-neuf bougies.

La conversation fut tout d'abord particulièrement conventionnelle et d'une éprouvante banalité.

— Alors, disait maman à Mrs. Killarney, vous êtes contente de mon petit coq ?

— Ma foi, répondait Mrs. Killarney, c'est qu'il est bien ardent, bien ardent. Une femme de mon âge, ça la fatigue, dame !

Bien ardent à quoi ? À polir des boutons ?

— Et ton Jules, disait Joël à Mary, tu es contente de ses services ?

— Ébranle-toi dans ton coin, répondait Mary avec bonne humeur, et laisse flotter les rubans de la gamine.

Ébranler quoi ? Des manches de couteau ?

Papa, très gai, essayait de m'intéresser à des questions diverses, telles que la classification des exécutions capitales selon les degrés de longitude ou l'indifférence des cuisinières devant le malheur des animaux qu'elles vouent à leurs feux.

La soirée se serait sans doute passée normalement, c'est-à-dire que vers les deux heures du matin, Joël et papa, complètement rétamés, seraient tombés à bras raccourcis l'un sur l'autre avec des clameurs d'attendrissement, je dis donc que la soirée se serait sans doute passée normalement si, à la hauteur du lard aux choux, Joël n'avait pas remarqué l'existence de Bess.

— Alors, tu es toujours là, toi ? lui dit-il brusquement.

Je ne sais pas quelle mouche plus ou moins cantharide l'avait piqué, car personne ne faisait attention à Bess, semblait-il, pas même papa, et jamais Joël de son temps. Il accompagna les quelques mots notés ci-dessus par une affectueuse claque sur la croupe. Ce geste familier et peut-être tendre exalta la timidité de la gosse à tel point qu'elle déversa ce qui restait de la platée de choux sur la tête de maman. Maman avait un bon caractère de gourde, et, ce soir-là, particulièrement euphorique en raison de la grrrrande réconciliation familiale. Elle trouva l'incident particulièrement cocasse et se tordait de rire en récoltant le long de son visage les petits tas de légumes qui s'y étaient déposés. Nous partagions bruyamment son hilarité bien compréhensible, lorsque papa, je ne sais pour quelle raison, se leva calmement et se dirigea vers Bess, qui, poussant un cri de terreur, bondit vers sa cuisine ; mais papa, se déplaçant avec précision, se trouvait déjà devant la porte lorsqu'elle y arriva : il n'eut qu'à la cueillir. Ses intentions, tout le monde le comprit aussitôt, étaient nettement correctionnelles. Joël intervint. D'une voix de mélo sur lequel il aurait plu du gin, il déclara que c'est au fils de punir les insultes faites à sa mère et, attirant Bess par un bras, il l'arrache à la grille paternelle. Papa, récupérant l'autre bras, riposte que c'est à l'époux d'infliger des sévices à qui couvre de sauce son épouse. Bess oscille de droite et de gauche. Cependant Mary se lève et déclare qu'elle s'oppose à tout châtiment ; elle prend Bess par la taille et l'enlève à ses persécuteurs. Ceux-ci poussent des cris de fureur et rattrapent leur proie. Mrs. Killarney se met à gueuler que c'est à son coco de fesser la boniche, cependant que maman, devenue soudain enragée, prétend que nul autre que son bonhomme ne portera la main sur cette enfant envers laquelle d'ailleurs elle se sent des responsabilités morales. J'admire avec quelle aisance tous ces gens prennent parti et je me demande dans quel camp je vais me ranger, si je ne m'en découvre un quatrième, lorsque les hostilités commencent.

Ce sont les assesseurs femelles qui engagent le combat. Maman barbouille le visage de Mrs. Killarney avec les choux récupérés, cependant que Mrs. Killarney réplique par un souigne qui manque son but et va pulvériser une assiette sale. Mary, d'un coup de pied dans les tibias, fait lâcher prise à Joël, mais papa, l'attrapant par la tignasse, l'envoie dinguer contre le buffet où quelques verres se brisent. Bess pousse des cris lamentables et Mrs. Killarney, qui s'est fendu la main en s'attaquant à notre vaisselle, sautille de douleur en proférant des jurons. Maman, profitant de son avantage, lui percute le nombril avec une bouteille de sauce anglaise. Mrs. Killarney s'écroule. Pour annexer Bess de nouveau, papa veut fracasser le crâne de Joël avec une canette, mais il ne réussit qu'à foutre des morceaux de verre dans le plat de lard. Mary repart à l'assaut, armée de notre casse-noisettes ; pris entre les deux bras de ce levier, le nez de papa commence à pisser le sang. Maman, qui s'est affalée sur Mrs. Killarney, lui tape rythmiquement le citron contre le plancher. Profitant de ce que papa, pour se libérer, chatouille Mary sous les bras, Joël entraîne Bess dans la cuisine et s'y enferme. On saute sur la porte, on la secoue, on donne des coups de pied dedans. Elle est bien bouclée. Il faut revenir au calme.

Maman relève Mrs. Killarney, l'installe sur une chaise et lui offre un cordial. Puis on remet les choses à peu près en place, on fout les débris dans un coin et on se réinstalle à table en attendant que le service puisse continuer. On découvre alors que Salomé, tombée par terre pendant l'algarade, a été légèrement piétinée : on lui entonne également un cordial. Papa verse à la ronde le ouisqui nécessaire pour ralentir les battements de cœur et régulariser la respiration.

De l'autre côté de la porte, on entend des sons variés : gémissements, halètements, timides protestations suivies d'acquiescements exaltés. Mais maintenant je sais approximativement de quoi il retourne, je devine un peu ce qui se passe, je suis une grande fille presque avertie. Et j'éprouve une grande satisfaction à pouvoir suivre à peu près la conversation qui s'engage.

— Pourvu qu'il ne fasse pas encore un enfant, murmure maman qui a l'air très ennuyée.

— Ça ne réussit pas tout de même à tous les coups, remarque Mrs. Killarney d'un air très prétentieux.

— Ils en font un chahut, bougonne Mary qui a l'air très énervée.

— La petite aura tout de même sa correction, déclare papa d'un air de ne pas avoir d'air.

Les manifestations vocales de Bess et de Joël ont pris une telle intensité que la porte en vibre. Mary, qui a croisé ses jambes, griffe la table spasmodiquement, penche la tête en arrière et soupire. Quant à moi, il y a longtemps que je partage discrètement les mêmes émotions.

Puis, brusquement le silence.

Un grand silence.

On entendrait un chat laper du lait.

— Ah, fait maman, on va pouvoir continuer.

— Oui, dit papa. Je commence à avoir la dent. D'autant plus que le lard est foutu.

— Il y a un disque de fromage cuit d'un quintal, dit maman.

— Vous l'achetez toujours chez l'épicemard de Hatch Street ? demande Mrs. Killarney.

— Toujours, répond maman.

— Alors je vais me régaler, dit Mrs. Killarney.

Mary, toute rouge, regarde fixement la petite lueur qui flotte sur son ouisqui. De mon côté, je ne suis pas moins émue. Elle lève la tête et nos regards se croisent : ils ne savent pas trop ce qu'ils ont à se dire. Mais, ensemble, nous sursautons : dans la cuisine, l'animation reprend.

— Ah, non ! gueule papa, en tapant du poing sur la table. Ça suffit comme ça. Moi, je veux bouffer.

— Qu'est-ce que tu veux, dit maman, ils sont jeunes.

— Avec moi, ça n'est jamais arrivé, remarque Mrs. Killarney dans un louable souci d'objectivité.

Mais de nouveau je sursaute. On sonne à la porte. Inquiétude générale. On resonne avec plus d'énergie. Je dis :

— J'y vais.

Et j'y fus.

C'étaient deux constables, l'un, Kirkgoe, bien connu dans le quartier ; l'autre, je ne l'avais jamais vu. Ce fut celui-ci qui parla :

— Alors ? demanda-t-il d'un ton important.

— Alors quoi ?

— Les voisins se plaignent.

Les voisins ! Ça me révolta d'entendre ça, eux qui n'arrêtaient pas de bambocher du jour de l'An à la Saint-Sylvestre quand ça allait bien et de se chamailler de la Saint-Sylvestre au jour de l'An quand ça allait mal.

— Qu'est-ce qu'ils veulent les voisins ?

— Il s'est passé de graves événements chez vous.

— Turlutaines.

— Un crime même a pu être commis. À ce que l'on prétend.

— Mensonges.

— Vous permettez qu'on aille voir ?

Il m'écarta du bras et entra, suivi de Kirkgoe dont la mimique me fit comprendre que, quant à lui, il n'aurait pas eu de ces exigences. J'aurais dû lui demander évidemment son permis de chasse, comme on fait dans les romans policiers, mais il se trouvait déjà dans la salle à manger. Je trottai derrière lui et l'y trouvai interrogeant en termes analogues maman qui respirait l'innocence à son accoutumée, Mrs. Killarney qui, pour cacher sa main, serrait Salomé dans ses bras d'un geste tragique et offusqué, et Mary qui mordillait timidement le bas de sa jupe, ce qui permettait au flicard de lui admirer les jambes jusqu'au nombril. Ledit flicard, d'ailleurs, n'y faisait nulle attention, un pédéraste sans doute, en tout cas une vache, car, malgré nos dénégations unanimes, le petit tas de vaisselle et de verres cassés dans un coin et les taches de sang éparpillées de tous côtés, qu'elles appartinssent à papa (tiens ! où était-il ?) ou à Mrs. Killarney, lui servirent de base pour une enquête plus serrée. Quel emmerdeur ! On aurait dit qu'il voulait, à toute force, qu'on ait tué quelqu'un. On avait beau le rassurer, rien à faire. Finalement, perplexe, il voulut bien se taire ; comme nous autres nous n'avions pas envie de causer, le tout fit du silence.

Alors on entendit ce qui se passait dans la cuisine.

— Qu'est-ce que c'est que ça encore ? demanda le policeman en fronçant les sourcils.

— C'est notre petite bonne qui écorche une anguille, répondit maman avec un rictus de première communiante.

— Vivante ?

— C'est meilleur.

— Mais c'est contraire aux principes de la Société Protectrice des Animaux !

À ce moment la petite voix de Bess chevrota :

— Pas comme ça, tu me fais mal !

Le policier important regarda Kirkgoe dans les yeux d'un air sévère et lui dit timidement :

— Nous devons intervenir.

Comme ils n'avaient pas emporté avec eux leur O.D.S. [1], ils se contentèrent de saupoudrer la serrure de balles de revolver et la chevillette chut. La porte s'entrebâilla et nous aperçûmes Joël qui défournait la tarte aux algues et Bess qui se brûlait les doigts en voulant l'aider.

— Faites excuse, dirent les cognes qui reconnurent leur erreur.

Après un certain nombre de phrases de politesse et un nombre encore plus certain de gobelets de ouisqui, les représentants de la loi se tirèrent et on put s'installer autour de la tarte ornée de dix-neuf bougies en mon honneur.

— Avec tout ça, remarqua papa en faisant sa réapparition, on n'a pas goûté au frometon !

— Ne nous fais pas chier, lui répliqua maman avec beaucoup de gentillesse.

J'ai éteint mes bougies d'un seul souffle et la fête s'est continuée jusqu'à six heures du matin. Je viens d'en écrire le récit. Maintenant, au lit.

Seule.

---

1. Obusier de siège, d'un usage courant dans la police irlandaise. (M. P.)

18 avril

Mary est nommée au bureau de poste de Gyleen. Gyleen se trouve près de l'embouchure de la Lee, à l'entrée du port de Cork, pas très loin du phare de Roches Point. Elle s'attendait à être nommée à Dublin pour être avec son John, mais ça ne fait rien, elle préfère décamper. Je suis allée la conduire à la gare. En rentrant, j'ai appris que Bess a disparu.

20 avril

J'étais invitée aujourd'hui à l'un des quelques thés annuels de Mrs. Baoghal. De nombreuses préoccupations assombrissaient mon front, aussi n'eus-je pas besoin, comme autrefois, de faire une pause chez ma tante Patricia pour y reprendre courage. Je trouvai là — chez Mrs. Baoghal — et Padraic et Barnabé, naturellement, et Mève, toujours si réticente, et Madame elle-même dont le nez commençait à faire figure de passoire. J'y rencontrai également — toujours chez Mrs. Baoghal — Connan O'Connan, Grégor Mac Connan, Mack O'Grégor Mac Connan, tous poètes avec leurs épouses et leurs fils et filles George, Phil, Irma, Sarah, Tim, Pelagia, Padraic, Ignatia. Il y avait aussi O'Cear, le barde druide et sa femme avec leurs quatre enfants, ainsi que Mac Adam, le philosophe primitiviste, avec Mrs. Mac Adam et leurs enfants : Abel Mac Adam, Caïn Mac Adam et les deux sœurs Mac Adam, Beatitia et Eva, celles qui donnaient des parties auxquelles, jusqu'à présent, je n'avais jamais été conviée bien que maintenant je susse, à peu de chose près, danser, mais comment l'auraient-elles deviné puisque, jusqu'à présent, j'avais celé mes nouveaux talents et que d'ailleurs j'eusse été fort interdite de les exhiber devant un public, même restreint.

Il n'y avait pas de monsieur français.

Barnabé s'approcha de moi.

— Ah, vous voilà, vous, lui dis-je.

— Comme vous êtes belle, Sally, murmura-t-il d'une voix tremblante mais convaincue.

— Qu'est-ce qui vous prend ?

— Je vous trouve ravissante, Sally. Et votre robe vous va si bien.

Il faut reconnaître qu'elle ne m'allait pas mal : jaune paille avec un semis d'écrevisses couleur pistache. J'avais aussi mis des bas, mes meilleurs, ceux en coton qui n'ont que deux reprises.

— Vous ne voulez pas qu'on aille un de ces jours au cinéma ? Il y a Greta Garbo au Palladium.

— Ça va être cher, le Palladium.

— Je vous invite, Sally, je vous invite.

Était-il donc prêt à faire des folies pour moi ? Je décidai de l'y encourager un peu, mais pas trop fort pour commencer. Je lui dis en baissant les yeux du mieux que je pus :

— Je suis contente que vous n'ayez plus les oreillons... Et puis vous savez, elles n'ont rien vos oreilles... Elles sont très jolies même.

Il rougit, radieux et prit la mine d'un qui prépare un compliment. Mais je fus soudain intéressée par O'Grégor Mac Connan qui passait près de nous ; me souvenant de ce que m'en avait dit Baoghal, je demandai à Barnabé dans le tuyau de l'oreille (et mon souffle chaud pénétrant dans cet orifice sembla le faire frissonner de plaisir) :

— C'est vrai que O'Grégor Mac Connan est un pédéraste ?

— Oh, fit Barnabé.

Il recula d'un pas pour me considérer attentivement.

— Oh, fit-il de nouveau.

— Je vous pose une question, lui fis-je remarquer avec un certain agacement.

Il continuait à me détailler avec autant de perplexité que si j'avais été une inscription en caractères oghamiques. Avec la gravité d'un druide cueillant de la guimauve, il leva un doigt vers le plafond et me demanda solennellement :

— Sally ! Connaissez-vous le sens du mot que vous venez d'employer ?

— Lequel ? Pédéraste ?

— Oh !

Et la main qui tendait un index vers le ciel vint se poser sur son front avec un geste de désespoir.

— Oui, celui-là, reprit-il. Vous en connaissez réellement le sens ?

— Croyez-vous que je parle sans savoir ce que je dis ?

Ça m'arrive quelquefois, mais ce n'était pas le moment d'entrer dans des détails.

— En connaissez-vous le sens, oui ou non ?

— Oui.

— Alors, chuchota-t-il, dites-moi ce que ça veut dire au juste.

L'ignorait-il ou bien était-ce un défi ? Cet imbécile me déconcertait.

— Dites-le-moi, Sally, supplia-t-il.

Se moquait-il de moi ? Je n'aurais pas beaucoup aimé cela. Après avoir encore réfléchi quelques secondes, je lui donnai enfin l'explication de la chose :

— Un pédéraste, c'est un monsieur qui fait à d'autres messieurs ce que je vous ai fait au cinéma, le jour où nous sommes allés voir le film de Jean Harlow.

Car je devinais maintenant ce qui s'était passé cette fois-là bien que quelques détails me parussent encore demander des éclaircissements.

J'avais, tout de même, baissé les yeux en lui communiquant le principal de mon savoir sur la question des pédérastes. Lorsque je les relevai, Barnabé avait disparu. Quelque impérieuse obligation d'hygiène ou de politesse l'avait sans doute éloigné de moi.

On annonce alors la séance de psychisme et chacun commence de s'installer autour de Mrs. Baoghal. Elle portait une robe de crêpe romain rouge avec des incrustations de dentelle violette. Les manches en étaient très collantes à partir du coude. Chacun se place et Baoghal demande que l'on éteigne les lumières et que l'on tire les rideaux. La petite futée que je suis devenue comprend bien maintenant que cette obscurité n'est qu'un prétexte pour tâter l'habit du voisin et voir si l'étoffe en est moelleuse.

Je me trouvais, par hasard, entre le poète Mac Connan et Abel Mac Adam, le fils du philosophe primitiviste. Je dis « par hasard », car je ne les connais ni l'un ni l'autre, et ni l'un ni l'autre n'ont jamais semblé faire attention à moi. Cependant, dès qu'ils furent assurés de l'anonymat (un anonymat d'autruche), ils me plaquèrent leur main sur la cuisse. Cela ne correspondait pas du tout à mes intentions ; je n'étais pas venue pour de futiles bagatelles mais bien pour élucider deux points de théorie qui me semblaient encore obscurs. Utilisant ma méthode habituelle, je mis donc en contact les deux mains qui se retirèrent avec vélocité et je pus ensuite poursuivre mes études.

J'hésitai tout d'abord entre Mac Connan et le fils Mac Adam. Je pensai finalement qu'il était préférable de choisir un sujet jeune et vigoureux chez qui les phénomènes se présentent, probablement, avec plus de netteté et de rapidité (cette séance ne s'éterniserait pas) que chez des individus un peu éprouvés par l'âge. Je décidai donc de faire l'Abel.

D'une voix décentrée, Mme Baoghal se mit à proférer des sons à prétention étrange qui étaient censés être ceux d'une langue martienne un peu archaïque, cependant que se matérialisait près d'elle un mince fantôme, dont la ressemblance avec Mève était si évidente qu'aucun des fidèles ne pouvait penser à une supercherie. De mon côté, je constatai que l'étoffe du pantalon d'Abel était plutôt rêche, un touide local sans doute. Je fis ensuite quelques remarques d'une portée générale sur les modes variées de fermeture du vêtement chez l'homme et chez la femme ; il est évident que l'homme préfère la boutonnière et la femme le nœud.

Mais cela ne me détourna pas de mes préoccupations essentielles. J'étais bien décidée à fixer mes idées d'une façon définitive sur différents aspects contradictoires de ce que je tenais maintenant dans ma main. Je pus m'assurer tout d'abord que certains objets naturels présentent des modifications de volume et de consistance infiniment plus rapides que celles qui font un dirigeable d'une enveloppe de taffetas. L'exemple est mal choisi, car, pour ce qui était de la consistance, l'objet de mes études attentives en possédait une infiniment plus rigide que celle de ce moyen de transport périmé qu'est le ballon. Grâce à une série de pressions délicates je vérifiai de plus que cette rigidité était égale en tout point, puis, en procédant à une friction rythmique, je recherchai s'il n'était point possible de donner une extension plus grande encore à ce que j'avais tout d'abord touché à l'état de chiquette. Malgré mon application, je ne parvins à aucun résultat appréciable, bien que je n'eusse, pour m'en assurer, ni décimètre, ni compas.

Il me tardait maintenant de parvenir au second point de théorie qui restait en suspens, bien que le contact de ce que j'empoignais, à la fois tiède et doux, était plutôt réconfortant. J'aurais d'ailleurs eu tort de m'impatienter car je sentis un torrent bondir sur ma paume, jaillir en un geyser et retomber sur mes doigts. Puis des modifications de volume et de consistance se produisirent dans un sens exactement opposé à celui qui avait amené la crise et j'abandonnai à son nid pantalonesque un petit pas grand-chose humide et frissonnant.

Je passai ensuite à l'étude chimique de la substance que je venais d'extraire, en n'utilisant naturellement que des procédés d'analyse qualitative assez sommaires, c'est-à-dire que je me bornai à en examiner l'odeur, la saveur, la fluidité, la solubilité, etc. Malgré l'obscurité, la couleur m'en parut blanchâtre, mais ce n'était pas pour cela du lait. Ainsi que je l'avais soupçonné, ce produit de l'activité humaine était radicalement différent de tous ceux que je connaissais jusqu'alors, et d'une nature absolument originale. J'éprouvai une telle joie à voir ainsi confirmées mes hypothèses que je découvris aussitôt une nouvelle expérience à tenter, concernant cette fois-ci les possibilités de reviviscence. Je me rendis donc à la tâche, mais à ma grande déception la lumière se fit avant que j'eusse obtenu un résultat tout à fait satisfaisant. Nos voisins se levèrent et je m'aperçus que Padraic Baoghal, qui se trouvait devant nous, avait été éclaboussé par nos premières recherches. Abel Mac Adam se précipita avec son mouchoir pour lui tamponner le dos. Baoghal se retourna furieux et grogna : « Qu'est-ce qui vous prend ? » Je me mis à rire bêtement.

21 avril

Ce matin on sonne. Je vais ouvrir. Encore des flicards. Pourtant c'était bien tranquille chez nous. L'un d'eux n'était autre que le nouveau venu de l'autre jour, le second encore plus inédit portait avec ampleur un costume civil.

— C'est sa sœur, dit le premier au second.

— Votre mère est là ? me demanda celui-ci.

— Oui.

— On voudrait la voir.

Ils me suivirent. Dans le corridor, ils furent très corrects avec moi. Je leur ouvris la porte de la salle à manger, maman y tricotait des chaussettes. Elle leur fit un bon sourire. Ils s'installèrent.

— Offre donc un verre de ouisqui à ces messieurs, dit maman.

— Il y avait une autre sœur, remarqua le premier policier.

— Maintenant elle habite Gyleen, dit maman.

— Vous avez eu des nouvelles d'elle récemment ?

— Elle nous envoie un télégramme tous les jours. Vous comprenez, ça ne lui coûte rien, elle est demoiselle des Postes.

— Et quand avez-vous reçu le dernier ?

— Ce matin.

— Depuis quand est-elle partie ?

— Avant-hier.

Il regarda maman d'un air profond. Puis il reprit :

— Et votre petite bonne ?

— Bess ?

— Oui, la petite bonne qui se trouvait là le jour où vous avez fait tout ce ramdam.

— Oh, proteste maman, à peine un boucan de troisième classe.

— Eh bien, où est-elle ?

— La troisième classe ?

— Merde, s'écria le premier inspecteur, c'est bien notre chance d'être tombés sur une conne.

— Cette connerie me semble suspecte.

— Interrogez la famille.

— Où est Bess ? me demanda l'argousin. (Foutre ! Où suis-je allée chercher ce mot-là ? Ça c'est du français.)

— Disparue, répondis-je.

— Disparue ?

— Elle a dit « sparue », confirma maman.

— Et vous n'avez pas songé à la chercher ?

— Non.

— Ni à en informer la police ?

— Encore moins.

Ils soupirèrent.

— Et votre frère, où est-il ?

— Chez lui.

— Où ça, chez lui ?

— Près d'Harberton Bridge.

— Il habite là depuis longtemps ?

— Trois mois environ.

— Et il n'est pas ici ?

— Puisqu'il est chez lui.

Du regard, l'argousin (il me plaît ce mot-là) consulta son chef.

— Inutile de fouiller la maison, dit celui-ci.

— Ça serait plus sûr.

— Non. Inutile. Je vois ça.

Il vida son verre et se leva. L'autre l'imita.

— Il faudrait peut-être les avertir ? dit le second.

— Prenez les précautions oratoires d'usage

— On a du tact.

Il se tourna vers maman, et, après avoir toussé, lui dit :

— Eh bien, ma brave dame, on va comme ça, de ce pas, cof-
frer votre fils Joël qu'est un affreux méchant qu'a tué votre bonne
Bess pour lui boire son sang dont le cadavre a été retrouvé dans
un tonneau qu'il avait caché du côté d'East Wall.

Comme nous restions muettes et sidérées, il ajouta :

— Je vous verse à chacune en vitesse une rasade de ouisqui pour
vous réconforter d'avoir appris cet affreux forfait et d'une course
folle nous bondissons vers l'arrestation du Vampire de Dublin.

Et ils s'en furent au petit pas de gymnastique.

Nous avions à peine fini notre rasade réconfortante que papa,
poussant lentement la porte, entra sur la pointe des pieds.

— Qu'est-ce qui se passe ? chuchota-t-il.

— Les flics, murmurai-je.

— Qu'est-ce qu'ils voulaient ?

— Arrêter Joël.

À ces mots, maman, qui avait enfin compris, se mit à pousseı
une lamentation.

— Ta gueule, toi, lui dit papa.

Elle se tut.

— Ils sont partis ?

— Je crois.

Il alla s'en assurer, puis revint s'installer devant un verre.
Maman en avait profité pour verser douze à quinze larmes derrière son dos.

— Qu'est-ce qu'ils lui veulent, à Joël ?

— Il a tué Bess. C'est un vampire. Qu'ils disent. Je ne leş
crois pas.

— Tu n'y crois pas ? s'étonne maman. Mais du moment qu'ils
le disent.

— Joël boire du sang ! Non mais, ils ne l'ont jamais regardé,
les argousins, mon frère ! Dès qu'ils le verront, ils constateront
qu'il en est bien incapable d'en boire, du sang, même avec une
paille, comme font les vampires corrects. Il n'est même pas
capable de boire de l'eau !

— Tu le sous-estimes, dit maman doucement. Son régime
alcoolique n'est pas tellement exclusif.

— Je suis sûre, répliquai-je, que le sang lui donnerait une
crise de foie.

— Peut-être qu'il n'y a pas pensé.

Papa donna un grand coup de poing sur la table.

— Ça suffit, gueula-t-il.

Puis, se calmant :

— Ils sont nuls, ces gars-là.

— Qui ça ? demanda maman.

— Les policiers, pardi.

— Ah ! m'écriai-je, toi non plus tu ne crois pas que Joël soit un vampire ?

— Ils sont nuls. N'arrêter personne, je comprendrais, mais arrêter un innocent.

— Tu es sûr qu'il est innocent ?

— Archi-sûr.

Des fragments de *L'Odyssée*, d'*Œdipe-Roi*, de *La Chanson de Roland* et des autres romans policiers que j'avais lus me montaient en foule au cerveau et me permettaient de me hisser à la hauteur de la situation.

— Papa, tu vas pouvoir lui fournir un alibi ?

— Ma foi non.

— Comment prouver son innocence ?

— Ah, voilà, répondit-il, c'est bien ce que je me demande.

— Tu connais le coupable ?

— Bien sûr, c'est moi.

Pendant quelques minutes, avec maman, nous nous disputâmes la bouteille de ouisqui pour nous entonner de réconfortantes rasades.

Je me doutais bien que papa était un salaud, mais à ce point-là, c'était record. Je le regardais, consternée. Je pensais que le jour où il y aurait son portrait dans les journaux, il ne ferait pas honneur à la famille. D'habitude, les criminels ont des têtes qui ressemblent à quelque chose, avec un air de dignité offensée qui, chez les plus beaux d'entre eux, leur donne un aspect luciférien, par exemple Landru et Napoléon. Tandis que lui, jamais la veulerie la plus morveuse ne s'était étalée avec autant d'entrain sur une hure grisâtre, jamais la couardise la plus perverse ne s'était tartinée avec autant de gluantise sur une binette de vache, jamais la mollasserie la plus cruelle ne s'était épanouie avec autant de bassesse sur une trombine cendreuse.

Il nous laissa nous calmer un peu. Puis :

— À part ça, il ne faudrait pas croire que j'ai tué la petite.

— Il ne l'a même pas tuée ! piaula maman.

— Non. Voilà comment ça s'est passé.

— C'est ça, raconte.

— Eh bien, depuis longtemps ça me faisait de la peine qu'elle ait peur de moi, car je ne sais pas si vous avez remarqué, mais elle tremblait devant moi. Alors, l'autre jour, pour l'amadouer, je lui ai promis une tournée de chevaux de bois.

— C'était gentil, dit maman.

— Seulement voilà, je ne sais pas comment ça c'est fait, je le jure, je ne l'ai pas voulu, on s'est retrouvé près d'East Wall. Les terrains vagues, les chiens errants, le crépuscule, les réverbères morts, l'absence de chevaux de bois l'a tellement frappée qu'elle en a eu une syncope.

— La pauvre enfant.

— Elle tomba comme ça : floc ! Je me penchai sur elle. Elle était morte.

— Miséricorde !

Et maman fit quelques gestes de piété.

— J'étais drôlement embêté.

— Je comprends, fit maman.

— Je l'ai traînée dans un coin tranquille. Et puis là... et puis là...

Il s'énerva :

— J'aurais voulu vous y voir, vous ! Moi, je n'ai pas résisté. Ce n'est pas tous les jours qu'on a une occasion pareille.

— Je comprends, fit maman de nouveau.

— Après je l'ai cachée dans un tonneau.

— Pas si vite, dit maman. Donne-nous les détails.

— Tout de même, minauda papa. Tout de même.

— Mais si. Ça ne serait pas gentil de ne pas nous en donner.

— Je vous jure, en tout cas, que je l'ai respectée.

— Oh !

Maman avait l'air tout à fait incrédule.

— Je vous le promets. Je ne me suis livré qu'au seul vice d'anthropophagie. Et encore. Je n'ai rien mangé du tout. J'ai tout juste bu.

Et enchaînant d'une voix égale :

— Après, je l'ai cachée dans un tonneau. Et voilà.

Nous nous recueillîmes en silence, ce qui donna une certaine grandeur à l'atmosphère. Je commençais à avoir une certaine sympathie pour lui, ce n'était pas un méchant bougre après tout, un faible simplement, un petit impulsif. Joël tenait de lui. Oui, Joël. Au fait, Joël.

— Qu'est-ce qu'on va faire pour Joël ? demandai-je.

— Celui-là, dit papa, s'ils mettent la main dessus, il est dans de sales draps.

— Mon pauvre Joël, dit maman qui avait repris son travail de tricot.

— Jamais il ne pourra prouver qu'il ne l'a pas tuée, continuait papa. Et un acte de vampirisme, ça suscite toujours l'indignation des jurés. Je le sais par expérience. Alors, il écopera du maximum, c'est-à-dire d'être pendu jusqu'à ce que mort s'ensuive.

— Jamais je n'aurais prévu cette fin-là pour lui, dit maman. Ça ne fait rien, je recueillerai Mrs. Killarney et Salomé.

— On verra, dit papa. Enfin, bref, il a une sale affaire sur les bras.

— Il aura peut-être un alibi, m'exclamai-je, pleine d'espoir.

— Ça serait embêtant, dit papa.

— Pourquoi donc ? dit maman.

— Parce qu'ils reviendraient ici, et cette fois-ci ils perquisitionneraient et je n'y tiens pas, tu comprends ?

— Je comprends, dit maman.

22 avril

Ce matin, notre nom était en grandes lettres sur le journal. Je croyais que ça n'arriverait que lorsque j'aurais publié mon roman, dans quelques années. Quelle fierté pour nous ! Je me promis de découper l'article pour l'envoyer à Michel Presle. Papa nous en fit la lecture à haute voix. Il n'y avait aucun doute : Joël était mal parti. Il avait même eu la regrettable idée de se défendre lorsqu'on était venu l'arrêter. On insinuait de plus qu'il fabriquait ses boutons avec des ossements humains, ce qui nous fit bien rire, sont-ils bêtes les journalistes !

Ensuite, les voisins et les voisines sont venus nous faire leurs compliments. Papa, naturellement, s'est planqué. Maman, ravie, pérorait, versait à boire, pleurait.

À chaque instant, un courrier bicycliste m'apportait un message de sympathie : de Baoghal en premier lieu, puis de Barnabé, de

Timoléon, de Pelagia, d'Ignatia, d'Arcadia, d'autres encore. Abel Mac Adam m'écrit :

Mademoiselle, la présence de votre main se fait toujours sentir et renouvelle, de quart d'heure en quart d'heure, l'agréable moment passé près de vous. Heureux instants, dirai-je, si je ne craignais la consomption. Je vous prie de croire, Mademoiselle, à la respectueuse expression de mes sentiments émus. A.

M. Thomas, le gardien du square :

Mademoiselle, devant la grandeur du crime, la pitié se découvre. Ne craignez plus, Mademoiselle, de venir en nos jardins publics, si votre mélancolie vous y attire. J'en garderai moi-même l'entrée pour que votre petite âme (immortelle) y trouve toute sa consolation. Je vous prie d'accepter, Mademoiselle, l'hommage de votre dévoué serviteur. Thomas.

Post-scriptum : *Mon fils, John, se demande où a bien pu passer votre sœur Mary.*

Tiens, celle-là, il faudrait la prévenir ; à Gyleen, elle ne doit pas lire les gazettes. J'ai reçu aussi un télégramme de Michel Presle

Sincèrement épaté et heureusement surpris par Joël. Stop. Baisers. Michel.

Ce qu'il est gentil, tout de même. Et puis un petit mot mystérieux :

Bien fait. M.

Je me suis demandée assez longtemps qui avait bien pu me l'envoyer, et puis j'ai fini par penser à Mève.

À la fin, cependant, j'en ai eu marre, des voisins et des voisines, et je suis sortie. J'ai pris le tram, puis la correspondance. Je suis descendue à l'arrêt de King Street, ensuite j'ai marché. Je suis passée devant une caserne, trois hôpitaux, un dépôt de mendicité et deux asiles de fous avant d'arriver à la prison de Richmond. J'ai demandé à voir Joël. J'ai été reçue par le geôlier en chef avec beaucoup de considération, mais la consigne est absolue : j'essuyai un refus formel ainsi qu'un baiser offert par l'administration grâce à l'entremise du geôlier. Celui-ci me proposa même de partager sa couche. Comme les seuls baisers qui m'intéressassent étaient ceux télégraphiques de Michel Presle et que, d'autre part, je ne me sentais pas particulièrement fatiguée, je fis comprendre au geôlier en chef, grâce à une percussion latérale sur la pomme d'Adam, que je ne désirais rien de ce qu'il m'offrait. Il me reconduisit avec les marques du plus profond respect, un respect légèrement douloureux.

Pendant quelque temps, je me promenai, de long en large, dans Grange Gorman Lane. Ce n'était pas drôle, une prison. Je n'y avais jamais fait beaucoup attention jusque-là, mais d'y savoir Joël me navra. Je finis par m'éloigner et je revins à pied à la maison, non sans m'être tapé quelques gâteaux en chemin. J'avais aussi télégraphié à Mève.

À la maison, c'était la foire. Maman était complètement saoule. Les voisins, ayant liquidé nos provisions, commençaient d'ailleurs à s'en aller. Mais comme de plus généreux venaient à la rescousse avec des bouteilles sous le bras, cela ne se termina guère avant trois heures du matin.

23 avril

Aujourd'hui c'était un peu plus calme. Les journaux parlent encore du vampire de Dublin, mais comme papa découpe les articles avant moi, il faut que j'en achète d'autres pour Michel Presle. Je suis retournée à la prison, toujours pas d'autorisation de visite. Décidément, c'est sinistre cette prison et puis je ne peux pas m'acharner sur la pomme d'Adam du geôlier en chef. Il faut finir par faire sortir Joël de là, tout de même.

Mary est arrivée au moment où on se mettait à table pour le dîner. « Eh bien, a-t-elle dit, en voilà une histoire », et elle s'est jetée sur les harengs au gingembre, car les voyages, ça creuse.

Après, y avait du lard aux choux, un disque de fromage de deux kilos (tout ce qui restait) et une tarte aux algues que maman avait faite en vitesse pour régaler Mary, mais qui était dégueulasse.

— Eh bien, maman, dit Mary, sans vouloir te flatter, on ne gagne pas au change.

— Pour ce qui était de la tarte aux algues, dit papa, faut reconnaître qu'elle y tâtait, Bess.

— Si on parlait maintenant de cette pauvre gosse. Et de Joël. Vous croyez que c'est lui qui s'est livré à ces excentricités ? Moi pas.

— Nous non plus, dit maman.

— Il faut lui trouver un bon avocat, dit Mary.

— Ça va coûter cher, dit papa. Une plaidoirie pour vampire vaut toujours au moins deux fois plus qu'une pour satyre ou pour objecteur de conscience, et ce n'est pas peu dire. On verra si on a les moyens.

— On peut tout de même faire des sacrifices, dit Mary.

— D'autant plus qu'il est innocent, dit maman.

— Je n'en suis pas tellement sûre après tout, dit Mary.

— Moi, j'en suis sûre, dit maman.

— Comment peux-tu en être sûre ? Tu connais le coupable, peut-être ?

— Oui, naturellement. C'est lui.

Elle regarda dans la direction de papa.

Mary se tapa sur la cuisse (un geste qu'elle venait sans doute d'apprendre dans son métier).

— C'est marrant, dit-elle. J'y avais pensé. Non ! vous ne trouvez pas que c'est marrant ?

— Tu es fine, dit maman.

— Et comment le sais-tu, que c'est lui ?

— Il nous l'a dit.

— Eh bien…

Elle considéra papa quelques instants en silence.

— Eh bien, reprit-elle en s'adressant à lui cette fois-ci, qu'est-ce que tu attends pour aller te livrer ?

— Pourquoi veux-tu qu'il aille se livrer ? demanda maman stupéfaite.

— Parce que c'est lui le coupable.

— Tous les coupables ne se livrent pas, dit maman. S'ils le faisaient, on ne pourrait plus lire de romans policiers.

— Pour faire libérer son fils, expliqua Mary. Le tien.

— Tu crois que ça y fera quelque chose ? demanda maman.

— San-zau-cun-dou-teu, lui hurla-t-elle dans les oreilles.

Maman regarda son époux :

— Tu veux que je te prépare tes affaires ?

— Alors toi aussi ! Tu es de cet avis absurde ! Mais puisque je vous dis que je ne l'ai pas tuée.

— Comment ça ? demanda Mary.

— Mais oui. Elle est morte d'une syncope. Elle est morte toute seule, toute seule. J'y étais pour rien. J'ai juste bu son sang. Et encore, pas tant que ça. J'ai tout juste un peu bu. C'est tout. Je ne suis pas un criminel, moi. Il n'y a pas de quoi risquer la peine de mort. Je ne pourrai jamais prouver que je ne l'ai pas tuée. Je ne veux pas être condamné à mort, moi. J'ai juste bu, un peu bu, c'est tout.

Pour dire tous ces boniments, il prenait son air le plus pleutre.

— Tout de même, dit Mary, tu ne peux pas laisser pendre Joël à ta place ?

— Tout de même pas, ajoutai-je.

— Ça ne serait pas gentil, dit maman.

— Mais puisque je vous dis que je ne l'ai pas tuée.

— Raison de plus, répliqua Mary.

— Raison de plus, ajoutai-je.

— Ça ne serait pas gentil, dit maman.

— Si tu te dénonces, dit Mary, tu auras l'indulgence du tribunal.

— Le président te félicitera, ajoutai-je.

— On sera de mieux en mieux vus dans le quartier, dit maman.

— Et tu auras ta photo en première page, dit Mary.

— On découpera les articles sur toi pendant que tu seras en prison, ajoutai-je.

— Jamais je n'aurais espéré ça, dit maman. Mon fils puis mon mari avec leur portrait dans les journaux. Quelle joie !

— Tu vois, dit Mary.

— Tu vois, ajoutai-je.

— Je me demande, dit maman, si je dois mettre dans tes affaires des choses chaudes pour cet été. Qu'est-ce que tu en penses ?

Papa ne répondit pas.

— Hein ? fit maman.

Papa laissa tomber son bras sur la table d'un geste las.

— C'est malheureux tout de même, dit-il. C'est malheureux, quand même. Pour une fois que je m'étais payé une pinte de bon sang…

Il soupira :

— Enfin…

Il souleva péniblement son arrière-train de dessus sa chaise. Il sortit lentement de la pièce. On l'entendit monter l'escalier, puis aller et venir au-dessus de nos têtes.

— Qu'est-ce qu'il va faire dans ta chambre ? remarqua Mary.

— Je ne sais pas, dit maman avec placidité.

Il redescendit au bout d'une dizaine de minutes, peut-être moins. Il entrebâilla la porte, passa la tête et dit :

— Je vais chercher une boîte d'allumettes.

Puis son pas s'éloigna dans le couloir. La porte sur la rue s'ouvrit doucement, puis se referma sans claquer.

24 avril

Joël est passé en troisième page. Et dans les journaux du soir on n'annonçait pas encore sa libération.

25 avril

Rien.
Ce n'est évidemment pas du côté de la prison que papa est allé chercher sa boîte d'allumettes.

26 avril

Rien.

27 avril

Rien.

28 avril

Rien.

29 avril

Mary propose de dénoncer papa, maintenant qu'il a eu le temps de prendre le large. Mais on n'est pas d'avis, maman et moi.

2 mai

On avait raison.
L'innocence de Joël est reconnue. Le coupable est un homme

grand, voûté, d'une quarantaine d'années, et en fuite. Un inspecteur est venu à la maison pour enquêter. Il est reparti sans avoir recueilli beaucoup de renseignements, sinon les meilleurs concernant Joël, ce pauvre type.

3 mai

Joël a été libéré ce matin. Mrs. Killarney et Salomé l'attendaient chez nous. Ça a été un triomphe. On n'a pas arrêté d'arroser ça toute la journée. Les voisins, les amis accouraient pour le féliciter. On a vidé un nombre incalculable de bouteilles. Vers six heures, Joël est retourné chez lui avec Mrs. Killarney et le gosse. Mary a repris le chemin de Gyleen, son train partait à sept heures. Nous nous sommes trouvées seules, maman et moi, pour le dîner. C'était lugubre. Je me suis aperçue que j'avais oublié de lui montrer la lettre du père Thomas à Mary.

4 mai

Des inspecteurs sont encore venus. Ils ont fouiné partout.

5 mai

Ils ont fini par trouver le joint : papa a sa photo en première page. C'est lui, le vampire de Dublin. Il paraît même qu'il s'est rendu coupable de semblables méfaits un petit peu partout à la surface de ce globe. Maman jubile. De nouveau on arrose ça avec les voisins et les amis.

Je suis allée voir Joël, pour savoir ce qu'il en pensait. Il y avait foule devant son échoppe. On lui faisait une ovation. Grimpé sur une échelle, il clouait au-dessus de sa porte un écriteau : *Au Vampire, on vend mieux.* Lorsqu'il redescendit, on l'acclama. Il n'y avait pas moyen d'approcher. Finalement, il m'aperçut et me fit entrer dans sa tanière. Mrs. Killarney, ratatinée par la multiplication des fêtes, dormait dans un coin, ainsi que Salomé, toute vieillotte, insensible aux clameurs. Non sans peine, il foutit tout le monde à la porte, laquelle il boucla. Les bouteilles de ouisqui jonchaient le sol, des pleines et des vides. Joël en saisit une pleine d'une main sûre et poussa vers moi une caisse pour que je m'y assoie.

— Ça boume, me dit-il joyeusement en emplissant mon verre. Crédit illimité chez tous les commerçants du quartier. Commandes innombrables. Je prépare aussi de nouveaux articles : notamment le bouton carré avec ressort intérieur en poil de tripes. Je devrais même prendre des ouvriers si je ne réprouvais l'usage du prolétariat et l'accroissement du labeur. Enfin, je ne suis pas mécontent.

— Tu as été surpris d'apprendre que c'était papa ?

— Aucunement. Dis donc, à part ça, la prison, hein, j'aime mieux ne plus y penser. C'est affreux. On ne boit rien, dans ces endroits-là. J'ai cru que je deviendrais cinglé.

— Tu crois qu'ils vont l'arrêter ?

— Papa ? Bien sûr que non. Il a l'air d'y tâter. Je regrette maintenant de ne l'avoir pas mieux connu.

— De toute façon, on ne le reverra plus.

— Faut pas s'attrister pour ça. Un autre verre ?

— Merci, oui. S'il ne l'a vraiment pas tuée, comme il le pretend…

— Chtt. Ne répands pas ce bruit-là, ça la ficherait mal.

— Je disais ça comme ça.

— D'ailleurs, je me doutais bien que cette lavette était bien incapable de tuer qui que ce soit.

— Ça t'a fait triste d'apprendre sa mort ?

— Pourquoi voudrais-tu que ça m'ait fait triste ? Ah ! à cause de ce qui s'est passé le soir de ton anniversaire ? Tu sais, c'était simplement pour rire. Au fait, oui, ça me fait triste. Maintenant que tu m'y as fait réfléchir.

— Ne réfléchis pas trop.

— Crains rien. Dis donc, j'ai une nouvelle à t'annoncer, mais ça me gêne de te l'avouer. Ça va peut-être te paraître ridicule.

— Vas-y.

— Eh bien, le *Sunday Dubliner* m'a demandé, euh, quelque chose d'écrit par moi, pour l'imprimer. Alors, je leur ai donné un poème.

— Je ne savais pas que tu écrivais des poèmes.

— Dame oui. Et toi, tu n'as pas une petit idée, côté littérature ?

— Oui, je voudrais écrire un roman.

— Sur quoi ?

— Je ne sais pas.

— Mais tu es sûre que ce sera un roman ?

— Ça oui. Et en irlandais encore.

— Je ne le lirai pas, alors.

— Je crois que j'ai le titre.

Il venait juste de me venir à l'esprit.

— Dis voir.

— *Les femmes sont toujours trop bonnes avec les hommes.*

— C'est bien long.

— Une phrase m'a frappée, une phrase que tu as prononcée un jour devant moi, tiens, le soir où papa est revenu, quand Mrs. Killarney avait apporté Salomé et qu'on ne voulait pas en entendre parler.

— C'était gonflant, ce soir-là. Ça bardait.

— Tu as dit comme ça : « On est toujours trop bon avec les femmes. »

— J'ai dit ça, moi ?

— Oui. Mais moi, je change, je mets « avec les hommes ».

— Et qu'est-ce que tu raconterais là-dedans ?

— Je n'en sais rien.

— Ça sera tordant, mais dans ce cas-là, si tu mettais « avec les femmes », ça serait plus original.

— Tu crois ?

— Naturellement.

On frappait à la porte, à coups de poing, à coups de pied.

— Faut que j'aille les calmer, dit Joël. Je suis si populaire qu'ils seraient capables de tout casser.

Je le laisse à ses admirateurs.

Je marchais d'un pas lent et méditatif. Ça n'avait rien de gai de se retrouver en tête à tête avec maman. Je n'avais pas très envie de rentrer à la maison. Au coin d'O'Connell Street, j'ai rencontré Barnabé. Il n'avait pas l'air de savoir s'il devait m'adresser la parole. Enfin, il se décida.

— Vous êtes devenue une personne de marque, Sally, me dit-il humblement.

— Mais non, mais non.

— Si, si. Je vous assure. Il va y avoir une fête en votre honneur chez les Mac Adam.

— Mais je n'en sais rien.

— Ce sera une surprise. Ils vont vous inviter. Elles, plutôt, Beatitia et Eva.

— Vous viendrez, naturellement?

— Je ne crois pas. Je serai sans doute parti.

— Vous partez?

— Oui. Je vais habiter Cork.

— Et les leçons?

— Je dois les abandonner.

— Qu'est-ce qui se passe?

— Mon père est mort.

— Sincères condoléances, lui dis-je avec chaleur.

— Merci bien. Oui, il est mort, juste le lendemain du jour où votre frère a été arrêté. Et je dois aller à Cork aider ma mère à tenir la boutique.

— Une boutique de quoi? demandai-je poliment.

— De quincaillerie.

Je faillis lui rire au nez. La quincaillerie, ça n'a rien de drôle pourtant. Et il avait l'air tellement embêté que je me retins. Il s'en aperçut :

— Je vois bien que vous avez envie de vous moquer de moi.

— Pas du tout, je vous assure.

— Mais, vous savez que c'est un métier intéressant?

— Je n'en doute pas.

Cette fois-ci j'éclatai :

— Excusez-moi, hoquetai-je, c'est idiot, ce sont les nerfs, vous comprenez?

— Je comprends. Toutes ces grandes émotions que vous avez eues!

C'était le comble. Je n'en pouvais plus. À en mouiller mon slip.

— Je vous en prie, disait Barnabé. Je vous en prie.

Je finis par me calmer. Il n'y avait pas de quoi rire, après tout.

— Je viendrai de temps en temps à Dublin, dit Barnabé. J'espère que je pourrai vous rencontrer.

— Mais comment donc.

— Vous vous souviendrez de moi?

— Certainement.

— Moi, je ne vous oublierai pas, Sally. Jamais.

Il me prit la main droite qu'il porta sur son cœur gauche; il la pressa dessus quelques instants en se levant un peu sur les doigts de pied et en regardant le ciel. Puis, laissant retomber ma main sans précaution, il fit quelques pas en arrière, le bras étendu, et le pliant ensuite pour se couvrir les yeux, il fit brusquement demi-tour pour disparaître dans la foule.

7 mai

Pour la première fois depuis le début de toutes ces histoires je suis retournée chez Baoghal. Nous avons déploré ensemble le départ de Barnabé Pudge, cet excellent gaéliste. Mme Baoghal nous laissa seuls pendant notre leçon et il ne se passa rien.

C'est agréable de se sentir respectée. Et Mève qui me regardait avec dévotion. Elle n'a même pas osé me dire : « Bonjour, Mademoiselle. »

8 mai

Effectivement, je suis invitée à une party chez les Mac Adam. C'est Beatitia qui m'écrit un mot si gentil, si gentil, avec un post-scriptum d'Eva charmant, vraiment charmant. Je suis dans tous mes états désunis. Je sais bien que si je n'étais pas la fille du Vampire, je ne serais pas invitée, la preuve c'est qu'elles ne l'ont jamais fait avant, les deux punaises. Tout de même, ça me fait plaisir. Mais j'ai un de ces tracs. C'est fou. En tout cas, quel événement. Heureusement. Je trouvais que c'était un peu plat l'existence, ces temps-ci.

10 mai

C'était exact. Le poème de Joël a paru dans le *Sunday Dubliner*. C'est une épopée fantastique : *Le Combat des Asperges contre les Moules*, un peu dans le style de la *Batrachomyomachie* d'Homère, des *Voyages de Gulliver* de Lewis Carroll et de l'*Ale maniaque* de Vermot.

Maman l'a lu, elle a trouvé que ça n'avait ni queue ni qu'est-ce. Mais je ne pense pas qu'elle en ait saisi le symbolisme ; celui-ci me paraît être de nature culinaire et concerner les vertus respectives du règne végétal et du règne animal du point de vue de la succion, mais ce sont là des notions de psychologie qui échappent à cette vieille nivelée du cassis. En tout cas, elle était ravie. Elle a fabriqué pour Joël, à titre de compliment, une tarte aux algues, qu'elle m'a demandé d'aller lui porter.

Je l'ai foutue, la tarte, dans la première bouche d'égout venue, de peur que Joël n'en devienne dysentérique et j'en ai acheté une, dans York Street, chez Jack Fath, l'engraisseur à la mode.

J'ai trouvé Joël en train de faire la sieste. La pluie qui est tombée ces jours-ci avait nettoyé sa pancarte. Nul voisin n'était plus là pour l'acclamer. Je le réveillai doucement et lui donnai la tarte qu'il allait aussitôt jeter par la fenêtre si je ne l'avais rassuré quant à son origine. J'avais aussi une lettre pour lui, qu'il se mit à ouvrir avec un soin minutieux et futile.

Il avait le regard plutôt cintré :

— C'est rudement bien ton poème, lui dis-je. On est fier de toi à la maison.

— Tu ne devinerais jamais combien j'ai fabriqué de boutons depuis que j'ai commencé ce métier ?

— Naturellement, maman n'y a pas compris grand-chose.

— Sept douzaines, dont vingt-trois sans trous et deux carrés.

— Tu vas en publier d'autres ?

— J'ai envie de faire des manches de canif, maintenant. Le bouton ça n'a pas d'avenir. À cause de la fermeture éclair.

— Tu n'as pas de nouvelles du vampire, par hasard ?

— Non. Tiens, c'est Abel Mac Adam qui m'invite à une party chez lui. Qui est ce con ?

— Tu sais, le fils du philosophe primitiviste ; moi aussi, j'y vais.

— Tu vas aller danser, toi ?

— J'ai appris.

— Il m'admire, hein, ce gars-là ?

Joël me tendit la lettre.

Le fils Mac Adam trouvait en effet le poème « du tonnerre », « formi », et « au petit poil » ; il avait particulièrement été touché par cette « formulation anacomique et satyrique de la déperdition de substance que la friction des choses fait subir au pour-soi ».

— Foutre, dis-je, comme on s'exprime.

— Tu le connais ?

— On a fait un peu de physiologie ensemble.

— Tordant.

— Ce n'est pas ce que tu penses.

— Oh, moi, je m'en fous. Tu fais ce que tu veux de ton zigoui-
goui. On bouffe la tarte?

— Et Mrs. Killarney?

— Elle balade la môme. On lui en gardera un morceau.
Attends, il reste du ouisqui dans le coin. Dis donc, je l'amène,
ma rombière?

— Je ne sais pas.

— Ça sera plus marrant.

— Je ne sais pas.

— Il y aura peut-être Tim.

— Je ne sais pas.

— Et ton Barnabé?

— Non. Il habite Cork maintenant.

— T'es triste?

— Non.

— Et qu'est-ce qu'il fout à Cork?

— Il a un magasin de quincaillerie.

— Sans blague? C'est pas mal, la quincaillerie. C'est pas mal
du tout. Si je m'y mettais? Je ferais des clous en dents de raie, des
verrous en bréchets de canard et des brise-jet en osso-buco.

Il vida son verre.

— Qu'est-ce que tu en penses?

— Tu vas publier un autre poème?

— Oui, c'est une idée, ça, la quincaillerie. Tiens, on va débou-
cher une bouteille. J'aime arroser mes idées.

— Tu devrais l'envoyer à Mary, ton poème.

— C'est encore une idée. Ça fera une autre bouteille. J'aime
aussi arroser les idées des autres. Il faudra que j'amène une car-
gaison de bouteilles chez Mac Adam, si les gens qui seront là ont
tant soit peu de cervelle.

— Si tu vivais seul avec maman, tu ne boirais pas souvent.

— C'est vrai ça. Ce que tu dois t'emmerder toute seule en
face d'elle. Brrr. À part ça, ce n'est pas Mrs. Killarney non plus
qui fournirait des occasions. Mais j'y mets du mien.

Tout à coup, il tomba en arrêt devant mes jambes :

— Dis donc, il faudra mettre d'autres bas si tu vas à cette party.

— C'est ma meilleure paire.

— Ils sont infects. Tu t'en achèteras d'autres. Des baths. En
soie. Très fins. Un nuage. Et il faut que derrière la couture soit

bien droite, absolument perpendiculaire à la ligne d'horizon. Fais voir, toi. Regarde-moi ce zigzag. C'est dégueulasse. Je parie que tu es encore de celles qui roulent leurs bas au-dessus du genou. Oui? Lamentable! Tu vas me faire le plaisir de t'acheter une gaine pour ce jour-là. À propos, tu as reçu d'autres journaux de modes de Paris? Oui? Alors tu me les prêteras. J'aime bien me tenir au courant. Et Presle, qu'est-ce qu'il devient?

— Il va venir faire un tour par ici un de ces jours.

— Ça me plaît. J'espère qu'il pourra passer quelques bouteilles de ricard à la douane.

— Oui. Est-ce que je pourrai y arriver en même temps que toi, chez Mac Adam?

— Si tu veux. Pourquoi? Ça t'intimide?

— Naturellement.

— Tu n'y es jamais allée, hein?

— Non.

— C'est à cause de papa qu'on nous invite maintenant.

— Et de ton poème.

— Ça aussi, c'est à cause de papa.

— Dans ce cas-là, c'est aussi à cause de Bess.

— Tu sais, après ce que tu m'as dit l'autre jour, je suis allé porter des fleurs sur sa tombe.

J'étais aussi épatée que lorsque j'ai appris que Mary appréciait les fessées paternelles. C'est drôle, tout de même, l'humanité.

11 mai

Après avoir compté mes économies et relu tous les magazines parisiens en ma possession, je suis allée faire du lèche-vitrine dans les rues commerçantes de la ville. Je n'ai encore osé rien acheter. Ce qui est terrifiant, c'est qu'on dirait que, dans certains magasins, il y a des messieurs pour vous servir. Mais qu'est-ce qu'ils doivent vous servir? J'ai préféré ne pas entrer. Et puis, les gaines, c'est bien trop cher pour moi. Et puis faut-il vraiment en mettre une? *Votre Beauté* dit: *On ne saurait apporter trop de soins au choix d'une gaine qui doit, la journée entière, enclore votre corps.* C'est joli le mot « enclore ». Seulement, dans un numéro, ils écrivent: *Toute femme doit porter une gaine,* et dans un autre: *Le rêve serait que toutes les femmes puissent s'en passer* Moi, j'ai l'impression que je

suis suffisamment musclée pour m'en passer. Je m'achèterai plutôt des souliers avec des hauts talons.

14 mai

Finalement, je me suis offert des bas de soie très fins, couleur
fumée, un porte-jarretelles noir, une culotte en jersey de soie
rose et de mignons escarpins de chevreau cassis avec applique de
lézard et talon Louis XV de cinq centimètres un quart. Quant à
un soutien-gorge, ç'aurait été vraiment une dépense inutile,
étant donné la robustesse de ma poitrine. J'aurai une robe en
faille quadrillée pistachevanille à petites manches ballons.

15 mai

Je me suis déshabillée pour me rhabiller. J'ai commencé par
les bas ; c'était si agréable au toucher que je me suis longuement
caressé les jambes. Puis j'ai fait bien attention que la couture
derrière soit bien rectiligne lorsque j'ai mis mon porte-jarretelles. Je me suis regardée dans un miroir et je me suis trouvée
très élégante et drôlement bien balancée. Je serais bien restée
comme ça tellement je me plaisais, mais pour la première fois
que j'allais à une party, ç'aurait peut-être été un peu osé. La robe
me va bien, les souliers ne me faisaient pas trop mal aux pieds.
J'oubliai la culotte de jersey de soie rose ; je l'ai mise en dernier.
Je suis descendue. Maman s'est exclamée :
— Comme tu es belle, c'est malheureux que ton père ne te
voie pas comme ça, il aurait été rudement fier de toi.
Je l'ai envoyée me chercher un taxi, c'était imprudent parce
qu'il y avait toutes les chances qu'elle oublie en chemin pourquoi elle était sortie. Tout de même, elle est revenue au bout
d'un quart d'heure, j'ai pris mes précautions encore une fois
avant de m'en aller et j'ai donné au chauffeur l'adresse de Joël.
Il a entamé aussitôt la conversation avec moi.
— Tiens, a-t-il dit, vous connaissez le fils du vampire ?
Je lui ai répondu que c'était mon frère, il a été très intéressé
et, de fil en aiguille, on a presque fait un tête-à-queue.
On est arrivé à l'impasse, j'ai dit au type d'attendre et je suis

entrée. On ne frappe pas à la porte quand on entre dans une boutique. Je n'ai sans doute pas fait beaucoup de bruit parce que j'aperçus dans un coin, à la lueur d'une lampe à pétrole qui filait, parmi les petits ossements, matière première du travail artisanal de mon frère, j'aperçus, écris-je, un magma corporel qui rythmait des soupirs. Comme je commence à me dessaler un peu, je compris aussitôt qu'il s'agissait de deux êtres humains en train de procéder à la procréation éventuelle d'un troisième être humain. Scrutant plus attentivement la chose, je constatai que leurs positions respectives n'étaient pas conformes à l'usage, tel, du moins, que je l'imaginais d'après les données fournies par l'observation du règne animal. J'avais donc sous les yeux l'une de ces variations auxquelles un jour Mary avait fait allusion et qui consistait en un retournement de la déléguée du sexe féminin, laquelle se trouvait ainsi en supination. Dans le cas présent, ladite déléguée, s'exprimant par la voix de Mrs. Killarney, se mit à compléter son activité par un commentaire parlé assez incohérent, mais dont il semblait résulter qu'elle allait passer de vie à trépas. Cependant, l'autre personnage répliqua, en jurant le tonnerre de God, qu'il éprouvait bien du plaisir, mais je ne reconnus ni la voix, ni le style de mon frère. J'assistais donc à un adultère et pis même encore puisque Joël et Mrs. Killarney n'étaient pas mariés.

Devinant que j'étais de trop, je me retirai sur la pointe des pieds. Une fois dehors, je choisis un angle obscur pour y soulager mon émotion. Je n'avais pas pensé au chauffeur qui se baladait en fumant une cigarette. Vivement intéressé, il s'approcha de moi et accompagnant sa parole d'un geste, il me proposa : « On trinque ? », bonne vieille plaisanterie empruntée à la fine fleur de l'esprit normand par l'intermédiaire des soldats du général Humbert, lors de la tentative de débarquement loupée des Français en 1798 ; c'était du moins l'opinion de Michel Presle.

J'étais un peu contrariée d'être ainsi dérangée, mais je ne pus m'empêcher d'achever ce que j'avais entrepris. En même temps, j'étais touchée par le mouvement de sympathie de ce brave homme et j'avais peur de le vexer en ne lui faisant pas une politesse. J'étais bien embarrassée. Heureusement que la porte de la boutique s'ouvrit et qu'un homme, de proportions massives et probablement un boucher, sortit et s'éloigna sans nous avoir vus. Mrs. Killarney avança la tête et cria :

— Qui qu'est là ?

— C'est moi, répondis-je. Sally. Je viens chercher Joël.

— Il se passe quelque chose de grave ? Qui est ce monsieur ?

— C'est le chauffeur du taxi. Nous sommes invités à une party chez les Mac Adam.

— Eh bien ! Entrez, miss Mara. Mais je crois qu'il n'est pas prêt. Il doit dormir.

Une heure plus tard, je réussissais à fourrer Joël dans la voiture avec l'aide de Mrs. Killarney. Je lui demandai si elle venait.

— Non, merci. C'est pour les jeunes, ces trucs-là.

Elle claqua la porte et je donnai au chauffeur l'adresse de Mac Adam. Je le fis arrêter devant la maison de la tante Patricia pour profiter encore une fois de ses commodités, car j'étais de plus en plus émue. Lorsque je redescendis, Joël et le chauffeur avaient disparu. Je les arrachai à un pub voisin, non sans avoir absorbé trois ouisquis pour me donner du courage et nous arrivâmes à destination avec deux heures de retard. C'est moi qui payai le taxi avec mes derniers feoirlins.

Nous fûmes accueillis par une ovation formidable, Joël ne tarda pas à disparaître du côté des bouteilles tandis que mes amies, je constatai alors que je n'en manquais pas, m'accablaient de questions, d'embrassades et de compliments. J'étais très intimidée malgré les ouisquis et je remarquai que j'étais la seule à n'avoir ni poudre, ni rouge. Il y avait même Ignatia qui en avait sur les ongles, du rouge.

Lorsque l'enthousiasme suscité par notre arrivée se fut un peu calmé, quelqu'un mit un disque sur le phonographe et quelques couples se mirent à danser. C'était une mazurka et justement j'avais appris : un glissé, un coupé-dessus, un fouetté, un glissé, un coupé-dessus, un jeté, six temps et huit mouvements. Le gosier serré, le battant battant, la langue sèche, je me demandais si j'allais être invitée. Je le fus, pas tout de suite, et par un garçon que je n'avais jamais vu.

Lorsqu'il me mit le bras autour de la taille et que je sentis sa main dans le creux de mon dos, mon émotion fut tellement intense que je manquai défaillir. Des éclairs me sillonnaient la colonne vertébrale, mes yeux papillotèrent, une boule de feu me rôtit les intimités et je débutai par quelques pas de galop du quadrille des lanciers. Nous ne tardâmes pas à trébucher, mon cavalier (oh !) me serra plus fort pour m'empêcher de choir, du coup le tréfonds de mon être s'humecta, et, penchant la tête en

arrière, je tournai quasiment de l'œil tandis que mes pieds éga-
rés, cherchant vainement à retrouver le énième mouvement de
la ixième mesure, ne rencontraient que les orteils meurtris de
mon cavalier (oh!).

— Ça ne gaze pas? me demanda aimablement celui-ci.

— Aaaah! fis-je.

— Vous ne voudriez pas un glass pour vous remettre? me proposa-t-il.

— Bonne idée, répondis-je.

Il desserra sa prise et, me prenant par le bras (comme une
jeune mariée, oh!), il me conduisit vers le buffet. Abel s'affairait,
je choisis un ouisqui, mon cavalier (oh!) de même. Après avoir
sifflé une fraction notable du verre, il me demanda :

— Vous êtes bien la fille du vampire?

— Paraît.

— Mon nom est Stève.

— Le mien Sally.

— Je ne vous ai jamais vue ici.

— Peut-être pas.

— *Bhfuil tû ag foghluim na Gaedhilge?*

— *Táim le tamall.*

— Avec Padraic Baoghal?

— Paraît.

— Moi aussi. Il va me prendre comme élève à la place de Barnabé Pudge. Vous le connaissiez?

— Si je le connais! Le quincaillier?

— C'est un métier, dit Stève.

— Que faites-vous donc, vous-même?

— Vampirologue. J'aimerais vous entendre parler du papa,
car je suis friand de détails inédits et votre père s'est tracé une
belle carrière dans l'activité que j'ai donnée comme objet à mon
érudition.

— Va te faire foutre, lui répondis-je.

— Pardon?

— Je vous ai dit d'aller vous faire foutre.

— Mademoiselle.

Il s'inclina gracieusement et s'éloigna. Je restai un instant
seule. Abel, qui versait à boire à la ronde, me proposa de remplir
mon verre, ce que j'acceptai aussitôt. Je remarquai qu'il se tenait
à distance respectueuse.

— Vous avez peur de moi? lui demandai-je, encouragée par une certaine chaleur interne due probablement au ouisqui.

Il bredouilla quelques mots, sa bouteille à la main. Je m'approchai de lui :

— Qui est ce sale type?

Je lui montrai le nommé Stève, du doigt.

— Un ami de Patricia. Un étudiant en vampirologie.

— C'est pour ça que je l'intéresse?

— Je... euh... je ne sais pas.

Je pensai que le moment était venu de fleurter. Avec qui, ça m'était bien égal, pourquoi pas avec cet Abel que je connaissais à peine. J'essayai à ce moment-là de me remémorer quelque chose : « Où donc l'avais-je rencontré la dernière fois, nous étions assis à côté l'un de l'autre si je me souviens bien, mais où était-ce? » et je ne trouvais pas. Je continuai donc :

— Et vous, je ne vous intéresse pas?

— Si... si... beaucoup.

— Il n'y a pas que papa qui soit intéressant. Vous ne trouvez pas?

— Si... si... bien sûr.

On venait de mettre un nouveau disque, c'était un boston. J'adore le boston. Je crois que j'aime autant ça que le hareng au gingembre et l'idée de le danser avec un monsieur d'un physique agréable me fulgura la moelle épinière au point que je ne pus maîtriser mes paroles bien que je susse que je poussais le fleurte au-delà des bornes permises.

— On danse ça? proposai-je à l'Abel.

Il jette autour de lui le coup d'œil d'un homme qui se noie puis, ne voyant venir aucun secours, il pose la bouteille sur la table, et, m'enlaçant, nous démarrâmes. J'avais compris que c'était un timide. Effectivement, il me marchait couramment sur les pieds. Afin de lui rendre confiance, je me serrai contre lui, bien fort, et je ne tardai pas à me rappeler dans quelles circonstances je l'avais contacté la première fois : bien sûr! au dernier thé de Mme Baoghal.

— Vous vous souvenez de moi? lui murmurai-je dans le cou.

— Euh... oui... pas ici surtout, chuchota-t-il d'une voix très émue.

Pas ici, quoi? Qu'est-ce qu'il voulait insinuer? Je lui aurais demandé des explications après cette danse si elle n'avait été interrompue par un incident dont j'étais surprise qu'il ne se fût pas encore produit. Le boston en était à sa cinquante-deuxième mesure (bien que je fleurtasse, je les avais comptées), lorsqu'il s'interrompit. Avec un cri déchirant, Joël, en effet, venait de se précipiter dessus et commençait à dévorer le disque sur lequel il était gravé. Quelques individus courageux allaient se porter au secours de l'innocent, mais ce fut inutile. Dès la seconde bouchée, mon frère s'écroula, ruinant définitivement tout espoir de récupérer le boston réduit en fragments. Après être resté immobile quelques instants, Joël se mit à faire des sauts de carpe en poussant des clameurs funèbres. Nous fîmes le cercle autour du poète, mais son inspiration ne semblait prendre comme sujet que la négation du mobilier présent. Caïn Mac Adam, fils de son père, et craintif quant aux meubles, éberlua mon frangin d'une canette brisée sur la tête et me pria poliment de le rapporter *at home*. Ce que je fis.

J'étais navrée que mon bal se fût terminé aussi rapidement et j'en témoignai le plus vif regret auprès de Beatitia. Elle promit de me réinviter. Pelagia fit de même.

18 mai

Après avoir dormi quarante-huit heures, Joël est retourné chez lui. Son départ m'attrista. Bien que sa présence ne se traduisît que par un ronflement expiratoire qui passait à la fois par les narines et à travers les dents, elle me permettait de supporter celle de ma pauvre mère. Et me voici de nouveau seule avec elle.

20 mai

J'ai reçu une lettre de Barnabé. Comme on dit en français, c'était un poulet. Autrement dit, une déclaration d'amour. Je l'ai lue à ma pauvre mère pour la distraire un peu. Nous nous sommes bien marées. Mais, tout de même, je ne puis nier que ça ne me fasse un certain plaisir.

22 *mai*

Nouvelle lettre de Barnabé. À prendre avec des pincettes tellement elle était enflammée. Ça apporte un peu de gaieté dans notre triste foyer.

27 *mai*

Je ne m'y attendais pas. Pelagia m'a invitée à une party chez elle. Je ne sais pas si Joël est invité. Maman m'a donné des fearloins pour m'acheter de la poudre et du rouge. J'ai retrouvé le flacon de parfum que m'avait remis Athanase de la part de Michel Presle, Je m'en imbiberai le jour de la party.

29 *mai*

Je suis allée voir Joël. Il avait plu toute la nuit, tout le jour d'avant et tout ce jour-là encore. L'impasse était crevée. Il fallait sauter par-dessus les mares ou se retenir pour ne pas glisser dans les boues voisines. Dans le fond, la bicoque au frangin semblait ne plus avoir de couleur. Le vent agitait bêtement un volet déglingué. Je poussai la porte et j'entrai bien que ça puât. Ça puait copieusement, savamment, intensément. Des incrustations de puanteurs stalactitaient du plafond ou stalagmitaient du sol. Dans la pénombre, le silence. Je découvris Salomé qui ronflait doucement. Elle avait l'air d'être seule au milieu des ossements destinés aux boutons. Je fis le tour de la boutique, de la chambre, de la cuisine, des chiottes. Il n'y avait personne. Rien que Salomé, toute grise, dartreuse, roupillante.

Je sortis et restai pendant un certain temps sur le pas de la porte. La pluie se remit à foncer dans les flaques et dans les boues. Il était peut-être humain, et par conséquent irlandais, d'emporter la loupiote et de la colloquer à la grand-mère afin que toutes deux aient un motif valable pour cramser un peu plus tard. Mais enfin, il y avait de quoi hésiter, ç'aurait pu être un rapt d'enfant. J'essayai de mesurer mon degré de maturité en maternité. Telle que je me connaissais maintenant, je commençais à soupçonner que je ne trépasserais pas vierge et que je ne casserais pas ma pipe sans avoir été bouquinée par un mâle, un au minimum. En conséquence de quoi je pouvais prévoir un ensemencement de ce que les journaux appellent la matrice, avec comme conclusion finale la production d'un baby que j'aurais à nourrir avec du laitage et dont je devrais torcher ce que les journaux de sport appellent l'anus, en attendant le moment où, devenu adulte, le lardon s'essuierait tout seul, croquerait du biftèque et consacrerait une partie de ses gains aux courses à l'entretien de la vieille gâteuse que je serais devenue.

Tout ça c'était bien abstrait. La main d'un homme plaquée sur mes fesses, ça me causait de l'émoi. Mais que, de fil en aiguille et d'anguille en fille, je dusse sentir en moi quelque émoi parce qu'après quelques mois cet émoi donnerait un autre moi, voilà ce qui ne me paraissait point évident asteure, tandis que des milliers de gouttes d'eau se noyaient dans les marécages de l'impasse.

Je crois bien que j'aurais fini par emporter le môme, si les trébuchements humides d'un paquet de chiffons n'avaient commencé à propager des ondes de flaque en flaque. Mrs. Killarney rentrait *at home* drôlement rétamée. Elle mit bien un quart d'heure avant de parvenir à mes pieds, ayant dans sa dernière étape fait déborder un lac naissant par une chute flasque.

Je l'aidai pas à se relever. Elle y parvint toute seule. Et me reconnut sans hésiter :

— Entrez donc, miss Mara, entrez donc. Y a du neuf, y a du neuf.

Elle fonça droit devant elle et faisant une demi-pirouette s'affala sur un pseudo-meuble qui pouvait prétendre à être un siège, en broyant sous elle les bréchets de quelques moineaux décharnés.

— Un ouisqui, miss Mara, proposa-t-elle. Un ouisqui ?

C'était pas de refus.

— Asseyez-vous donc, miss Mara, asseyez-vous donc. Y a du neuf, y a du neuf.

Je m'installai sur une caisse pas trop gluante et lampai mon ouisqui pour compenser la densité de l'odeur. Mrs. Killarney fit de même.

— Eh bien, dit-elle, le neuf, voilà le neuf, je vais vous le dire, le neuf. Votre frère Joël, il est parti.

— Acheter des allumettes ? demandai-je.

— Non, s'engager dans la Légion étrangère des Français.

— C'est sûr, ça?

— Il me l'a juré qu'il allait le faire.

— Mais pourquoi, Mrs. Killarney, s'engagerait-il dans la Légion étrangère des Français?

— Par désespoir d'amour, miss Mara.

— D'amour pour qui?

— Pour moi, bien sûr, miss Mara. Il s'imagine que je l'ai trompé, miss Mara. Vous me comprenez?

— Je vous entrave.

— Je vous dis ça bien que ce soit pas des choses à dire devant une jeune fille, mais toujours est-il qu'il m'accuse de ça. C'est-il pas malheureux de croire ça d'une honnête femme comme moi? Faut-il qu'il soit salaud. Et il me laisse avec un enfant sur les bras et toutes ces bricoles qui me font horreur. Qu'est-ce que je vais devenir, miss Mara, qu'est-ce que je vais devenir?

Cette vieille vache commençait à pleurnicher. Et je me disais : «Faut-il que Joël soit con, tout de même. Tout de même.»

Tout de même.

Salomé se mit à hurler.

J'ai pensé que ça ferait de la compagnie à ma pauvre connarde de mère et je les ai ramenées à la maison. Mrs. Killarney pourra toujours faire la cuisine. Comme avant.

1er juin

Quel plaisir de mettre des bas, de se peinturlurer en rouge et de se foutre du parfum dans tous les recoins! Toute frétillante, je suis arrivée chez Pelagia. J'ai dansé des tangos, des maxixes et autres trucs à la mode. On a bien bu, bien rigolé. On m'a tâté un peu les fesses et moi j'ai jaugé quelques jeunes gens. C'était très gentil. On a terminé par un quécoque général. Timoléon m'a reconduit sur sa moto. Nous tanguions, c'était marrant.

Je suis ravie.

4 juin

Nouvelle lettre de Barnabé. Je l'ai lue à maman et à Mrs. Killarney après le dîner pour les faire rire un peu. Le dîner était plutôt réduit, je me suis fâchée, je trouvais que ce n'était pas parce qu'il y avait deux bouches de plus à nourrir qu'il fallait supprimer le hareng au gingembre (que j'adore), on était bien cinq il n'y a pas si longtemps. Maman n'a rien répondu, mais c'était plutôt froid après. Alors pour les distraire, je leur ai lu la lettre de Barnabé. Le début était très intéressant, il parlait de son nouveau métier, la quincaillerie, qui se divise en quatre départements : la grande quincaillerie, la quincaillerie de bâtiment, la quincaillerie de marine et la quincaillerie de ménage dans laquelle on range les articles de chasse et de pêche. Il était aussi question de l'infinie variété des clous, dont Barnabé énumérait les espèces en irlandais : *tardhleóir, oirdhearcas, shoilise,* etc., tous mots dont j'ignorais la signification, n'ayant pas encore commencé l'étude du vocabulaire technologique avec Padraic Baoghal.

Nous nous lançâmes dans une série de conjectures quant au sens possible de ces vocables, mais nos connaissances n'allaient pas plus loin que *nail* et *tack* et en français je ne voyais guère que le mot *clou.*

— Ah ! si M. Presle était là, soupirai-je, il nous donnerait l'équivalent de tout ça en trente-six langues, y compris le laze et l'ingouche.

— Un bien gentil garçon, M. Presle, dit maman.

— Et si poli, ajouta Mrs. Killarney. Jamais il ne m'a fait de proposition d'accouplement.

— C'est le seul de nous tous qui ait jamais eu une bonne influence sur Joël, dit maman.

— Commettriez-vous l'insinuation, Mrs. Mara, que j'en ai eu une mauvaise ? demanda Mrs. Killarney.

— Pas très bonne, répondit maman, pas très bonne.

— Comment ça ? Mais je vous ai rendue grand-mère !

— Je vous en remercie.

— Et vous n'allez pas tout de même prétendre que c'est à cause de moi qu'il s'est engagé dans la Légion étrangère des Français ?

— Si. Vous l'avez trompé, dis-je.

— Toi, dit maman, pas d'obscénités.

— Mais je ne l'ai pas trompé!

— Et le jour où je suis venue le chercher pour aller à une party?

Mrs. Killarney réfléchit :

— Ah, oui, l'équarrisseur.

— Là, vous voyez, dit maman.

— Et puis après?

— On peut toujours se tromper, la preuve.

— Un incident. Ce n'est pas une raison pour critiquer mon influence.

— C'était la première fois? demandai-je.

— Que quoi?

— Avec l'équarrisseur?

— Oh! fit Mrs. Killarney, je ne vous reconnais plus, miss Mara. Poser des questions aussi grossières...

— Ça, je dois reconnaître, dit maman, que tu dépasses les bornes permises.

— Miss Mara, je suis effroyablement choquée

— Sally, je n'en reviens pas!

— C'est une honte, miss Mara, de tenir des propos aussi luxurieux devant une honnête femme.

— Sally, tu fais rougir ta mère!

— Je n'ai jamais ouï propos d'une telle indécence.

— J'ignorais que ma fille fut une pornographe!

— Ah! ma pauvre Mrs. Mara, la jeunesse actuelle est bien dépravée!

— Oui, dit maman, elle ne pense qu'à ça.

— À quoi donc? demandai-je.

— À l'équarrissage, répondit maman.

Mrs. Killarney se tourna vers moi en levant les yeux au ciel.

— Faut lui pardonner, soupira-t-elle.

— Je lui pardonne, s'empressa de dire maman.

— Vous n'êtes pas si fine, répliquai-je.

— Maintenant, Sally, tu ne vas pas te mettre à lui dire des insolences. Je trouve Mrs. Killarney très intelligente pour sa condition sociale.

— Une cruche et une salope, fis-je.

— Qu'est-ce qu'il ne faut pas s'entendre dire, gémit

Mrs. Killarney en se versant une bonne dose de ouisqui. Et avec tout ça, on n'en sait pas plus sur les clous.

— Faut se faire une raison, dit maman.

— Ah! si M. Presle était là, soupirai-je.

On sonne à la porte.

Je vais voir et qui est-ce qui se trouvait derrière la porte? Michel!

— Je suis juste de passage à Dublin. Je pars ce soir même pour Cork.

J'étais si émue que la langue m'en tombait.

— Tu es bien belle, me dit-il en me tapotant les fesses. Tu te formes. Tu fais une jolie pouliche.

— Qui c'est que c'est? gueula maman.

— C'est M. Presle, criai-je.

— Quand on parle du loup on en voit la queue, hurla Mrs. Killarney.

— Entrez donc, beugla maman.

— Je ne peux pas rester longtemps, me dit Michel. Pas question que je rate mon train.

— Vous boirez bien un ouisqui, suggérai-je.

— Bien sûr, mon petit.

Il en but même plusieurs. Maman était ravie de le revoir et Mrs. Killarney avait beaucoup d'estime pour lui. Moi, mon cœur battait bien fort.

— Alors, mère Mara, dit Michel, votre époux en a fait de belles.

— M'en parlez pas. Mais il n'a tout de même pas été assez bête pour se faire prendre.

— Pas de nouvelles de lui?

— Il n'a jamais beaucoup écrit.

— Et Mary? Et Joël?

— Mary est demoiselle des Postes à Gyleen.

— Pourquoi pas.

— Et Joël, il s'est engagé dans votre Légion étrangère.

— C'était bien nécessaire?

— Absolument pas. Une idée à lui.

— Et juste au moment où il commençait à devenir poète, ajoutai-je.

— Et ce lardon-là?

— C'est ma petite-fille.

— Tu t'es laissé faire ça ? me demanda Michel extrêmement surpris.

— Pensez-vous, répondis-je.

Je devais avoir l'air niaise en disant ça.

— Il est à moi, dit Mrs. Killarney.

— Eh bien !

— Il est aussi de Joël, ajouta maman.

— Eh bien !

Michel se tourna de nouveau vers moi.

— Tu ne m'as jamais raconté ça. Il est vrai que tu ne m'as pas beaucoup écrit.

— Vous non plus, monsieur Presle.

— C'est vrai, c'est vrai.

Il soupira.

— Faut que je m'en aille.

Maman et Mrs. Killarney protestèrent, mais il était tout à fait décidé :

— Je ne raterai pas mon train.

— Je peux vous accompagner à la gare ? lui demandai-je en tremblant.

— Bien sûr, c'est gentil ça.

Le tram est direct jusqu'à Kingsbridge. Terminus. Nous nous assîmes côte à côte. Michel plaqua tranquillement sa main sur ma cuisse.

— Tiens, fit-il, tu portes des jarretelles maintenant ?

— Quelquefois, répondis-je toute rougissante.

— Et tu mets aussi du rouge ?

— Voui, murmurai-je.

— Il y a du changement dans le pays.

— C'est depuis que je suis allée à des parties. On m'a invitée parce que je suis la fille du vampire. Je sais danser maintenant.

— Une vraie transformation. Ça ne te va pas trop mal.

Il me caressait doucement, en disant ça. Ça me bouleversait naturellement et je commençais à n'y plus voir clair.

— Je vous ai bien regretté, monsieur Presle, balbutiai-je, je vous ai bien regretté.

— Moi aussi, mon petit. Et le gaélique, ça marche ?

Il abandonna ma cuisse pour m'enlacer. Sa main réapparut, empoignant mon sein gauche.

— Tu fais des progrès ?

— Voui, monsieur Presle.

— Je n'en doute pas. Tu as été une bonne élève en français. Tu es douée pour les langues.

— Voui, monsieur Presle.

Je n'en pouvais plus : je laissai tomber ma tête sur son épaule en poussant un petit gémissement.

— Tu crois que je vais t'embrasser, hein ?

— Voui, monsieur Presle. À cause de l'association d'idées.

— Tu as raison.

Et il m'embrassa. La première fois qu'un homme m'embrassait ! Je fermai les yeux et j'assistai à un magnifique feu d'artifice avec chandelles romaines, feux de Bengale et tout. Mais hélas ! ce soir-là, la gare ne se trouvait pas bien loin et il n'y eut pas de bouquet.

Peu de monde au train de Cork. Michel voyageait en première classe, il avait un compartiment à lui tout seul. Il fumait une cigarette d'un air distrait en me parlant de ses travaux, il allait étudier un manuscrit anglo-irlandais au rectorat de Macroon. Je lui conseillai d'aller voir l'oncle Mac Cullogh. Il me remercia. Un contrôleur jeta sa plainte. La gare s'emplit de fumée. Michel me tapa une dernière fois sur les fesses en me disant « Bonne fille » et il grimpa dans le wagon. Il se tenait debout, les mains dans les poches, en me souriant. J'agitai mon mouchoir. Le train roula. Michel disparut.

Je sortis lentement et, indécise, je restai un instant sur le trottoir à regarder d'un œil vague la Liffey noirâtre, et, au-delà, la masse vide de Phoenix Park. J'allai me diriger vers le tram lorsque quelqu'un me héla.

C'était Tim.

— Hello, Sally, vous ne voulez pas que je vous ramène chez vous ?

Il avait naturellement sa moto avec lui.

Comme j'adore ça, une balade sur le porte-bagage, j'acceptai.

5 juin

Ce soir, de nouveau, il n'y avait pas de hareng au gingembre comme entrée. J'ai râlé. Maman a baissé le nez, Mrs. Killarney aussi sans pouvoir donner d'explications. Je me demande ce qu'elles ont.

J'ai reçu une nouvelle invitation, une party chez les Ex'Grégor O'Grégor, que je ne connais d'ailleurs pas. De la part de Pelagia. Je me suis aussitôt acheté trois nouvelles paires de bas, un autre porte-jarretelles, deux flacons de parfum, l'un pour la chevelure et l'autre pour les aisselles et une seconde paire d'escarpins de bal, pas à trop hauts talons. Ça me grandissait un peu beaucoup.

Tiens, j'allais oublier ; hier, Tim m'a dépucelée.

7 juin

Toujours pas de hareng au gingembre.

8 juin

Je suis allée à la party chez les Ex'Grégor O'Grégor. On a bien bu et dansé des galops, des chahuts et des gigues. Arcadius O'Cear m'a appris quelques pas de shimmy et de charleston, sortes de bourrées américaines. Ensuite nous sommes allés nous reposer dans une petite pièce obscure et, comme Tim n'était pas là, je lui ai accordé mes faveurs ; mais soit fatigué, soit abus de l'alcool, Arcadius n'a pu les prendre.

9 juin

À propos d'hier soir et de l'autre jour, je ne me rends pas bien compte de ce qui se passe.

11 juin

Encore une party. Le hasard a fait que je me suis trouvée seule avec George O'Connan. Lui, il a aussi bien réussi que Tim. Comme ça s'est encore passé dans l'obscurité, il y a encore des trous dans mon éducation sexuelle qui auraient besoin d'être bouchés. Il me faudrait pour cela la lumière du grand jour.

Maintenant qu'il fait beau, je pourrais peut-être pratiquer mes rapprochements à Phoenix Park.

12 juin

Toujours pas de hareng au gingembre. J'ai engueulé maman, mais qui ne sait que répondre.

14 juin

Ma dernière leçon avec Baoghal. Comme l'année dernière, il va passer quelques mois en Italie. Il faut que je travaille encore une bonne année avec lui avant de pouvoir aborder la rédaction de mon roman pour lequel je n'ai d'ailleurs toujours aucune idée, sauf le titre, et encore. Je leur ai souhaité bon voyage, à lui et à Mrs. Baoghal, qui naturellement assistait à l'entretien. Pendant tout ce temps-là, je me demandais si jamais un jour je pratiquerais un rapprochement avec Padraic Baoghal. C'est qu'il est foutrement vieux, trente-cinq automnes au moins. Et puis je n'en ai pas du tout envie…

En m'en allant je ne sais pas ce qui m'a pris, je me suis penchée sur Mève et je lui ai chuchoté dans l'oreille : «Je t'aime.» Puis je me suis enfuie, le cœur tintinnabulant et les jambes molles.

16 juin

Toujours pas de hareng au gingembre. Maman est folle.

18 juin

Une lettre de Barnabé. Je n'ai même plus le courage de la lire à mon petit public. Je ne sais même pas ce qu'elle dit. Je me suis à peine donné la peine de la déchiffrer. Le pauvre garçon. Le con, comme disait Tim. J'ai vaguement vu qu'il avait rencontré un éminent linguiste français, de passage à Cork. Et qui lui avait parlé de moi. Presle, sans doute.

20 juin

Party chez les O'Connor O'Connor O'. Encore des que je ne connaissais pas. J'y ai retrouvé quelques copains, George, Tim, Arcadius. J'ai essayé un rapprochement avec Padraic O'Grégor Mac Connan, mais nous avons été dérangés par l'arrivée de Pelagia. Alors j'ai voulu voir si Tim avait conservé un bon souvenir de moi. Un excellent. Mais ça s'est encore passé dans l'obscurité.

21 juin

Maman propose d'aller passer nos vacances chez l'oncle Mac Cullogh, avec Mrs. Killarney et la Salomé en langes. Dire que cette mioche est ma nièce ! Enfin !
En tout cas, ça ne me dit rien du tout. Maintenant que je sais de quoi il retourne, j'ai pas envie de servir de support au tonton ni au bouc Barnabé. Quand je pense à mes ignorances de l'an passé, ça me fait frémir jusqu'aux fondations de mon être.
La ferme à Mac Cullogh ? Merci pour moi.

22 juin

Non seulement il n'y a plus de hareng au gingembre à la maison, mais il n'y a même plus de tarte aux algues. J'en ai pleuré de rage.

24 juin

Après le lunch aujourd'hui, je me sentais singulièrement chose. Une immense nostalgie imprégnait ma petite âme (immortelle) et je restais là, vautrée sur une chaise, les jambes écartées, une main vaguement entre, en me disant, avec une sombre ironie, que même un tocard ferait drôlement bien mon affaire. Je regardai rêveusement mon ouisqui en faisant doucement tinter un morceau de glace contre les parois du verre, lorsqu'on sonna.
J'en fus tellement émue que je m'envoyai en l'air, ou plus

exactement mon glass et que j'en renversai le contenu sur ma robe. Néanmoins je bondis vers la porte, laquelle j'ouvris.

C'était Michel Presle.

— Tu as l'air bien émue, me dit-il.

— Voui, non, répondis-je.

— Qu'est-ce qui t'arrive? me demanda-t-il en regardant ma jupe.

Je ricanai bêtement :

— Ce n'est pas ce que vous croyez. Un ouisqui simplement. Un ouisqui.

— Bien, bien. Je laisse ma valise ici, je la prendrai tout à l'heure.

— Vous partez déjà?

— Oui. À cinq heures je prends un petit cargo pour l'île de Man. Tu devrais étudier le manxois, me dit-il en me donnant une petite claque sur le cul.

Je tressaillis et ma bouche en devint toute sèche. Lorsque je me préparai à répondre à la question, je m'aperçus que Michel était déjà entré. Je courus derrière lui.

— Un ouisqui? lui proposai-je.

— Tu es seule à la maison? Oui, un ouisqui, bien sûr.

— Non, maman fait une petite sieste. Et Mrs. Killarney et Salomé sont à la cuisine.

— Ta vie doit être triste ici maintenant que Joël et Mary ne sont plus là.

— Ah là là, monsieur Presle, ne m'en parlez pas. Ce que je m'emmerde! Ce que je m'emmerde! Ah, foutre!

Il me regardait en souriant d'un petit air même de se moquer de moi.

— Il n'y a pas de quoi rire, dis-je vexée.

— C'est ton langage qui me fait rire.

— Je ne parle pas bien français? Je croyais que vous étiez fier de moi.

— Oui, mais j'ai des excuses à te faire. Je m'aperçois que je t'ai appris des gros mots.

— Ça existe, ça, les gros mots?

— Un de mes compatriotes serait bien épaté de t'entendre.

— Comme Athanase.

— Tiens c'est vrai. Tu l'as vu. Qu'est-ce que tu en penses de lui?

— Que c'est un salaud, un dégueulasse et un con.

Michel continuait à rire à tout ce que je disais. Ça finissait par m'agacer drôlement.

— Quels gros mots est-ce que je dis ?

— Eh bien : foutre, emmerder, con, par exemple. En France, une jeune fille n'emploie ces vocables qu'en famille ou avec des amis.

— Mais vous êtes un ami, monsieur Presle.

— Je l'espère. Aussi ne te fais-je aucun reproche. C'est simplement un petit conseil.

— Je vous remercie, monsieur Presle. Et si vous étiez gentil, vous m'en feriez une liste, de tous ces mots-là.

— C'est ça. Elle commencera par amour et se terminera par zeb. J'y penserai.

— Comme vous êtes mignon, monsieur Presle.

— Et encore plus que tu ne crois, dit-il en se levant pour aller chercher sa valise, car je t'ai apporté un cadeau.

— Oh, fis-je en pressant de joie mes mains contre mon cœur et en fermant les yeux pour avoir la surprise.

Michel me mit sur les genoux une boîte plate que j'ouvris en tremblant. Elle contenait une gaine « Scandale ». Je poussai un cri de bonheur.

— Ça c'est vrai alors que vous êtes mignon, monsieur Presle ! dis-je. Vous permettez que je l'essaie ?

— Je t'en prie.

Je commençai à me déshabiller.

— Tiens, tu ne portes jamais de soutien-gorge ? remarqua Michel.

— Est-ce qu'il faut ?

— Non, non.

— Mon slip, je le mets dessus ou dessous ?

— N'en mets pas du tout.

Je me mis à enclore (comme disait le journal de modes) mon corps dans cette gaine, non sans mal, d'ailleurs. Puis tout en rattachant mes bas, je jetai un coup d'œil en dessous à M. Presle. Tout de même, les yeux commençaient à lui sortir de la tête.

C'est à ce moment que maman entra.

— Tiens, monsieur Presle ! s'exclama-t-elle joyeusement. Je suis bien contente de vous voir.

— Mes hommages, madame, dit-il en se levant, ce qui me permit de constater que, tout de même, il n'y avait pas que ses yeux qui avaient changé d'état.

— C'est un cadeau de monsieur Presle, dis-je à maman en tirant un peu sur la gaine pour qu'elle me moule bien.

— Vous la gâtez de trop, monsieur Presle ! Vous avez fait des folies.

— N'en parlons pas.

— C'est une belle fille, hein, ma Sally !

— Superbe.

Je remis ma robe.

— Maintenant je vous prie de m'excuser, dit Michel. J'ai quelques courses à faire en ville.

— Est-ce que je peux vous accompagner, monsieur Presle ?

— Bien sûr, bien sûr.

Nous prîmes le train pour O'Connel Street. Nous étions assis l'un à côté de l'autre mais avec un petit intervalle entre nous deux. On ne s'est pas dit grand-chose pendant le trajet, M. Presle est allé à droite, à gauche ; moi, je le suivais comme un petit chien, je l'attendais sagement quand il fallait. Quand il a eu terminé, il m'a demandé :

— Qu'est-ce qu'on fait maintenant ?

— Si on allait à Phoenix Park, proposai-je.

— Quelle idée !

— Ça me ferait plaisir.

— Mais je n'ai plus le temps.

— Ça me ferait plaisir.

Il me dévisagea.

— Pourquoi ?

— Ça me ferait plaisir.

Il parut réfléchir, hésiter, réfléchir encore.

— Non, décidément, je n'ai pas le temps.

J'étais très déçue.

Ensuite il m'a parlé d'un gars de Dublin, un nommé Joyce, un pornographe obligé de faire imprimer ses bouquins à Paris. Puis il est revenu à la maison chercher sa valise et il s'en est allé. Il m'a bien embrassée. Comme il faut. Mais pas plus. Après j'étais triste, triste, triste. Je me suis installée devant une bouteille de ouisqui, en attendant le dîner.

Il n'y avait encore pas de hareng au gingembre à ce foutu dîner.

— J'en ai marre à la fin, ai-je déclaré. Je veux du hareng au gingembre, moi. Pourquoi ne mange-t-on plus de hareng au gingembre?

Maman s'est mise à pleurer.

— Vous feriez mieux de lui expliquer, dit Mrs. Killarney.

Après bien des hoquets, elle m'a donné la raison : plus de fric à la maison. Avant de partir, papa a raflé ce qui restait du Sweepstake.

— La vache, murmurai-je.

Et j'ajoutai :

— Alors, il n'y aura plus jamais de hareng au gingembre?

— Jamais.

— Ni de tarte aux algues?

— Ni de tarte aux algues.

Ça me laissa rêveuse.

Un peu plus tard, maman a commencé à dire comme ça à Mrs. Killarney :

— Vous ne trouvez pas que c'est un bon métier, celui de quincaillier?

— Faut reconnaître que ça rapporte gros, dit Mrs. Killarney.

25 septembre

À *bord du Saint-Patrick.*

Enfin, je vais connaître Paris. Nous sommes partis depuis une heure, Barnabé a le mal de mer et dégueule comme un chien.

Nous nous sommes mariés ce matin et nous nous sommes embarqués à la nuit. Il pleuvait. Le vent soufflait. La passerelle était mal éclairée. Barnabé marchait devant. C'était laborieux ; j'avais tout le temps la trouille de tomber à la flotte. Finalement je n'avançais même plus. Alors Barnabé m'a crié :

— Sally, tiens bon la rampe !

J'ai avancé la main dans l'obscurité, mais je n'ai trouvé qu'un cordage humide et froid. Je compris que ma vie conjugale venait de commencer.

*On est toujours trop bon
avec les femmes*

I

— Dieu sauve le Roi ! s'écria l'huissier qui avait été valet de lord dans le Sussex pendant trente-six ans, puis son maître disparut dans le naufrage du *Titanic* sans laisser d'héritier, ni de sterling, pour entretenir le « kasseul », comme on dit de l'autre côté du canal Saint-George. Revenu dans le pays de ses ancêtres celtiques, le larbin exerçait ce modeste emploi au bureau de poste qui fait l'angle de Sackville Street et d'Eden Quay.

— Dieu sauve le Roi ! répéta-t-il d'une voix forte, car il était fidèle à la couronne d'Angleterre.

C'est avec horreur qu'il avait vu jaillir dans le bureau de poste sept individus armés qu'il avait immédiatement soupçonnés d'être des Républicains irlandais en veine d'insurrection.

— Dieu sauve le Roi ! murmura-t-il pour la troisième fois.

Il ne fit que murmurer, cette fois-ci, car il avait fait tant et si bien, avec ses manifestations de loyalisme, que Corny Kelleher, pressé, lui avait injecté une balle dans le citron. L'huissier, mort, vomit sa cervelle par un huitième trou de la tête et s'étala, tout plat, sur le plancher.

John Mac Cormack enregistra l'exécution du coin de l'œil. Il ne la trouvait pas bien nécessaire, mais ce n'était pas le moment de discuter.

Les demoiselles des Postes gloussaient ferme. Elles étaient une dizaine, anglaises véritablement ou ulstériennes et n'approuvaient pas du tout cette suite d'événements.

— Videz-moi ce poulailler ! hurla Mac Cormack.

Gallager et Dillon se mirent donc, tant par signes que par mots, à conseiller à ces demoiselles de disparaître en vitesse. Mais les unes voulaient aller chercher leur vatère-prouf, les autres leur sac à main ; un certain affolement se manifestait dans leur conduite.

— Quelles connes ! cria Mac Cormack du haut de l'escalier. Mais qu'est-ce que vous attendez pour les vider ?

Gallager saisissant la première lui donna une claque sur les fesses.

— Mais soyez corrects ! ajouta Mac Cormack.

— On ne s'en tirera jamais, grogna Dillon bousculé par deux donzelles fonçant en sens inverse.

— Oh ! Mister Dillon ! gémit l'une d'elles en le reconnaissant.

Elle s'immobilisa.

— Vous, mister Dillon ! Un homme si bien ! Avec un fusil à la main contre notre Roi ! Au lieu de finir ma belle robe de dentelle !

Dillon, très embêté, se frottait la tête. Mais Gallager vint à son secours, et, chatouillant la cliente sous les bras, lui cria dans l'oreille :

— Magne-toi le pot, eh, morue !

En entendant ces mots, elle s'enfuit.

Mac Cormack grimpait au premier étage, suivi de Caffrey et de Callinan. Quand il eut disparu, Gallager, attrapant une autre fille, lui fit résonner la croupe. La fille fit un bond.

— Correct ! disait-il avec indignation. Correct !

Et, comme un autre postérieur s'offrait à lui, il y appliqua sa godasse avec force, ce qui fit valser drôlement une jeune personne qui avait passé des examens et répondu avec exactitude à nombre de questions sur la géographie mondiale et les découvertes de Graham Bell.

— Allez ouste, ouste ! gueulait Dillon plein de courage devant toute cette féminité.

La situation commençait à s'éclaircir, et le personnel féminin activait le train, galopant vers les issues et, de là, dans Sackville Street ou Eden Quay.

Deux jeunes télégraphistes attendaient d'être vidés comme les demoiselles, mais ils durent se contenter de vulgaires gnons sur la tronche. Ils s'en furent, dégoûtés par tant de correction.

Dehors, la foule s'ébahissait devant ces expulsions. On entendit quelques coups de feu. Les groupes commencèrent à se disséminer.

— Je crois qu'on a fait le vide, remarqua Dillon en regardant autour de lui.

Aucune pucelle ne lui choquait plus la vue.

II

Au premier étage les hauts fonctionnaires ne discutèrent pas beaucoup. Ils admirent immédiatement leur expulsion et dégringolèrent les escaliers pour rejoindre le trottoir le plus rapidement possible.

Le directeur, seul, avait des velléités résistantes. Il s'appelait Théodore Durand, car il était d'origine française. Mais, malgré la sympathie qui a toujours uni le peuple français au peuple irlandais, le receveur principal des Postes d'Eden Quay s'était voué corps et âmes (il en avait plusieurs, on verra ci-dessous que cela ne lui servit de rien) à la cause britannique et au soutien de la couronne des Hanovre. Il regrettait de n'avoir ni son habit, ni son smokinge. Il avait bien essayé de téléphoner à son épouse pour qu'elle les lui apportât, mais il habitait loin, et, d'ailleurs, il n'avait pas le téléphone at home. Il était donc en simple jaquette. À Khartoum, il s'était bien battu vêtu de chantougne et de toile bise, mais tout de même, devant ces Républicains, ça le dégoûtait de devoir lutter pour le Roi avec si peu de décore-homme.

John Mac Cormack, d'un coup de pied, enfonça la porte.

— Dieu sauve le Roi! déclara le receveur principal des Postes avec la fermeté des héros inconnus.

Il la boucla presto, d'ailleurs, car John Mac Cormack venait de lui fissurer le coffre de cinq balles doum-doum vachement et anatomiquement distribuées.

Caffrey et Callinan placèrent le cadavre dans un coin, et Mac Cormack s'installa dans le fauteuil du directeur. Il manipula l'appareil téléphonique et cria : Allô! Allô! dans le cornet. À l'écoute, on répondit : Allô ! Allô ! Alors, Mac Cormack proféra le mot de passe :

— Finnegans wake !

Et l'on répondit :

— Finnegans wake.

— Ici Mac Cormack. Le bureau de poste d'Eden Quay est occupé.

— Parfait. Ici, Hôtel Central des Postes. Tout va bien. Pas de réaction britannique. Le drapeau vert, blanc, orangé est hissé.

— Hurrah ! dit Mac Cormack.

— Tenez le coup en cas d'attaque, d'ailleurs improbable. Tout va bien. Finnegans wake !

— Finnegans wake ! répondit Mac Cormack.

On raccrocha. Ce qu'il fit aussi.

Larry O'Rourke entra dans le bureau. Plein de politesse, il avait invité formellement et pratiquement les autres fonctionnaires importants à déguerpir de leurs burlingues. Tous les employés étaient expulsés. Dillon, venant du hall, confirma. Il ne s'agissait plus que d'attendre les événements.

Mac Cormack alluma une pipe, puis il offrit des cigarettes aux copains. Caffrey redescendit.

III

Au rez-de-chaussée, Kelleher et Gallager se tenaient devant la poste, le fusil sous le bras. Quelques badauds regardaient, à une certaine distance. Des sympathisants, à la même distance, agitaient mains, chapeau ou mouchoir, en signe de sympathie, et les deux insurgés répondaient de temps à autre en balançant leurs armes à bout de bras. Quelques passants s'écartaient alors, pas très rassurés. Nul Britannique ne semblait exister aux environs.

Le long du quai, où un petit voilier norvégien était amarré à de solides bittes, des matelots scandinaves voyaient ces incidents sans les commenter de façon appréciable.

Gallager descendit l'escalier du perron et fit quelques pas jusqu'à l'angle de Sackville Street. O'Connell Bridge était désert. De l'autre côté de la rivière, autour de la statue de marbre blanc de William Smith O'Brien, quelques inquiets s'étaient collés comme des mouches et attendaient la suite des événements. Après avoir salué intérieurement la mémoire du grand conspirateur, Gallager se détourna de la Liffey pour examiner la situation dans Sackville Street. En face de lui, la statue d'O'Connell, avec ses cinquante figures de bronze, n'avait attiré aucun curieux, de par sa situation exposée ; à côté d'elle, un tramway s'était figé, vide de ses voyageurs et de ses employés. Un homme immobile se tenait devant la statue du P. Matthew. Gallager chercha moins à s'expliquer la présence de ce personnage qu'à injurier la mémoire de l'apôtre de la tempérance, ainsi qu'il avait l'habitude de le faire, même à jeun.

Le drapeau irlandais flottait au 43, siège du Comité Central de la Ligue Nationale, flottait au-dessus de l'Hôtel Métropole, flottait au-dessus de l'Hôtel des Postes. Un peu plus loin, Nelson continuait à séjourner dans un ciel humide, grimpé sur sa colonne de cinquante mètres de haut.

Passants, badauds, curieux, inquiets, touristes ne se montraient plus guère. De temps à autre, quelque insurgé ou quelques insurgés traversaient la rue en courant, le fusil ou le revolver à la main.

Toujours pas de réaction britannique.

Gallager sourit et revint à son poste.

— Tout va bien ? demanda Kelleher.

— Le pavillon de l'Eire flotte sur les toits principaux d'O'Connell Street, répondit Gallager.

Naturellement, il ne disait jamais Sackville Street.

— Finnegans wake ! crièrent-ils en chœur en agitant leurs flingots au-dessus de leur tête.

Quelques sympathisants répondirent, mais des badauds s'éloignèrent.

Caffrey se mit à fermer les fenêtres.

IV

Tout de même, se dit Gertie Girdle, tout de même ces lavatories modernes, ce n'est pas encore la perfection, ces chasses d'eau font un bruit, God gracieux ! un bruit d'émeute, je n'ai jamais entendu d'émeute, parfois des foules, des foules qui s'écoulent en criant, cette chasse d'eau fait un bruit analogue, ça hurle, et puis ça continue, ce glougloutement du réservoir qui s'emplit, ça n'en finit plus, décidément ce n'est pas encore parfait, ça manque de discrétion. Il faut que je me recoiffe un peu. Pour plaire à qui, je me le demande. Mon fiancé aimé, le commodore Sidney Cartwright, n'est pas encore là pour admirer ma belle toison. Quand le reverrai-je, mon aimé fiancé ? Quand ? D'ici là, Dieu gracieux, à qui pourrai-je plaire ? Ces gens qui se mettent à courir, on se demande pourquoi. Mais, Dieu gracieux, ces gens qui courent. Je n'y pensais pas. Je pensais à mes cheveux. Voilà bien deux minutes qu'il y a ces bruits de pas, cette course, ces piétinements. Tout à l'heure. En même temps que la chasse d'eau, il y a eu comme un. Comme un quoi... Coup de feu. C'est idiot. Un suicide. Peut-être Monsieur Durand qui s'est suicidé. Il m'aime tellement. Et tellement respectueusement. Je ne l'aime pas. Voilà mes cheveux à peu près arrangés. Un coup de feu. Il s'est tué d'amour pour moi. C'est stupide. Et ces gens qui n'arrêtent pas de courir. Ils sont donc devenus fous. Dieu gracieux. Que je suis bête. Dieu gracieux, Dieu gracieux. C'est cela, il y a le feu. Le feu. Pourquoi ne crient-ils pas au feu, s'il y a le feu ? Ils ne crient pas au feu. C'est cette chasse d'eau qui m'a donné des idées d'incendie. Il serait tout de même temps que je sorte d'ici. Mrs. Kane va trouver que je m'absente encore trop longtemps.

Quel métier. Ah, ils se sont tout de même arrêtés de courir. Tout de même. Quel métier. Mrs. Kane avec ses cheveux gris à pellicules roses. La supporter encore un certain temps. Je n'ai jamais vu d'émeute, de révolution. Ils en parlent ici. Ils en parlent. Ils en parlent. La guerre en France est la paix pour ici. Quelle paix. Quel calme. Ils ne courent plus. Pourquoi donc ne courent-ils plus. Plus. Plus. Plus rien. Il est temps que je sorte. Pourquoi donc ne sorté-je pas? Ne sorté-je pas? Ne sorté-je pas? Pourquoi donc? Voilà. J'ai fait tout ce que j'avais à faire ici. Maintenant ce silence. Mets donc ta main sur ce verrou protecteur. Tourne le verrou. Ouvre doucement la porte. Pourquoi doucement? Pourquoi toutes ces précautions? Dieu gracieux, deviendrais-je folle? C'est stupide. J'ouvre la porte.

V

Ayant poussé la porte, elle aperçut, dans le couloir, un homme, le revolver à la main. Il ne la vit pas. Elle referma vivement et, s'appuyant contre le lavabo, pressa de ses deux mains son cœur qui s'était mis à battre à côtes fendre.

VI

— J'ai fait une ronde, dit Larry O'Rourke. Plus un chat. Caffrey, Kelleher et Gallager ont tout bouclé en bas, sauf la porte d'entrée. Ils sont prêts à la barricader en cas de besoin.

— Pas de danger, dit Dillon.

— Ce qui signifie ? demanda Mac Cormack.

— Qu'ils n'auront pas besoin de la barricader.

— Tu crois qu'il n'y aura pas de réaction anglaise ?

— Non. Ils ont autre chose à faire. L'affaire est dans le sac.

— Ce qui signifie ? demanda Mac Cormack.

— Qu'ils vont capituler sans même tirer un coup de fusil.

— Foutaises, dit Mac Cormack.

O'Rourke haussa les épaules.

— Inutile de discuter. On verra bien. Suivons les ordres.

— Pour le moment, ça n'est pas coton, dit Dillon. Ça consiste à attendre.

— Eh bien, attendons, dit O'Rourke.

Mac Cormack désigna le cadavre de Théodore Durand, du Civil Service.

— On ne va pas le laisser fermenter ici.

— Il n'aura pas le temps, répliqua Dillon. Ce soir même, on le rendra aux Britanniques qui l'enterreront. Comme ça. Un petit cadeau juste avant leur départ.

— On pourrait le changer de pièce, dit Mac Cormack.

Il regarda le macchabée avec dégoût, bien que ce fût son œuvre, après tout.

— O'Rourke n'a qu'à le découper, dit Dillon, on l'emportera par petits morceaux pour le jeter dans les lavatories.

Mac Cormack donna du poing sur la table et quelques gouttes d'encre jaillirent hors de l'encrier.

— Sacré nom de Dieu! Veux-tu respecter un mort!

— Et puis, il se fait une idée fausse des études de médecine, dit O'Rourke qui en était à sa dernière année.

— Vous ne découpez pas des cadavres, par hasard?

— Ce n'est pas le moment de discuter là-dessus, dit Mac Cormack.

— On a tout le temps, répliqua Dillon. En attendant la reddition des Britanniques, on a tout le temps pour discuter. En quoi, dis-moi cela, Larry O'Rourke, me fais-je une idée fausse des études de médecine, en prétendant que tu serais capable de découper ce fonctionnaire en menus morceaux. J'ajoute, Larry O'Rourke, que tu as largement le temps de parler, autant parler de cela que d'autre chose, car nous n'aurons pas grand-chose à faire jusqu'à ce qu'on nous apprenne que les Britanniques quittent Dublin pour leurs cieux inclément et constellés de zeppelins.

— L'heure est grave, Dillon, dit Mac Cormack. Ce n'est pas le moment de sombrer dans un optimisme béat.

— Bien, dit O'Rourke.

— Vous verrez, vous verrez, les Britanniques...

— Dillon, je commande ici. Tais-toi.

Mac Cormack, très embêté d'avoir eu à faire régner la discipline, force des insurrections, se mit à manipuler un bâton de cire. Callinan, les mains dans ses poches, enfoncé dans un fauteuil, cherchait des mouches au plafond pour cracher dessus, mais c'était un peu haut. O'Rourke, à la fenêtre, regardait le quai désert, le pont O'Connell où les passants se faisaient de plus en plus rares. La seule activité qu'il constata fut celle du voilier norvégien qui appareillait fiévreusement. Cela ne lui plut pas. Il se retourna vers Mac Cormack. Celui-ci, s'ornant machinalement le visage d'une moustache en pinçant le bâtonnet de cire entre la lèvre et le nez, dit d'un ton monotone à Callinan :

— Emporte le fonctionnaire dans la pièce à côté. Dillon t'aidera.

Ce qu'ils firent.

VII

Je ne vais tout de même pas rester là jusqu'à la fin de mes jours, se dit Gertie. Dieu gracieux, ce sont des bandits, des Républicains qui ont pillé le Bureau. Ils doivent être partis, maintenant. Il me semble plutôt qu'ils ne sont pas partis. Ce sont les autres qui sont partis. Les Autres : nous. Il y a bien eu un coup de feu. Ce serait donc une émeute. Leur Révolution. Et cet homme à revolver, un Républicain. Un Républicain irlandais. Dieu gracieux! Dieu sauve le Roi! Et je suis ici, seule entre leurs mains. Presque entre leurs mains, car il y a cette porte des lavatories qui me sépare d'eux, qui me protège d'eux. Une porte. Une porte, elle s'enfonce. Quand ils l'auront enfoncée, alors je serai entre leurs mains. Seule. Seule. Ils sont combien? Ce silence qui continue. Mais ils n'enfonceront pas cette porte. Mais non. Mais non. Ils n'oseront pas. Ce sont des lavatories DAMES. Ah ah ah. Ils n'oseront pas entrer dans les lavatories DAMES. Ah ah ah. Et je vais rester enfermée là jusqu'à ce que les Britanniques viennent me délivrer. À moins qu'il n'y ait une femme parmi eux. Une femme qui viendra fatalement ici, qui essaiera d'ouvrir. Et... Et... Ils enfonceront la porte. Ils enfonceront la porte.

VIII

Après avoir déposé le cadavre de l'huissier dans un petit bureau vide, Gallager et Kelleher rejoignirent Caffrey qui avait conservé la faction devant la porte donnant sur Eden Quay. Badauds et sympathisants avaient disparu. Un cycliste traversa le pont O'Connell ; il portait un chapeau haut de forme et une redingote ; il devait avoir vingt-cinq ans. Arrivé devant la statue d'O'Connell, il fit demi-tour et retourna dans la direction de Trinity College.

— C'est calme, dit Gallager.

— Très, répondit Caffrey.

Kelleher sortit un paquet de cigarettes et ils se mirent à fumer, appuyés sur leur flingot.

Devant eux, le voilier norvégien finissait d'appareiller. On voyait le capitaine s'agiter et le second diriger la manœuvre.

— Les Vikings prennent le large, dit Caffrey. Ils ont les jetons.

— Ils ont raison, dit Gallager. Qu'ils s'en aillent avec les Britanniques et autres Saxons.

Cependant, les marins avaient détaché les cordages et le petit voilier s'éloignait doucement, descendant la Liffey vers la mer. Les trois insurgés agitèrent le bras en signe d'adieu. Les Scandinaves répondirent.

— Bon voyage, cria Kelleher. Bon voyage.

Le petit voilier marchait bien. Bientôt il fut au coude de la rivière et disparut. Les trois hommes demeuraient silencieux. Ils terminèrent ensemble leur cigarette.

— Drôle d'émeute, soupira Caffrey. Drôle d'émeute. Je ne m'imaginais pas que ça se passerait aussi simplement.

— Tu crois peut-être que c'est fini ? lui demanda Gallager.

— Tu ne crois pas ?

Gallager et Kelleher se mirent à rire.

— Tu t'imagines que les Britanniques vont s'en aller comme ça.

— Ils ont la réaction lente en tout cas.

— Possible.

— Et puis avec leur autre guerre sur les bras, ils vont peut-être abandonner la partie, maintenant qu'ils voient notre force.

Son discours fut interrompu par la brusque arrivée d'une auto découverte, au fanion, vert, blanc, orangé, qui stoppa en grinçant devant eux. Un type sauta de la voiture et courut vers eux.

— Finnegans wake ! leur cria-t-il.

— Finnegans wake ! répondirent les trois hommes en esquissant, cependant, une retraite agressive.

— Vous occupez cette maison ? demanda le type avec autorité.

— Oui.

— Vous êtes combien ?

— Sept. Vous pouvez voir notre chef. John Mac Cormack. Mais celui-ci, prévenu par O'Rourke, s'était mis à la fenêtre.

— Finnegans wake ! cria-t-il.

— Finnegans wake ! répondit le type. C'est vous le chef ?

— Oui.

— Qu'avez-vous comme armes ?

— Nos fusils. Des revolvers.

— Munitions ?

— Dans nos poches.

— Vivres ?

— Rien.

— Bon. Venez. Je vous donne une mitrailleuse, et quelques caisses de munitions et de vivres.

— On va soutenir un siège ? demanda Caffrey.

— Peut-être. Venez.

Caffrey resta sur le seuil de la porte. Gallager et Kelleher se mirent à charrier l'ustensile et les caisses. Dillon et Callinan les regardaient avec intérêt.

— Vous voyez où vous devez mettre votre mitrailleuse ? demanda le type.

— Oui, répondit Mac Cormack.

Mais le type n'était pas sûr.

— Vous prenez le pont en enfilade. De cette fenêtre-là au rez-de-chaussée.

IX

Une auto s'est arrêtée On vient peut-être les chercher. Ou bien ils s'en vont. Qui sont-ils. Combien sont-ils. Peut-être que j'en connais quelques-uns parmi eux. Ou un seul. Tout de même un. Parmi tous ces hommes que j'ai vus ici, à Dublin, dans ce bureau de poste d'Eden Quay, il devait bien y avoir des Républicains. J'en reconnaîtrai peut-être un parmi eux. Non. Il n'y a pas de femmes parmi eux. C'est sûr. Sinon, elle serait déjà venue ici. Ce Républicain que je reconnaîtrai, qu'est-ce que cela donnera ? Peut-être en sera-ce un qui me hait. Un que j'aurai fait attendre un peu trop longtemps derrière le guichet. Un à qui j'aurai fait refaire une adresse parce qu'il ne savait pas bien l'anglais. Un type du Connemara. Et il y en a parmi eux qui veulent se remettre à parler irlandais. Comme si Sir Durand se remettait à parler français. Qu'est-il devenu, Sir Durand. Ils l'ont peut-être fait prisonnier. Ou tué. Ce coup de feu était peut-être pour lui. Pauvre Sir Durand, lui qui m'aimait tant et si respectueusement. Mais peut-être s'est-il sauvé. Peut-être était-il parmi ceux qui couraient. Parmi ces bruits de pas, il y avait peut-être le sien. Lui si digne. Il a peut-être été obligé de courir. Ah ah ah. Lui, courir. Ah ah ah. Si digne, qui m'aimait tant. Et moi qui suis toujours enfermée ici.

— Elle est en bonne position, dit le type. Vos hommes sauront s'en servir ?

— Bien sûr, dit Mac Cormack qui était descendu s'entretenir avec le stratège.

Ils se dirent adieu et la voiture démarra.

— Alors vous êtes contents avec ça ? demanda Mac Cormack.

Ils regardèrent les caisses de munitions et de vivres.

— Ça promet, dit Kelleher.

— Ça vaut mieux, dit Gallager.

— Ça manque de boisson, dit Caffrey.

— À propos, dit Mac Cormack, et le type que vous avez descendu ?

— On l'a mis dans un petit bureau.

— Et le vôtre ? demanda Caffrey.

— Aussi dans un petit bureau.

— S'il y a du grabuge, dit Kelleher, on devrait s'en débarrasser.

— C'est bien ce que je pense, dit Mac Cormack.

— Il n'y a qu'à les foutre dans la Liffey, dit Gallager.

— Ça ne serait pas correct, dit Mac Cormack.

— Supposons, dit Gallager, que les Britanniques s'avisent de répliquer et qu'on soit obligé de tenir le coup ici, pendant, je ne sais pas, un petit bout de temps.

— Tout ça, c'est des suppositions, dit Caffrey.

— Eh bien, continua Gallager, ça ne serait pas fin de se trouver ici avec ces deux cadavres sur le dos. On pourrait les jeter dans le jardin des Beaux-Arts. L'Académie irlandaise donne juste derrière.

— Il ne pense toujours qu'à les balancer, les cadavres, dit Mac Cormack.

— Qu'ils restent là ! s'écria Caffrey. De toute façon, ça ne durera pas des jours et des jours.

— Il y a du juste dans ce qu'il dit, dit Kelleher.

— Si on parlait de la boisson, reprit Caffrey. Ça en manque drôlement. Si on avait un coup dur, le besoin s'en ferait rudement sentir.

— Il y a du juste dans ce qu'il dit, dit Kelleher.

— C'est vrai, dit Mac Cormack. Eh bien, que deux d'entre vous aillent chercher une caisse de ouisqui et deux ou trois de bière dans la première taverne venue d'O'Connell Street.

— Et les chlins ? demanda Caffrey.

— Vous ferez un bon de réquisition.

— Il n'y aurait qu'à prendre le fric qui est ici, dit Caffrey.

— Ça ne serait pas correct, dit Mac Cormack.

— Mais oui, dit Kelleher, on n'aura qu'à faire un bon.

Mac Cormack appela Dillon et Callinan pour remplacer Caffrey et Kelleher pendant leur expédition.

Dillon et Callinan admirèrent la mitrailleuse.

Caffrey et Kelleher poussèrent la porte battante de la taverne.

— Holà, dirent-ils car il n'y avait personne.

Des verres de bière à moitié vidés aigrissaient sur les tables qu'aucun torchon vigilant n'avait encore barbouillées. Deux ou trois tabourets gisaient renversés par des départs rapides.

— Holà ! dirent Caffrey et Kelleher.

Un homme se montra graduellement de derrière le comptoir. Il n'avait pas l'air rassuré. Il avait une mèche sabrant le front bas, et une petite moustache de caporal autrichien.

— Finnegans wake ! s'écrièrent Kelleher et Caffrey.

— What do you say ? demanda l'homme de la taverne.

— Finnegans wake ! hurlèrent les deux insurgés.

— Oh, moi, dit Smith (car tel était le nom de l'homme de la taverne), oh, moi, je ne fais pas de politique. Et que Dieu sauve le Roi, ajouta-t-il éperonné par une peur stupide.

— On le fout en l'air ? proposa Caffrey.

— Le chef a recommandé d'être correct, rétorqua Kelleher.

Il prit une bouteille de Guinness et la cassa sur le crâne du tavernier Smith, dont la tête se mit à distiller du stout-grenadine. Mais il n'était pas mort, simplement amoché.

— Donne-nous une caisse de ouisqui, dit Caffrey, et dix caisses de bière.

— On va te faire un bon de réquisition, ajouta Kelleher.

Smith, appuyé des deux mains contre le comptoir, éberlué par le choc, regardait d'un œil vague le stout-grenadine s'étaler sur l'acajou de son bar.

— Alors, dit Caffrey, tu te remues, traître tavernier ?

Il lui donna une bourrade.

L'autre rua légèrement, dans un sursaut de vitalité, puis s'écroula pâmé, pissant le sang par tous les vaisseaux du crâne.

— On va se débrouiller sans lui, dit Kelleher. Écris toujours le bon de réquisition.

— Fais-le, toi, dit Caffrey. Je vais chercher une brouette.

— Pourquoi pas toi ?

— Moi quoi ?

— Faire le bon de réquisition.

Caffrey se gratta la tête.

— Non, pas moi.

— Pourquoi pas toi ?

Caffrey se gratta la tête.

— Fous-moi la paix.

— Ce n'est pas une raison, dit Kelleher.

La mare de sang s'élargissait autour de la tête de l'homme de la taverne, et si épaisse que Caffrey y vit son visage reflété, comme dans un miroir. Ce qui le poussa vers la franchise.

— Y a une raison, dit Caffrey.

— Dis-la. On perd du temps.

— Je ne sais pas écrire.

Kelleher le regarda du haut en bas. Ils venaient d'équipes différentes, ne se connaissaient guère. Caffrey examiné s'entendit d'abord dire :

— Quelle misère !

Puis :

— Fallait t'expliquer plus tôt. Bon, va chercher la brouette et je fais le bon de réquisition.

Caffrey regarda l'homme de la taverne qui gisait sans souffler du nez ; le sang même ne pissait plus.

— Tu crois qu'il est défunt ?

— Va chercher la brouette, dit Kelleher.

XII

Je ne vais tout de même pas rester debout des heures et des heures, se dit Gertie en regardant la montre-bracelet qu'elle ignorait être une invention de Blaise Pascal. Deux heures et demie que je suis ici. C'est lassant. Je suis fatiguée, fatiguée, fatiguée. Je ne vais tout de même pas rester debout des heures et des heures. Ils ont beaucoup remué tout ce temps-ci, les insurgés. Ils ont monté et descendu les escaliers. Ils avaient l'air de porter des choses lourdes, Dieu gracieux, peut-être vont-ils faire sauter le bureau de poste. Me sauver. Me sauver. Non. Ils ne vont pas faire sauter le bureau de poste. Mais je ne vais tout de même pas rester debout des heures et des heures. Je ne vais tout de même pas non plus m'asseoir sur ce siège. Quelle horreur. Ces Républicains. Voilà à quoi ils pourraient réduire une sujette de Sa Majesté britannique. Il y a du Hun là-dessous. Je ne vais tout de même pas m'asseoir sur ce siège. Quelle infamie. Quelle humiliation. Je suis pourtant si fatiguée, si fatiguée. Non, Dieu gracieux, je ne vais pas, je ne vais pas. À moins que je n'aie une raison pour le faire. À moins que ce ne soit légitime. Si par exemple. Si par exemple. Oui. Alors je pourrais m'asseoir. Me reposer. Je suis si fatiguée. Si fatiguée.

XIII

Les caisses de ouisqui, de Guinness et de bandes de mitrailleuses furent soigneusement rangées en désordre dans une pièce voisine du petit bureau où séjournaient momentanément les deux cadavres des fonctionnaires britanniques zigouillés pour cause d'insurrection.

— C'est calme, dit Mac Cormack et il remonta au premier étage.

Kelleher rêvait devant la mitrailleuse. Gallager et Caffrey s'étaient assis sur le perron, leur flingot entre les jambes, et devisaient.

— Dans l'île où je suis né, disait Gallager, et qui s'appelle Inniskea, on apprécie les orages et les tempêtes à cause des naufrages. Ensuite on court les grèves pour ramasser les épaves. On trouve de tout. On vit bien dans notre petite île d'Inniskea.

— Pourquoi en es-tu parti ? demanda Caffrey.

— Pour aller me battre contre les Anglais. Mais, quand l'Irlande sera libre, je retournerai à Inniskea.

— Eh retournes-y tout de suite, dit Caffrey, tu y retrouverais tes naufrages.

— J'espère bien. On a une pierre, dans le village, pour ça.

— Une pierre ?

— Oui. Elle est enveloppée dans de la flanelle comme un poupon. Des fois, le temps est beau, comme ça, très longtemps, alors on crève la faim, il n'y a plus rien, alors on sort la pierre, on la promène autour de l'île, mais surtout du côté des falaises, alors ça rate jamais, le ciel devient noir, les bateaux s'égarent et, le lendemain, on ramasse les débris, de tout, des boîtes de conserves, des astrolabes, des grands disques de gruyère, des règles à calcul...

— C'est pas pour dire, commenta Caffrey, on est tout de même arriérés dans notre île, et encore plus dans la tienne. Heureusement qu'on va changer tout ça.

— Arriérés, qu'est-ce que ça veut dire ?

— Y a pas de pays au monde où on adore encore des cailloux. Sauf chez les sauvages, chez les païens d'Australie ou du Mexique.

— Tu n'insinues pas que je suis un sauvage ?

— Non, bien sûr, dit Caffrey. Tiens, regarde donc la poule.

Une jeune femme traversait le pont O'Connell d'un pas assez décidé.

— Elle est gironde, remarqua Gallager qui avait la vue perçante de tous les natifs de l'île d'Inniskea.

— Courageuse, la petite, remarqua Caffrey qui savait apprécier cette qualité chez les autres bien que n'ayant aucun point de repère en lui pour pouvoir en juger sainement.

La jeune femme était arrivée au coin d'Eden Quay.

— Elle est mignonne, dit Gallager. Il me semble que je la connais.

— C'est à nous qu'elle en veut, dit Caffrey. Moi je les aime mieux un peu plus grandes.

Elle traversa la rue et s'arrêta devant la porte du bureau de poste. Elle rougit tout de même.

— Eh bien, mademoiselle, dit Gallager, c'est pas un jour pour se promener. Y a du grabuge dans Dublin, vous savez.

— Je le sais bien, monsieur, répondit la jeune fille en baissant les yeux. J'en ai déjà fait l'expérience.

— Vous avez en des ennuis ?

— Vous ne vous souvenez pas ?

— Il me semble que je vous connais, mais je n'ai causé d'ennuis à personne.

— Vous avez déjà oublié ? Vous m'avez... vous m'avez... vous m'avez donné un coup de pied.

— Tu vois, dit Caffrey, tu n'as pas été correct.

— Vous étiez parmi les demoiselles du bureau ?

Gallager, dans sa confusion, se cacha le bout du nez dans le canon de son fusil.

— Je suis revenue chercher mon sac que j'ai paumé à cause de vous, grande brute.

— Tu pourrais aller le chercher, dit Caffrey.

— D' la piau! répondit Gallager.

— T'es pas galant, dit Caffrey.

— On a autre chose à faire, dit Gallager.

— Tout de même, les Britanniques sont loin, dit Caffrey.

— Vraiment, vous n'avez pas vu mon sac? demanda la mousmée. Il est vert avec une tresse en or, et il y a dedans un sterlin, deux chlins et six pinces.

— J'ai pas vu ça, dit Gallager.

Il avait envie de lui frapper le postérieur du pied ou de la main, comme ça lui viendrait l'inspiration. Mais Caffrey semblait avoir des prétentions à la fameuse correction préconisée par Mac Cormack, une correction qui virait même au galant.

— Je vais aller voir, qu'il dit.

— Laisse tomber, dit Gallager.

Kelleher s'amena sur le pas de la porte.

– – Qu'est-ce qu'il y a qui ne gaze pas? s'inquiéta-t-il.

— Elle a perdu son sac, dit Gallager.

— Elle est gironde, approuva Kelleher.

— Oh, monsieur! dit la demoiselle des Postes en rougissant.

— Puisque vous êtes là tous les deux, dit Caffrey, je vais aller voir si je ne le lui retrouve pas, son sac.

— Oh, monsieur! dit la demoiselle des Postes en revenant au rose bonbon. Comme vous êtes gentil!

— Tout de même, dit Gallager, on a autre chose à faire.

XIV

Maintenant que j'ai fini, je ne peux tout de même pas rester tout le temps sur ce siège. La fatigue a des bornes. La fatigue a des limites. Courage. Courage. Je dois être courageuse. Comme une véritable Anglaise. Sujette de l'Empire britannique. Oh Dieu, oh mon Roi, soyons énergique. Je me lève. Je tire sur la chasse d'eau. Non. Je ne tire pas. Ça va faire du bruit. Attirer l'attention. L'énergie n'est pas l'imprudence. Il y a une différence certaine entre les deux. D'après la logique de Stuart Mill, en tout cas. Certainement. Probablement. Mais ce n'est pas propre de ne pas tirer sur la chasse d'eau après s'être servi de… Oui. Non. En effet. Ce n'est pas propre. Ce n'est pas hygiénique. Ce n'est pas britannique. Mais je les sens qui sont là. Il me semble que je les entends parler. Les brutes. Les insurgés. Est-ce qu'ils sauraient même ce que ça veut dire, ce bruit d'eau, s'ils le percevaient. Ils l'ignoreraient. Ils doivent tous venir des faubourgs où n'existe nulle hygiène. Peut-être y en a-t-il même qui arrivent du Connemara, même y en a-t-il qui arrivent des îles Aran ou des îles Blasket où l'on ne parle pas anglais, où l'on persévère dans leur jargon celtique, sans connaître les lavatories de notre civilisation moderne et impériale, et même et même y en a-t-il qui arrivent de l'île d'Inniskea, où, m'a-t-on dit, l'on adore une pierre emmaillotée de laine, au lieu d'adorer saint George et le Dieu des Armées. Tout ce qu'ils savent faire, les hommes : de la Guinness, et les femmes : de la guipure, de la guipure au point d'Irlande. Mais ça commence à se démoder. Pourquoi ne suis-je pas allée en France, plutôt, à Paris, par exemple ? Elles ne savent pas s'habiller ici. Moi je connais un peu la mode nouvelle. Mais, ici, les femmes, tout juste le point d'Irlande.

XV

— Qu'est-ce qu'elle fout là, cette dinde ? demanda Larry O'Rourke.

Les trois autres sursautèrent et la demoiselle du Post Office devint écarlate.

— Non mais, qu'est-ce qu'elle fout là ? reprit Larry O'Rourke. Vous n'êtes pas ici pour enfiler des perles. D'ailleurs, ajouta-t-il après avoir regardé cette personne, ça n'en est pas une.

— Oh ! fit la personne qui avait compris car dans les bureaux de poste de Dublin, où le personnel était mixte, les demoiselles parvenaient parfois à certaines notions concernant la vie sexuelle des civilisés.

— Qui êtes-vous ? demanda Larry O'Rourke.

— Elle vient chercher son sac, dit Gallager.

— J'allais lui chercher, dit Caffrey.

— Vous avez autre chose à faire, d'autant plus que ça va se gâter. On nous téléphone du Central que les Britanniques commencent à s'agiter.

— Ils feront rien, dit Caffrey.

— Mademoiselle, dit Larry O'Rourke, vous feriez mieux de rester chez vous, en tout cas.

— Vous avez tout de même fini par m'appeler Mademoiselle. Ce n'est pas trop tôt.

— Caffrey, va lui chercher son sac, qu'elle nous foute la paix.

— Je ne pourrais pas aller le chercher moi-même ?

— Non. On n'a pas besoin de femmes ici.

— J'y vais, dit Caffrey.

La demoiselle du Post Office restait immobile. Elle regardait, les trois hommes, s'étonnant de leur extravagance, de leurs actions et de leur goût pervers pour les armes à feu. C'était une petite brune, l'air moyennement folâtre, d'une constitution assez charnelle et architecturée, mais vêtue avec modestie. Son visage s'ornait de narines tournées vers le ciel, et, somme toute, elle avait l'air peut-être espagnol.

Quoi qu'il en soit, ayant reçu du plomb dans le ventre, elle s'écroula morte et saignante.

Les Britanniques radinaient de toute part. Ils avaient mis le temps pour se mettre en train, mais les voilàssait manipulant des armes plus ou moins automatiques, dévalant de droite et de gauche, fixant les insurgés de leur ligne de mire plus ou moins approximative.

Kelleher, Gallager et Larry O'Rourke firent presto trois pas en arrière et bouclèrent la lourde. Kelleher sauta sur la Maxim et se mit à semer Bachelor's Walk de ses balles, ô combien meurtrières! D'autres armes insurgées, situées ailleurs, arrosaient O'Connell Bridge, où d'ailleurs on ne voyait personne. Un peu partout, des morceaux de granit ou d'asphalte se volatilisaient à la surface des parapets, des bittes ou des trottoirs. Quelques Britanniques tombèrent ici et là. On les emportait très vite, parce qu'ils avaient un service de santé à la hauteur.

La demoiselle du Post Office gisait, ratatinée. Elle était chue, les quatre fers en l'air. Elle portait des bas de coton noirs. Sa jupe s'était relevée. Un peu de brise marine faisait frissonner ses froufrous. Au-dessus des bas de coton noirs, on voyait un peu de chair humaine. Du ventre transpercé coulait un sang plutôt rouge. La mare s'élargissait autour de ce corps sans doute puceau, et certainement désirable, du moins pour une grande majorité de mâles normaux.

Gallager se mit à une fenêtre, épaula son flingot. À côté de sa ligne de mire, sur la gauche, il aperçut la pauvre demoiselle, et les jambes. Il fouilla dans sa poche pour y chercher des munitions. Il rencontra par là un certain durcissement de son être. Et tandis que son flingot oscillait vaguement inefficace, il soupirait. Aussi plusieurs Britanniques parvinrent-ils à approcher d'O'Connell Bridge.

XVI

Callinan et Dillon, en entendant les premières balles, se planquèrent contre le mur. Mac Cormack se leva, chef courageux. Il alla regarder par la fenêtre, sans discrétion, son revolver à la main.

— Ils sont au coin d'Ormond Quay et de Liffey Street.

— Nombreux ? demanda Dillon.

— Ils se planquent. Comme vous.

Il visa un Britannique qui galopait d'un tas de bois à un autre. Du bois de construction venu de Norvège. Mais Mac Cormack ne tira pas.

— Ça ne servirait à rien.

Dillon et Callinan, ayant repris leur souffle, allèrent chercher leur fusil et se mirent en position, chacun à une fenêtre. Ils entendirent, au-dessous d'eux, la mitrailleuse de Kelleher tirer deux ou trois rafales.

— Elle marche, dit Callinan avec satisfaction.

— Il y en a d'autres qui arrivent par Crampton Quay et Aston Quay, dit Mac Cormack.

Une balle lui passa près de l'oreille, mais comme il était très courageux, il se pencha par la fenêtre un peu plus :

— Tiens, dit-il, une poule qu'est saquée.

Il venait d'apercevoir le corps de la demoiselle du Post Office.

— Comment s'est-elle fait descendre ? murmura-t-il. La pauvre petite. Elle a sa robe plutôt relevée. Ça l'aurait fait rougir de son vivant. Ça n'est pas correct.

Les deux autres, pris d'audace, oublièrent le plomb aérien et menaçant des armes britanniques et reluquèrent la môme cadavérisée. D'où ils se trouvaient, ils n'estimèrent pas la chose intéressante et se remirent à tirer.

XVII

Tout de même, se dit Gallager en essuyant sa main gluante le long de son pantalon, c'est moche ce que je viens de faire. Et puis, c'est capable de me porter la poisse. Ô Vierge Marie, intercède en ma faveur ! Ô Sainte Vierge Marie, tu comprends, c'est l'émotion.

Une balle vint ricocher près de lui.

Il remit son fusil en position, ferma les yeux et se mit à tirer au hasard.

XVIII

Caffrey découvrit le sac à main de la donzelle en même temps que son peu de goût pour la bagarre. Manœuvre chez Guinness, il avait toujours eu du dégoût pour le roi des Anglais. Son antipathie toute particulière pour le trône auglo-saxon et hanovrien l'avait poussé à s'embringuer dans cette révolte, une vraiment vache. C'était pas de la rigolade, l'insurrection. Ça pétait dur. Il entendait crisser la pierre et les balles voleter. Il déposa le sac sur le bureau aux mandats et demeura blanchâtre et peu mobile.

Il avait bien mal aux entrailles.

Tout à coup.

Et il eut honte. Il ignorait, étant peu instruit, analphabète même, que pareille chose était arrivée à des braves incontestés. Il voulut liquider cette question immédiatement, et porta ses mains vers ses bretelles qui étaient vert émeraude. Mais il eut honte. De nouveau.

Il se souvenait des ordres donnés par John Mac Cormack et de la nécessité d'être correct.

Bien que sa mémoire fût un peu bouleversée par les incidents récents, il se souvint que, dans le couloir, à gauche de l'escalier, il y avait deux portes d'un aspect nettement différent de celui de celles qui s'ouvraient sur des bureaux. Il les avait remarquées au passage, en faisant la chasse aux retardataires, lors de la prise de possession. Et il pensa que ces portes avaient un rapport à peu près certain avec ses nécessités actuelles.

S'inclinant devant le désir bien extériorisé de Mac Cormack de laisser le bureau de poste d'Eden Quay aussi propre en sortant qu'ils l'avaient trouvé en entrant, Caffrey, se tenant le ventre d'une main, trébucha, verdâtre, vers le couloir à gauche de l'escalier.

Il suait.

En un temps relativement court, il parvint devant la première de ces portes. LADIES y était le mot inscrit en relief. Mais Caffrey ne savait pas lire, pas même l'irlandais. Encore moins l'anglais, idiome particulièrement calé. Ces six lettres lui parurent indiquer magiquement la conquête, pour lui, du courage. Il tourna la poignée et n'ouvrit pas la porte. Il tourna dans l'autre sens et la porte ne s'ouvrit pas. Il revint au sens de rotation premier et la porte ne s'ouvrit pas. La rotation en sens inverse n'ouvrit pas la porte. Il la tira, cette porte. Il la poussa. En aucun sens elle ne bougeait. Alors il comprit qu'elle était fermée. Il en fut attristé, tout d'abord, à cause de la grande envie qu'il avait d'entrer dans ce lieu, puis, comme, tout de même, il jouait, dans l'histoire universelle, à ce moment-là très exactement, et en cet endroit très précis de la terre habitée, *hic et nunc,* le rôle d'insurgé, il se mit à réfléchir sur la situation présente.

L'esprit irlandais, on le sait, n'obéit pas aux règles du raisonnement cartésien, non plus qu'à celles de la méthode expérimentale. Ni français, ni anglais, mais assez voisin du breton, il procède par « intuition ». Caffrey ne pouvant ouvrir la lourde, eut donc l'*ankou*[1] que quelqu'un se trouvait là, enfermé ! Cette *anschauung*[2] lui boucla immédiatement les tripes. Essuyant la sueur qui lui dégoulinait encore de la tronche, il oublia ses troubles égocentriques et, découvrant son devoir *d'un seul coup d'un seul*[3], il résolut de rendre compte à Mac Cormack de la découverte qu'il venait de faire.

---

1. Celticisme pour « intuition ». (N. d. T.)
2. Germanisme pour « ankou » (N. d. T.)
3. Gallicisme pour « anschauung ». (N. d. T.)

XIX

Gertrude entendit, au milieu de la fusillade, un pas s'approcher, un pas hésitant d'homme. Peut-être blessé. Elle sentit qu'il s'appuyait contre la porte. Elle vit la poignée tourner à gauche, puis à droite, puis à gauche, puis à droite. Elle perçut la poussée du corps pour forcer l'entrée. Puis le silence. Elle entendit ensuite, au milieu de la fusillade, le pas s'éloigner. Mais il était maintenant décidé, ce pas. Le talon sonnait ferme.

Pendant tout ce temps, elle n'avait pensé à rien. Absolument à rien.

Ensuite, elle songea, de façon fragmentaire, à ce qui allait arriver. Elle manquait d'éléments pour nourrir sa peur. Aussi n'avait-elle pas peur, exactement. Pas la peur précise. Elle flottait au-dessus d'un grand vide. Elle savait que le proche futur dépasserait de beaucoup son imagination.

Machinalement, elle ouvrit son sac et prit son peigne. Elle portait les cheveux courts, rareté encore à Dublin, mode nouvelle. S'examinant dans la glace au-dessus du lavabo, elle se plut. Et se trouva dangereusement belle. Elle passait son peigne dans ses cheveux, lentement, posément. Le léger grattis des dents d'écaille sur la peau de son crâne, suivi de la douce ondulation des boucles, la faisait très très agréablement frémir. Elle fixait ses yeux comme pour s'hypnotiser.

Il n'y avait plus de temps et la fusillade avait cessé.

XX

La fusillade avait cessé. Les Britanniques ayant décelé les points occupés par les insurgés, se livraient maintenant entre eux à des considérations tactiques et stratégiques. Ils se planquaient tout le long de la rive droite de la Liffey. Sur la rive gauche, ils ne dépassaient pas sur la gauche Capel Street et sur la droite la passerelle de l'Old Dock. Dans Sackville Street, il semblait ne rien se passer.

Mac Cormack, aidé de Callinan et d'O'Rourke, barricadait les fenêtres, utilisant cette accalmie. Dillon descendit chercher une caisse de munitions. Il croisa Caffrey, qui grimpait vaillamment l'escalier.

— Ça marche en bas? demanda-t-il au passage.

— Hmm, grogna Caffrey.

— Ça ne gaze pas?

— Si, si.

Mac Cormack bloquait les interstices d'un volet avec les dossiers de Théodore Durand. Il croyait à l'efficacité des épaisseurs de papier pour la protection contre les balles, et d'autre part il n'aimait pas la bureaucratie. Il était heureux.

Il fut donc irrité de s'entendre déranger dans cette agréable et excitante besogne.

— Chef, dit Caffrey.

— Quoi?

— Chef.

— Eh bien quoi?

— Chef.

Mac Cormack se retourna.

— Ça marche en bas?

— Oui.

— Bon.

— Pas tout à fait.

— Quoi?

— Voilà.

— Grouille.

— En bas...

— Eh bien?

— Aux gogs...

— Alors?

— Quelqu'un.

— Alors?

— C'est pas un de nous.

Mac Cormack était un chef, et, de par sa nature même de chef, il comprit avec rapidité.

— Un Britiche? demanda-t-il.

— Probable, répondit Caffrey

Mac Cormack réfléchissant plus fort ·

— Tu l'as enfermé?

— Il s'est enfermé.

— Mais devant la porte...

— Quoi?

— Personne?

— Non. Je suis monté en vitesse pour vous prévenir.

— Il va se tailler, dit Mac Cormack.

Caffrey se frotta la tête.

— Pas pensé, dit-il.

Il ajouta :

— Ça m'a surpris. Comme ça. Enfermé dans les gogs. Pas pensé à tout. Je suis monté en vitesse pour vous prévenir.

Larry O'Rourke et Callinan s'étaient mis à écouter.

— Qu'est-ce qu'il raconte? demanda Callinan.

— Que dit-il? interrogea O'Rourke.

— Un Britiche aux lavatories, dit Mac Cormack.

— Je croyais que vous aviez vidé toutes les pièces, dit O'Rourke, et que vous vous étiez assurés qu'il ne restait plus personne.

— Oui, dit Mac Cormack qui avait oublié que Larry O'Rourke s'était chargé de cette vérification.

Ce n'était pas encore tout à fait un chef. Il ne savait pas engueuler. Larry O'Rourke, qui avait de l'instruction, montrait au contraire de fortes dispositions pour être un sous-chef. Et puis, il avait de l'ordre dans les idées.

— Les gogs! s'exclama Caffrey. On n'a pas idée de se cacher là.

— Il faut prévoir toutes les idées de l'adversaire, dit O'Rourke.

Mac Cormack, après un effort, reprit son rang intellectuel de chef.

— Mais, demanda-t-il à Caffrey, comment as-tu découvert ça?

— Tout de suite. À l'instant.

— Pas « quand », « comment »? dit O'Rourke.

— Je cherchais le sac d'une poule qui était venue le réclamer.

— Ça se bagarrait, dit Mac Cormack. Tu avais autre chose à faire.

— Je l'avais trouvé quand ça s'est mis à barder.

— Alors?

— J'ai eu comme une intuition à ce moment-là.

Callinan sursauta :

— Une *ankou*[1]?

Ils devinrent tous très intéressés.

— Explique-toi, dit Mac Cormack.

O'Rourke haussa les épaules. Sans mot dire, il alla remplacer Callinan à la fenêtre. Dehors, les Britanniques calmés et réfléchissant ne bougeaient pas. Le jour tombait. Callinan s'approcha de Caffrey.

— Une *ankou*? lui demanda-t-il de nouveau.

— Oui, dit Caffrey. Les balles sifflaient. Il en entrait de tous les côtés.

— Et Kelleher et Gallager? demanda Mac Cormack s'inquiétant du sort de ses hommes.

— Ça boume, répondit Caffrey.

Il reprit :

— Alors, tandis que les autres attaquaient, j'ai senti en moi quelque chose qui me disait qu'il y en avait un de caché dans les environs. Alors je suis allé tout droit vers les lavatories. Ils étaient fermés. Je l'ai entendu qui respirait de l'autre côté.

— Et nos victimes? demanda Mac Cormack.

— Je ne crois pas qu'elles aient bougé, répondit Caffrey.

1. Voir note, p. 222. (N. d. T.)

Mac Cormack se tourna vers O'Rourke.

— La petite est toujours en bas ?

O'Rourke baissa les yeux.

— Oui. Il faudrait lui jeter une couverture sur le corps. Elle est indécente.

— On se débarrassera de ces trois-là, dit Mac Cormack.

— Alors ? demanda Callinan à Mac Cormack.

— C'était vraiment une *ankou* ? demanda Mac Cormack à Caffrey.

O'Rourke, sans se retourner, dit :

— S'il y a vraiment quelqu'un en bas, il faudrait s'en occuper.

— Oui, répondit Caffrey à Mac Cormack. C'est comme une voix qui m'a dit ça.

— Je descends avec toi, dit Mac Cormack à Caffrey. Vous autres, restez là.

Il sortit son revolver.

Callinan dit à Caffrey :

— Tu me reparleras encore de ça plus tard.

Mac Cormack et Caffrey sortirent de la pièce et se mirent à descendre l'escalier, lentement. Ils croisèrent Dillon qui remontait une caisse de munitions.

XXI

Kelleher et Gallager tournèrent la tête en entendant des pas dans l'escalier. Ils virent Mac Cormack et Caffrey qui descendaient, lentement, le colt à la main. Ils tournèrent à gauche, pour prendre le couloir. Kelleher et Gallager reprirent leur faction. Le jour tombait. Les rues étaient désertes. Les Britanniques ne bougeaient plus. Aucune lumière n'osait se produire. Un morceau de lune apparut au-dessus des toits. La Liffey se mit à frissonner doucement. La ville était très silencieuse.

Alors Kelleher et Gallager entendirent un cri de femme. Ils se retournèrent. Il y eut d'autres bruits plus sourds. Puis un nouveau cri de femme, des exclamations et des jurons. Ils virent alors, dans le demi-jour, leurs deux compagnons entraînant une ombre qui se débattait à peine et qui ne criait plus.

— Qu'est-ce qui se passe? demanda Gallager avec un peu d'émotion.

— Une poule qui s'était planquée ici, dit Caffrey. On va l'interroger.

— Pourquoi vous ne la foutez pas dehors? demanda Gallager.

— Tiens, dit Mac Cormack, il faudra jeter une couverture sur la petite qui est dans la rue.

— Et les deux autres, dit Gallager, si on les mettait dehors aussi? Avec une couverture dessus.

— Alors on va l'interroger? demanda Caffrey.

Mac Cormack et Caffrey étaient restés immobiles et Gertrude s'était adossée contre le mur. Ils la tenaient chacun par un poignet. Elle ne disait rien, la tête penchée.

— Mettez une couverture sur la petite qui est dehors, dit Mac Cormack. Les autres attendront.

— Ça me hérisse le poil, dit Gallager, de penser, comme ça, que je vais passer la nuit avec des morts.

— On pourrait les foutre dehors, proposa Kelleher. En faire un petit tas au coin de la rue quand somnoleront les Britanniques.

— Les morts ne doivent pas vous faire peur, dit Mac Cormack. Pas plus que les vivants.

— On l'interroge? demanda Caffrey. On lui pose des questions?

— Je vais jeter une couverture sur la petite qui est dehors, dit Gallager.

— Attends la nuit complète, dit Mac Cormack.

Gallager colla sa figure contre la meurtrière arrangée dans la barricadure d'une fenêtre.

— En plissant les yeux, dit-il, j'arrive encore à voir sa dépouille mortelle. Elle a l'air d'attendre un amoureux. Ça m'obsède à la fin. Ça m'obsède. Et les autres macchabées, dans le petit débarras qui vont sortir tout à l'heure, à cheval sur des balais, et flottant un petit peu dans les airs en poussant des gémissements. Ils auront la gueule verte et de faux linceuls.

Il se tourna vers Mac Cormack.

— J'aime pas ça. On devrait tous les jeter dans la Liffey. La petite aussi.

— Nous ne sommes pas des assassins, dit Mac Cormack. Allons, Gallager, du courage. Finnegans wake!

— Finnegans wake! répondit Gallager la bouche sèche.

On entendit des sanglots étouffés. Caffrey venait de passer sa main sur les fesses de Gertie.

— Je t'ai dit d'être correct, gronda Mac Cormack.

— Elle cache peut-être des armes.

— Suffit.

Ils entraînèrent Gertie et commencèrent à monter l'escalier. Gertie trébuchait, mais sans résistance. Elle avait tout de suite cessé de pleurer. Les deux guetteurs du rez-de-chaussée les regardèrent monter. Puis ils revinrent à leur faction. La nuit était maintenant là, une vraie nuit bien dense, trouée par l'éclat d'une lune pleine.

— Un cabot, murmura tout à coup Gallager.

Et il ajouta :

— Il la renifle. Le salaud.

Il épaula et tira.

C'était le premier coup de feu de cette nuit-là. Il résonna drôlement dans le silence de la ville insurgée. Le chien se mit à gueuler. Il s'éloigna, lamentable, hurlant de plus en plus pathétiquement. Un peu plus loin, il y eut un second coup de feu, puis ce fut de nouveau le calme. Une balle britannique avait achevé le cynique animal.

— Quelle chierie, tous ces cadavres! dit Gallager.

Kelleher ne répondit pas.

XXII

Quelques secondes après, Gallager dit :
— Tu crois qu'on va la questionner, nous aussi?
Kelleher ne répondit pas.
Gallager avait peur de laisser fuir son courage. Il n'insista pas et la conversation s'éteignit. Il en profita pour tendre l'oreille.

XXIII

Ils avaient allumé une petite bougie. Dillon était de faction à une fenêtre. Mac Cormack s'était assis à la table de Sir Théodore Durand ; il avait à sa droite Larry O'Rourke. Callinan et Caffrey se tenaient de chaque côté de Gertie, qu'ils avaient posée sur une chaise et un peu attachée, mais avec des précautions.

— Nom, prénom, qualités, dit Mac Cormack.

Il se tourna vers O'Rourke et lui demanda : « Ça va ? » Larry approuva de la tête. Mac Cormack demanda aussi : « Est-ce qu'on écrit ? » Mais les autres dirent : « C'est pas la peine. » Alors Mac Cormack reprit :

— Nom, prénom, qualités ?

— Gertrude Girdle, répondit Gertrude Girdle.

Elle s'était assise d'autres fois sur cette chaise, devant cette table ; mais alors, dans ce fauteuil, il y avait un honorable fonctionnaire, d'un certain âge, et qui nourrissait avec le mouron de l'affection les colombes d'un désir discrètement platonisé. Mais Sir Théodore Durand était bousillé (elle l'ignorait) et elle se trouvait en face d'un Républicain très certainement terroriste.

Pas mal, d'ailleurs, de sa personne. Quoique pas très bien vêtu.

L'autre, à côté, vraiment bien. Sûrement un gentleman. Les ongles propres.

À droite, à gauche, des brutes. Des vrais Républicains, ceux-là. Ils lui avaient attaché les poignets. Il est vrai, sans lui faire très mal. Pourquoi ?

À la fenêtre, un autre insurgé, le fusil à la main. Pas mal non plus de sa personne.

Tous les cinq, ils étaient plutôt de beaux hommes. Mais, excepté l'assesseur de l'interrogateur, certainement pas des gens bien élevés.

Et aucun d'eux n'avait jamais dû chanter le *God save the King*[1], les rustres.

— Qualités? demanda Mac Cormack de nouveau.

— Demoiselle des Postes.

— Vraiment? fit Caffrey qui avait son opinion.

— Quel service? demanda Mac Cormack.

— Les recommandés.

Elle les regardait maintenant sans crainte. Eux, ils la voyaient mal. Évidemment, elle avait une masse de cheveux blonds sur la tête, et coupés, ce qui faisait drôle. Elle était grande et la lueur de la bougie piquait des lueurs sur les deux proéminences de son corsage. Le visage se détendait. Il avait commencé par être presque laid. Maintenant, les lèvres non rougies, mais mordues, traçaient les deux épaisses accolades de leur sensualité. Les yeux bleus, durs. Le nez droit, sans frémir. Mac Cormack, se cognant contre les recommandés, dit méditativement :

— Ah, ah, les recommandés.

Caffrey, en lui-même, trouva que l'on devrait interroger la donzelle sur le fonctionnement de ce service. Elle lui était suspecte. Dillon et Callinan, sévères, mais justes, attendaient avant de se faire une idée sur la situation.

Mac Cormack se tourna vers Larry O'Rourke. La face intellectuelle de son lieutenant semblait couvrir d'un voile épidermique une pensée en pleine fermentation. Mac Cormack alors sollicita Caffrey.

— Elle doit expliquer pourquoi elle se trouvait là où elle se trouvait, dit Caffrey.

Gertie rougit. On n'allait tout de même pas lui rappeler éternellement la honte de cette retraite, d'autant plus qu'involontaire, cette retraite. Y pensant de nouveau, puisqu'on l'y forçait, elle tourna au cramoisi.

— On pourrait peut-être laisser ce détail de côté, dit Mac Cormack très gêné.

Il rougit très fort, virant teinte cerise. O'Rourke continuait à

---

1. Chanson populaire anglaise. Après l'avoir chantée, on se sépare. (N. d. T.)

avoir l'air de penser avec intensité. Mais les trois autres se mirent à rire, d'une façon grossière et plutôt impolie.

Gertie se mit à pleurer.

Mac Cormack tapa sur la table et cria, ce qui lui éclaircit le teint.

— Je vous l'ai assez répété, gueula-t-il, qu'il fallait être corrects. Je vous l'ai assez souvent répété, cré nom, et vous voilà tous plaisantant parce que Mademoiselle a eu des malheurs à lui faire honte !

Gertie sanglotait.

— Nous sommes des insurgés ! hurla Mac Cormack. Mais corrects tout de même. Corrects surtout avec les dames ! Finnegans wake, camarades ! Finnegans wake !

Mac Cormack se dressa.

Tous les autres se mirent au garde-à-vous et clamèrent en chœur avec décision :

— Finnegans wake !

— Quelle horreur ! murmura Gertie à travers ses belles grosses larmes de blonde.

Mac Cormack se rassit, ainsi que Larry. Les autres se détendirent.

Dillon dit à Callinan :

— C'est ton tour de guet.

— Ne trouble pas l'interrogatoire, dit Caffrey.

— Oui, dit Mac Cormack.

— Patiente un peu, dit Callinan. Ce n'est pas tellement drôle de la tenir.

— Tu pourrais être poli avec cette demoiselle, dit Larry O'Rourke.

— Comprends plus, dit Callinan.

— Vos gueules, dit Mac Cormack.

— Tout ça, dit Caffrey, n'empêche pas que ça n'explique rien. Si elle n'avait rien à se reprocher, quoi qu'elle allait foutre aux lavatories, cette gonzesse à la gomme, qui se dit demoiselle des Postes ? Hein ? Qu'est-ce qu'elle branlait dans les ouatères, cette morue d'Angliche à la mormoualeneuf ?

— Assez, dit Mac Cormack.

Il tapa, retapa, reretapa et rereretapa sur le tapis de la table, et par conséquent (indirectement) sur la table.

— Assez ! Assez ! dit-il.

Mais s'adressant à la donzelle :

— Tout de même, c'est louche.

Gertie le regarda droit dans les yeux, ce qui lui fit comme un pincement (léger) du côté de la vessie. Il s'en étonna, mais ne le dit.

— Je me mettais de la poudre, dit Gertie.

Mac Cormack n'ayant pas décollé son regard du bleu regard de cette fille ne saisit pas tout de suite le sens de cette réponse. Caffrey, plus rapide dans la compréhension de son incompréhension, demanda vivement :

— Dla koua ?

— De la poudre, rustaud, répondit Gertie encouragée par le regard de Mac Cormack qui semblait, croyait-elle, lui tendre la perche.

Mac Cormack, effectivement très troublé, sentait son regard devenir perche. Larry O'Rourke suivait une évolution analogue, mais, plus intellectuel que son chef, il ne percevait en sa physiologie que des tensions de moindre voltage. Mais le cœur y était également. L'un et l'autre d'ailleurs n'avaient encore rien compris à la similitude de leurs convergences.

— De la poudre, insista Gertie, oui, de la poudre, indigne Irlandais terroriste ! Et puis, lâchez-moi ! Lâchez-moi ! Je vous dis de me lâcher ! Déliez-moi les mains ! Déliez-moi les mains !

De nouveau les sanglots sanglotèrent.

Mac Cormack se frotta la tête.

— On pourrait peut-être, en effet, lui délier les mains, dit-il.

Il dit. Avec circonspection. Mac Cormack.

— Peut-être, dit Larry O'Rourke.

— Ouais, fit Caffrey, mais elle est capable de nous brutaliser.

— Mon tour de guet est fini depuis un quart d'heure, dit Dillon. Merde.

Les sanglots de Gertie, en entendant ce mot, retriplèrent.

— Vas-y, dit Mac Cormack à Callinan.

— On la délie ou on la délie pas ? demanda Callinan.

— Des clous ! dit Caffrey.

— Suffit, dit O'Rourke.

— Alors ?

Ils l'écoutèrent pleurer.

La nuit, sereine, enserrait la lune éblouissante de ses cuisses de suie, et le duvet de ses constellations s'agitait faiblement au souffle d'une brise classique transmise par le Gulf Stream. Les civils terrorisés par les terroristes se terraient et les militaires, braquant leurs armes, respectaient, pour des motifs stratégico-tactiques, le calme de ces heures nocturnes, qui devaient toute leur obscure clarté à la présence dispersée de quelque deux mille étoiles, sans compter les planètes et leurs satellites dont le plus considérable, relativement, est à coup sûr celui nommé plus haut.

Quand ça se tait si fort que ça, ça porte au cœur. Ou plus bas encore vers les organes copulateurs. Ô musique éthérée des sphères! Ô puissance érotique des doubles-croches cosmiques effacées par la tendance gravitationnelle et fatale du monde vers le néant!

Sur la surface polie et transparente du silence, les larmes de Gertie tombaient, une à une, cristallines et salées.

Ces bougres d'insurgés commencèrent à se rendre compte que la correction ça représentait un certain kant-à-soi, en tout cas une certaine maîtrise des réflexes primitifs.

Ils soupirèrent, tandis qu'elle sanglotait.

— On en était à la poudre, dit Mac Cormack.

— On la délie ou pas? demanda Callinan.

— Et mon tour de guet qui est fini? demanda Dillon.

— Oh merde, dit O'Rourke. Soyons sérieux.

— Oui, dit Caffrey. Interrogeons-la.

— Mademoiselle, dit Mac Cormack, vous parliez de poudre. Nous attendons vos explications.

— De la poudre! s'exclama Caffrey. Oui, de la poudre! On voudrait savoir ce que ça signifie!

Attachée par les mains, Gertie ne pouvait essuyer ses larmes, non plus qu'arrêter celles qui coulaient de l'intérieur du nez. Elle renifla.

Mac Cormack se sentit naître de la gentillesse dans le cœur.

— Prête-lui ton mouchoir, dit-il à Caffrey.

— Mon quoi? Tu veux rire.

Il éjectait toujours sa morve sans l'aide de tissu.

— Tenez, dit Callinan.

Il sortit de sa poche un grand mouchoir vert orné de harpes d'or placées aux quatre coins.

— Foutre! s'écria Caffrey. Quelle élégance!

— Un cadeau de ma fiancée, expliqua Callinan.

— Laquelle? demanda Caffrey. La serveuse du Shelbourne ou celle du Maple?

— Couillon, dit Callinan, avec celle du Maple, c'est fini depuis un mois.

— Alors, c'est Maud qui t'a offert ça?

— Oui. C'est une bonne nationaliste.

— Et puis elle est bien roulée. Veinard.

Larry O'Rourke prit la parole :

— C'est fini? demanda-t-il froidement.

Mac Cormack intervint :

— Eh bien, mouche-la, dit-il à Callinan.

Callinan prit l'air d'un embarrassé. Il grommela :

— Je vais le salir, mon cadeau. Mes belles harpes de soie, elle va y fourrer ses saletés dedans, l'Anglaise. Moi, je ne veux pas. Moi je refuse.

Il replia son foulard qu'il engloutit dans sa poche, et, devant cet acte d'indiscipline, Mac Cormack fronça les sourcils.

Très embêté.

Alors il se tourna vers Larry.

— Fais-le, toi.

— C'est de la médecine, fit Caffrey en aparté.

O'Rourke le regarda d'un air sévère. Caffrey en prit un de détaché. O'Rourke se leva, fit le tour de la table, s'approcha de la jeune fille. Il sortit un mouchoir de sa poche, un mouchoir à peu près propre, mais O'Rourke l'avait depuis au moins trois jours, car il s'en servait peu, n'ayant pas la peau halitueuse et n'étant — pour ainsi dire — jamais enrhumé. Il déplia cet accessoire de toilette et le secoua d'un coup sec pour en expulser les bribes de tabac ou les effilochures qui s'y pouvaient nicher.

Gertie Girdle contemplait ces préparatifs avec horreur.

XXIV

Gallager, sidéré par les reflets de la lune dans l'eau de la Liffey, se mit à penser à haute voix et il dit :

— J'ai faim.

— Oui, répondit Kelleher, on pourrait casser la croûte.

Gallager sursauta.

— Qu'est-ce que tu as dis ?

— J'ai dit qu'on pourrait casser la croûte. Les provisions sont dans la pièce là-bas.

— Et les morts ?

— Qu'ils restent où ils sont.

— Tu irais là-bas ?

— Tu n'as pas faim ?

Gallager s'éloigna de la meurtrière et dans la pénombre s'approcha de Kelleher. Il s'assit à côté de lui.

— Oh ces morts, ces morts...

— Laisse-les tranquilles.

— Et la petite dehors. Je ne peux pas m'empêcher de la regarder. Aucun chien n'est revenu. Je compte jusqu'à deux cents et à deux cents je me permets de jeter un coup d'œil. Elle a toujours l'air d'attendre qu'un homme vienne sur elle. Tu crois que c'était une vraie demoiselle ? Qu'elle s'est fait bousiller avant de connaître l'amour ?

— Merde, dit Kelleher. J'ai faim. Tu as vu ? Je crois qu'il y a du homard.

— Et celle du dessus ? murmura Gallager. Tu crois qu'ils sont en train de l'interroger ? On n'entend rien.

— Ils l'interrogeront peut-être demain.

— Non. Ils l'interrogent sûrement en ce moment. Écoute. Ils écoutèrent.

— On n'entend rien, soupira Gallager.

— Ça se passe en douce, dit Kelleher.

— Qu'est-ce que tu veux dire?

Il parlait à voix très basse.

— On ira l'interroger tout à l'heure, répondit Kelleher.

Il rit tout doucement.

— Qu'est-ce que tu veux dire?

— Couillon. Tiens, j'ai faim. Je te rapporte du homard?

— Quel métier! grogna Gallager. Tout ça ne serait rien sans ces morts.

— Tu veux que je « les » réveille? lui demanda Kelleher.

Gallager frissonna. Il se leva pour retourner à son poste. Un coup d'œil lui fit apercevoir la morte. La lune continuait sa course. La Liffey faisait glisser ses écailles d'argent entre les quais prétendus déserts, mais hantés par des soldats ennemis. Gallager respira bien fort, songea à l'avenir de son pays et dit à Kelleher :

— C'est ça, du homard.

XXV

L'opération terminée, O'Rourke replia soigneusement son mouchoir et le remit dans sa poche. Il retourna s'asseoir à côté de Mac Cormack. Il y eut un silence.

Dillon vint vers Callinan et lui dit :

— Tout de même, tu ne vas pas me dire que ce n'est pas ton tour, maintenant.

Callinan ne répondit pas. Il alla prendre la place de Dillon. Il regarda par la meurtrière, aperçut la Liffey qui faisait glisser ses écailles d'argent entre les quais prétendus déserts, mais hantés par des soldats ennemis, et il lui sembla entendre une voix masculine qui prononçait avec décision le mot lobster, ce qui veut dire en irlandais : homard. Il s'aperçut alors qu'il avait faim. Mais il ne dit rien.

Mac Cormack toussa.

— L'interrogatoire continue, dit-il.

Gertie avait de nouveau l'air calmé. Elle avait reconquis son courage britannique. Elle se sentit forte et sûre d'elle. D'ailleurs, elle était convaincue que, maintenant, ils n'allaient plus lui poser de nouvelles questions sur son séjour dans les lavatories, les causes de son y-venue et de son y-rester.

Elle souleva donc ses paupières et posa son regard bleu sur la physionomie de Larry O'Rourke, laquelle rosit, mais Larry O'Rourke lui-même ne broncha pas. Il se pencha vers son chef et lui parla à voix basse. Mac Cormack inclina la tête approbativement. Larry, se tournant vers la prisonnière, dit :

— Mademoiselle Girdle, que pensez-vous de la virginité de la mère de Dieu ?

Gertie les examina tous d'un coup d'œil circulaire, et, froidement, elle répondit :

— Je sais bien que vous êtes tous des papistes.

— Des quoi ? demanda Caffrey.

— Des cathos, expliqua Callinan.

— Elle nous insulte alors, dit Caffrey.

— Silence ! cria Mac Cormack.

— Mademoiselle, dit O'Rourke, voulez-vous répondre à ma question par oui ou par non.

— Je l'ai oubliée, dit Gertie.

Caffrey s'énerva. Il la secoua par le bras.

— Elle se fout de nous.

— Caffrey ! hurla Mac Cormack. Je t'ai dit d'être correct !

— On ne va tout de même pas la laisser se foutre de nous encore longtemps comme ça.

— C'est moi qui interroge en ce moment, dit O'Rourke.

Caffrey haussa les épaules.

— Qu'on me la confie une heure, murmura-t-il, et on verra si elle a toujours envie de se moquer de nous.

Gertie releva la tête pour l'examiner. Leurs regards se croisèrent. Caffrey rougit.

— Mademoiselle, dit O'Rourke.

Et Gertie tourna la tête dans sa direction.

— Je vous ai demandé si vous croyez à la virginité de la mère de Dieu.

— À la ? demanda Gertie.

— Virginité de la mère de Dieu.

— Je ne comprends pas, dit Gertie.

— C'est en effet un mystère, remarqua Dillon qui connaissait assez bien son catéchisme.

— Elle ne connaît pas la mère de Dieu ! s'exclama Callinan avec mépris.

— C'est bien une protestante, dit Caffrey d'un air indifférent.

— Non, dit Gertie, je suis agnostique.

— Quoi ? Quoi ?

Caffrey s'affolait.

— Agnostique, répéta O'Rourke.

— Eh bien, dit Caffrey, on en apprend des mots nouveaux aujourd'hui. On voit qu'on est dans le pays de James Joyce [1].

— Et ça veut dire? demanda Callinan.

— Qu'elle ne croit à rien, dit O'Rourke.

— Pas même à Dieu?

— Pas même à Dieu, dit O'Rourke.

Il y eut un silence et tous la considérèrent avec terreur et consternation.

— Ce n'est pas tout à fait exact, dit Gertie d'une voix douce, et je crois que vous simplifiez ma pensée.

— La garce, murmura Caffrey.

— Je ne nie pas la possibilité de l'existence d'un Être suprême.

— Foutre, murmura Caffrey. Nous voilà jolis.

— Faisons-la taire, dit Callinan.

— Et, continua Gertie, j'ai le plus grand respect pour notre digne roi George V.

De nouveau le silence et la consternation.

— Mais enfin, commença Mac Cormack.

Il ne continua point. Des rafales de mitrailleuses vinrent crisser contre le mur, les carreaux des fenêtres barricadées s'effondrèrent dans la rue. Au rez-de-chaussée, la mitrailleuse de Kelleher se mit à répondre du tac au tac. Quelques balles glissèrent par les meurtrières et se mirent à bourdonner dans la pièce.

Les hommes s'aplatirent et rampèrent vers leurs armes. La chaise de Gertie fut renversée et la jeune fille se mit à gigoter dans son inconfortable position. Elle découvrit ainsi des jambes minces, mais substantielles et moulées dans une matière précieuse qui était de la soie. Larry ayant saisi son flingue, revint vers elle à quatre pattes et rabattit sa jupe sur ses mollets. Puis il alla combattre. Alors Gertie comprit qu'il y en avait déjà un qui l'aimait.

---

1. Il y a là un léger anachronisme, mais Caffrey, étant analphabète, ne pouvait savoir en 1916 qu'*Ulysse* n'avait pas encore paru. (N. de l'A.)

XXVI

— Heureusement qu'on avait fini le homard! dit Gallager en repérant une ombre derrière un tas de bois.

Kelleher remit un chargeur.

Gallager tira. L'ombre vacilla.

— Ils sont cons de se remuer comme ça dans la nuit, dit Gallager. Ça va faire des morts de plus dont les âmes vont venir nous tourmenter.

Il tira de nouveau. L'ombre, vacillant mal, chut dans l'eau de l'autre côté du pont et fit plouf.

— Celui-là, dit Gallager, c'est les homards qui vont la lui manger, son âme.

Kelleher tira quelques rafales qui giclèrent, spasmodiquement. Il y eut un répit.

— Je me demande ce qu'elle devient, la petite en haut, dit Gallager rêveusement.

Mais, de nouveau, les ombres s'agitaient.

XXVII

Sept cavales allaient figurer dans cette course. Après les avoir présentées, on les attacha les unes à côté des autres. Elles étaient noires et leurs croupes superbes et luisantes. Mais elles ne cessaient de ruer et de se battre entre elles. Celle qui se trouvait le plus à gauche finit par étrangler sa voisine avec ses pattes de devant. Sur l'encolure de celle-ci, on découvrit l'empreinte d'une main de gorille. C'est qu'on avait conduit la future criminelle au Jardin Zoologique.

On sait qu'à Dublin le Jardin Zoologique se trouve à trois quarts de mile environ de l'entrée de Phoenix Park et à un demi-mile environ du tramway qui suit la route circulaire nord. Dans le voisinage se trouvent le Parc du Peuple, la caserne de la gendarmerie, et la caserne Malborough. Ce n'est pas un jardin zoologique très important, mais cependant il mérite une visite, car on l'a fort bien aménagé. Le clou, si l'on peut dire, en est la maison des lions qui renferme huit cages. Quant à des gorilles, il n'y en avait point à cette époque. Ce n'est pas cette invraisemblance qui fit s'éveiller le commodore Sidney Cartwright, mais des coups frappés avec insistance à la porte de sa cabine.

Il s'agita et dit d'entrer. Ce que fit un marin qui se mit au garde-à-vous et tendit un message. Cartwright le déchiffra. Il apprit ainsi l'insurrection de Dublin.

Le *Furious* devait remonter la Liffey et bombarder, éventuellement, divers points indiqués, et, notamment, le bureau de poste qui fait le coin d'Eden Quay.

Cartwright se leva, et commença d'agir comme le bon officier de la marine britannique qu'il était. Ce qui ne l'empêchait pas de s'inquiéter du sort de sa fiancée, Gertie Girdle. Le télégramme n'en parlait point, bien sûr. Il était officiel, général et synoptique, et, par conséquent, n'avait pas à se soucier des particuliers.

Sur sa dunette, quelques instants plus tard, Cartwright avait le cœur gros, la gorge serrée, l'estomac creux, la salive rare et l'œil fixe.

XXVIII

La bagarre avait cessé comme elle avait commencé, sans raison apparente. Les Britanniques ne semblaient avoir fait aucun progrès. Ils avaient sûrement perdu plusieurs hommes. Dans le bureau de poste d'Eden Quay, personne n'avait été touché. Au premier étage, après plusieurs minutes de silence, les cinq hommes se regardèrent. Mac Cormack se décida enfin à dire que ça avait l'air d'être fini, et Larry O'Rourke l'approuva.

— On recommence l'interrogatoire ? demanda Caffrey.

La jeune fille gisait toujours à terre, attachée à sa chaise et se tenait tranquille.

Dillon se dirigea vers elle pour la ramasser, mais O'Rourke le prévint. Prenant Gertie sous les bras, il remit le tout sur ses six pieds. Il laissa un instant ses mains sous les aisselles, chaudes et un peu humides. Il les retira lentement et se les passa, mine de rien, sous le nez. Il pâlit légèrement. Caffrey le surveillait, imperturbable.

O'Rourke alla s'asseoir à côté de Mac Cormack. Celui-ci s'était laissé tomber à sa place : il avait sommeil. Il se frotta les yeux.

— Continuons, dit-il. Caffrey, n'est-ce pas ton tour de monter la garde ?

— Oui, dit Caffrey. J'y vais. Cet interrogatoire m'emmerde. Ce n'est pas ce que j'imaginais.

Il alla se placer à la meurtrière et son œil ne quitta plus cette fente d'architecture militaire. Mac Cormack se tourna vers Larry.

— Alors, tu continues tes questions ?

— On le sait qu'elle ne l'est pas, catholique, dit Callinan.

— Elle ne croit à rien, ajouta Dillon.

— On ne va quand même pas perdre tout son temps à la tourmenter, cette fille, dit Callinan. Chef, on pourrait songer à roupiller. Demain, la journée sera dure. Ce n'est pas de la rigolade, notre insurrection.

Il y eut un drôle de silence. O'Rourke leva la tête et dit à Callinan :

— Bien, Callinan. Tu as raison. Tu as compris. J'ai encore une ou deux questions à poser à Mademoiselle.

— En effet on n'est pas quand même à cinq minutes près, dit Callinan.

Caffrey, dans son coin, haussa les épaules. Il tira une plume d'un coussin protecteur et se mit à se curer les dents, l'œil toujours fixé sur O'Connell Bridge, d'ailleurs désert.

— Eh bien, vas-y, dit Mac Cormack.

O'Rourke se recueillit et dit :

— Mademoiselle, vous avez, tout à l'heure, fait une profession de foi agressive ou, tout au moins, teintée d'athéisme. Cependant, vous semblez avoir rejeté toute accusation de scepticisme, si j'ai bien compris le sens profond des phrases que vous proférâtes, interrompue que vous fûtes par quelques réflexions de mes compagnons d'armes.

Caffrey ne bougea. Larry poursuivit :

— Oui, vous ne semblez pas tout rejeter de ce Dieu qui est le nôtre. Mademoiselle, que réservez-vous ? La royauté ?

Gertie, sans lever les yeux, demanda :

— Qui êtes-vous, pour m'interroger ainsi ?

— Nous sommes des combattants, l'Armée Républicaine Irlandaise, répondit O'Rourke, et nous luttons pour la liberté de notre pays.

— Vous êtes des rebelles, dit Gertie.

— Certainement. C'est très exactement ce que nous sommes.

— Rebelles à la couronne d'Angleterre, continua Gertie.

D'énervement, Caffrey laissa tomber son fusil par terre. Gertie sursauta.

— Vous n'avez pas le droit d'être des rebelles, déclara-t-elle.

— Elle va fort, dit Callinan. Enfermons-la à côté et reposons-nous pour quand ça deviendra très sérieux.

Mac Cormack bâilla.

— Une minute encore, insista Larry. C'est très intéressant pour nous de connaître nos adversaires.

— Comme si on ne les connaissait pas depuis des siècles, répliqua Dillon qui commençait à somnoler.

— Elle croit au Roi et elle ne croit pas à Dieu ! s'exclama Larry. N'est-ce pas étrange et passionnant ?

— C'est curieux, en effet, dit Mac Cormack d'un air détaché. Mais, ajouta-t-il négligemment en s'adressant à Gertie, vous le trouvez si bien que ça, votre Roi ?

— Il a l'air d'une andouille, dit Callinan.

— Montre-lui son portrait, dit Mac Cormack. Elle ne peut pas le voir.

Callinan grimpa sur une chaise et détacha la photographie du Roi qui se trouvait au mur, face au bureau. Une balle, au passage, avait zébré le verre et grignoté un coin du cadre. L'objet commençait à manquer de dignité. Callinan l'appuya contre un classeur et disposa la bougie de façon à l'éclairer convenablement.

Gertie regarda le portrait.

— On ne peut pas dire qu'il ait l'air fin, commenta Larry O'Rourke. Rien dans son visage ne respire l'intelligence ni l'énergie. Et ce médiocre est le symbole de l'oppression de centaines de millions d'êtres humains par quelques dizaines de millions de Britanniques, mais les opprimés ne restent plus en extase devant cette face insipide, et vous voyez, ici et maintenant, Mademoiselle, les premiers résultats de ce jugement critique.

— Ça, c'est jeté, approuva Callinan.

— Je n'ai rien d'autre à dire que : Dieu sauve notre Roi !

— Mais vous ne croyez pas en Dieu. Par qui sera-t-il sauvé ?

— Dieu sauve notre Roi ! répéta Gertie.

— Quelle buse ! s'exclama Callinan.

— Elle va finir par se prendre pour une Jeanne d'Arc, remarqua Dillon.

— Mais, hurla Mac Cormack (il hurlait pour sortir du sommeil qui lui grimpait de toute part), mais puisqu'on vous dit que votre Roi est un con ! La preuve, c'est qu'il n'arrive pas à vaincre les Allemands, que les zeppelins bombardent Londres, que des milliers de soldats anglais se font tuer en Artois pour permettre aux Français d'établir en Europe leur domination, ce qui n'est pas malin !

— Il faut l'avouer, accorda Gertie.

— Vous voyez ! Et tout le monde sait, en Irlande, qu'il se livre au vice solitaire et que ça l'abrutit tellement qu'il est incapable de comprendre le moindre rapport. Parfaitement.

— Vous croyez? dit Gertie.

— Parfaitement. Pauvre sire, pauvre hère, voilà ce qu'il est, votre Roi. En un mot, et je le répète : un con.

— Mais, s'écria Gertie, si le roi d'Angleterre était un con, tout serait permis !

XXIX

— Est-ce qu'on a le droit de dormir? demanda soudain Kelleher.

— Je n'en ai pas envie, dit Gallager.

— Quelle heure est-il? La lune va se coucher.

— Trois heures.

— Tu crois qu'ils vont encore attaquer cette nuit?

— Sais pas.

— Je dormirais bien un peu.

— Dors si tu veux. Je veillerai.

— C'est permis?

— Repose-toi, mon vieux, si t'en as envie. Moi pas.

— Tu n'as pas sommeil?

— Non. Pas avec tous ces morts.

— N'y pense pas.

— Facile à dire.

— C'est calme, là-haut, remarqua Kelleher.

— Tu crois qu'ils dorment?

— Sais pas. Tu as vu sa tête à la petite, lorsqu'ils l'ont sortie des lavatories?

— Non. Je ne vois qu'une tête, celle de la gosse qui est par terre, dans la rue, sous la nuit.

— N'y pense pas.

— Facile à dire.

Là-dessus, Gallager sursauta.

— Non, Kelleher, je t'en prie, dors pas. Ne me laisse pas seul. Ne me laisse pas seul avec tous ces morts.

— Bon, je ne dormirai pas.

— La petite dehors, je me coucherai bien à côté d'elle, remarque ; j'ai pas dit sur elle, niais c'est les deux Engliches à côté qui me tourmentent. Ils doivent pas nous aimer. Et puis surtout, les laisser là en plan, ça doit les vexer. C'est des ennemis, mais à quoi bon les humilier ?

— Tu me casses les pieds.

Kelleher se leva.

— Tiens, je vais m'envoyer un coup de ouisqui.

— Tu m'en passeras.

Ils lampèrent, puis asséchèrent la bouteille.

— Et demain, dit Kelleher, il y en aura d'autres.

— D'autres quoi ?

— Morts.

— Oui. Peut-être nous.

— Peut-être. Je dormirais bien.

— J'ai peur, dit Gallager. Les morts sont si près de moi.

Il soupira.

Kelleher prit la bouteille de ouisqui et la jeta contre le mur. Elle s'y brisa discrètement.

— J'ai une idée, dit Kelleher.

Gallager rota dans une intention interrogative.

— Dis-la, ton idée, qu'il dit Gallager.

— Eh bien, dit Kelleher, les cadavres, il faut les liquider.

— Et comment ? hoqueta Gallager.

— En les jetant dans l'élément liquide. T'as vu le type que t'as descendu, il est tombé dans la flotte immédiatement, il ne te gêne plus. Alors, je te propose une chose : on les prend tous dans la brouette, ou un par un s'ils n'y tiennent pas tous, et on va les balancer dans la Liffey. Et demain, quand les Britanniques s'amèneront ils nous trouveront tout ce qu'il y a de plus reposés et l'esprit libre, aussi libre que le sera notre Irlande lorsque nous aurons vaincu.

Gallager, dès la syllabe « vain », s'écria : « Oui, oui. C'est cela ! » et il se mit à s'agiter d'une façon désordonnée.

— C'était mon idée ! C'était mon idée !

— Ce sera dangereux, remarqua Kelleher.

— Oui, dit Gallager en s'immobilisant. Les autres on pourrait courir jusqu'au quai, mais c'est la petite, là sur le trottoir, pour la ramasser.

— Oui, dit Kelleher, ça sera coton.

— Et Mac Cormack, dit Gallager, qu'est-ce qu'il va dire de ça ?

— Prenons ça sous notre bonnet. Ce sera un acte d'initiative.

— Ouais. Tant pis. Et puis je ne peux plus vivre comme ça jusqu'à ma mort.

— Tu m'aides à mettre les deux fonctionnaires sur la brouette, puis tu commences à pousser la môme. Quand tu es juste à côté de la flotte, je fonce et on les balance dans l'eau en même temps. De façon à ne faire qu'un seul floc. Ensuite, on revient en courant et ça y est.

— C'est gentil de me confier la petite. J'aime la chair fraîche, plaisanta Gallager que rendait un peu gai la possibilité très prochaine de se débarrasser de trois fantômes d'un coup.

— Au travail, alors, s'écria Kelleher.

Ils abandonnèrent faction et mitrailleuse et se dirigèrent avec assez de précision, malgré l'obscurité, vers la petite pièce où l'on avait remisé les deux fonctionnaires. Kelleher se dévoua pour ouvrir la porte, ce qu'il fit sans bruit ; les deux bonshommes attendaient paisiblement. Ils commencèrent par Sir Théodore Durand et le mirent sur la brouette. Puis, ils allèrent chercher l'huissier. Ils s'aperçurent alors qu'il était difficile de coller les deux corps sur le même moyen de locomotion ; après y avoir réfléchi quelque temps, ils décidèrent de les placer tête-bêche.

Puis ils débloquèrent la porte d'entrée. Kelleher l'entrouvrit et Gallager se glissa à plat ventre vers la rue. Il se laissa couler le long des marches, et, après quelques mouvements de reptation, il se trouva très exactement nez à nez avec la morte. Il la voyait mal. Il lui sembla qu'elle avait les yeux mi-clos et la bouche mi-ouverte, il détourna son regard dans la direction du zénith. Beaucoup d'étoiles brillaient, la lune disparaissait derrière le toit de la brasserie Guinness. Les Britanniques ne se montraient pas. La Liffey faisait entendre un léger clapotis en frôlant les quais. Les choses étaient ainsi, obscures et calmes.

Gallager, après ce tour d'horizon, regarda de nouveau la petite trépassée. Il reconstruisait son visage avec ses souvenirs de tout à l'heure. Il crut la reconnaître. C'était bien elle. L'ayant identifiée, il allongea les bras et commença à la pousser. Il fut surpris de rencontrer une certaine résistance. Une main était posée contre une cuisse, l'autre contre un bras. L'une et l'autre étaient fraîs. Gallager insista et le corps bascula. La main de la cuisse se trouva sur une fesse, celle du bras contre une omoplate. Gallager se traîna de quelques centimètres et donna une nouvelle poussée. D'une fesse, la main passa sur l'autre fesse, de l'omoplate sur une autre omoplate. Et ainsi de suite.

Gallager peinait, il ne faisait guère attention à ce que palpaient ses poignes, ni terreur ni désir. Ce qui l'agaçait, c'était les bottines qui faisaient du bruit, parfois, avec leurs hauts talons.

Il était tout en sueur lorsqu'il arriva au bord du quai. Il n'avait plus qu'à donner une poussée pour que le corps chût dans la Liffey. Il sentait la fraîcheur de l'eau. Le clapotis, proche, paraissait cristallin, petites clochettes de cet enfleuvement nocturne. Ce à quoi songeait le plus Gallager, c'était aux Britanniques qui devenaient pour lui des ennemis d'autant plus mortels qu'il se sentait distingué parmi tous les autres insurgés. Il ne pensait plus du tout à la tactique prévue, aussi son cœur se mit-il à flancher lorsqu'il entendit un effroyable et bombastique bruit.

Kelleher, en élaborant son plan, avait négligé les marches du perron. Se précipitant avec la brouette, il n'avait pu équilibrer la descente, le contenu avait basculé avec un son flasque, et Kelleher s'était écroulé en faisant un magnifique valdingue, accompagné d'une dégringolade sonore du véhicule.

Gallager, la sueur lui était rentrée dans les pores de la peau. Pâle et blême, dans l'obscurité, comme ça il devait montrer un teint gris. Il eut une contraction des muscles et ses doigts s'enfoncèrent tétaniquement dans la chair de la défunte demoiselle des Postes. À ce moment-là, il lui tenait à droite une épaule, à gauche un flanc. Il se mit à penser à des tas de choses et ça tourbillonnait sous ses paupières fermées. Des coups de feu commencèrent à claquer. Gallager se colla contre son fardeau et le serra frénétiquement dans ses bras en bafouillant :

— Maman, maman...

Les balles sifflaient, assez rares cependant. On voyait que c'était des endormis qui tiraient, à réaction lente.

— Maman, maman..., continuait à bégayer Gallager.

Il n'entendit même pas le roulement de la brouette sur les pavés. L'héroïque Kelleher avait collé de nouveau les deux fonctionnaires sur la bérouette et fonçait, sous le feu de l'ennemi.

Dès qu'il fut à portée de voix basse, il se mit à gueuler sotto voce :

— Jette-la donc, eh con !

Gallager, saisi, cessa ses transports spasmodiques et d'une

seule poussée précipita la jeune fille dans la flotte où elle chut en même temps que les deux autres cadavres et la brouette elle-même. Il y eut un quadruple plongeon, et Kelleher, faisant aussitôt demi-tour, galopa vers leur blockhaus. Gallager, sans raisonner, se leva et fit de même.

Il y eut encore quelques coups de feu tirés, mais ils passèrent à côté des deux croque-morts amateurs.

Lesquels enjambèrent l'escalier en deux bonds et se précipitèrent dans l'entrée béante et sombre. Kelleher sauta sur sa Maxim pour lâcher quelques rafales, au jugé. Gallager, en bouclant la lourde, aperçut la brouette qui, surnageant, voguait au fil de la Liffey.

XXX

Dès le début de l'engagement, Callinan s'était demandé ce qu'il devait faire. Il somnolait, un fusil entre les jambes, accroupi devant la porte du petit bureau où ils avaient décidé d'enfermer leur prisonnière, solution, d'ailleurs, qui ne fut adoptée qu'après une confuse discussion : Callinan ne voyait pas très bien pour lui la nécessité de rester devant cette porte, il lui semblait de son devoir de se battre et non de faire le geôlier. Il était très curieux de savoir ce qui se passait. Il se leva et, après avoir hésité quelques instants, il tourna le bouton et poussa lentement la porte. Les lumières de la nuit éclairaient faiblement la pièce. Callinan déchiffra un bureau, un fauteuil, une chaise. Une balle perdue fit sauter en éclats la vitre de la fenêtre. Il s'aplatit, instinctivement, puis, relevant la tête avec précaution, il découvrit l'Anglaise qui, collée contre le mur à côté de la fenêtre, regardait avec une intense attention ce qui se passait dehors.

La bagarre se calmant, Callinan se redressa. Il demanda à voix basse :

— Vous n'êtes pas blessée ?

Elle ne répondit pas. Elle ne sursauta même pas. Alors on entendit le quadruple plongeon.

— Qu'est-ce qu'arrive ? demanda Callinan sans bouger.

Sans cesser de regarder avec une intense attention ce qui se passait dehors, elle lui fit signe d'approcher. À ce moment, la fusillade reprit de plus belle, Callinan, tout en approchant précautionneusement le long du mur, entendit la course de deux hommes, la lourde du rez-de-chaussée qui se refermait, les rafales de la mitrailleuse de Kelleher. Il se trouvait maintenant tout à côté de Gertie. Elle lui prit une main, à tâtons, et la serra très fort. Par-dessus son épaule, il regarda. Il aperçut les quais avec leurs tas de bois, le pont O'Connell, la Liffey enfin, qui coulait lentement, emportant vers son embouchure une brouette hésitante.

— Qu'est-ce qu'arrive? demanda-t-il, de nouveau, à voix très basse.

Elle continuait de lui serrer la main. De l'autre, il tenait toujours son fusil. La bagarre continuait, les coups de feu claquaient. Callinan eut l'intention de se servir de son arme.

— Lâchez-moi, murmura-t-il à l'oreille de Gertie.

Cette fois-ci, elle se tourna vers lui.

— Qu'est-ce qu'ils lui ont fait? demanda-t-elle.

— À qui?

— À l'autre.

Ils chuchotaient.

— Quelle autre?

— Celle qui traînait sur le pavé.

— Ah! Celle qui s'est fait descendre par les Anglais? Une des vôtres.

— Ils l'ont jetée dans la Liffey.

— Ah, c'est ça.

— Et il y en avait un couché dessus, avant, un des vôtres.

— Qu'est-ce qu'il faisait? couché dessus?

— Je ne sais pas. Il s'agitait.

— Alors?

— Je ne sais pas. Et un autre, un autre des vôtres courait en poussant une brouette.

— Alors?

— Ils ont jeté des tas de cadavres dans la Liffey.

— Possible. Alors?

— Tous ces plongeons. Je les ai vus. Je les ai entendus. Est-ce que vous n'avez pas occis Sir Théodore Durand?

— Le directeur?

— Oui.

— Je crois.

— Ils l'ont jeté dans la Liffey, lui aussi, avec un autre, et avec celle sur le ventre de laquelle votre collègue s'était agité.

— Et après?

— Après?

Elle le regarda. Elle avait les yeux drôlement bleus. Elle ajouta :

— Je ne sais plus.

Et puis elle lui mit la main sur la brayette [1].

— Regardez là-bas, la brouette des morts qui s'en va voguant vers la mer d'Irlande au fil de la Liffey.

Il regarda. Effectivement, il y avait une brouette qui flottait sur la rivière. Il poussa un faible gémissement pour signifier qu'il l'avait vue. La main posée sur sa brayette y demeurait, immobile et pressante, une main non tellement petite, plutôt charnue, et dont la tiédeur commençait à traverser l'étoffe du vêtement. Callinan n'osait bouger, mais tout son corps ne suivait pas les injonctions de sa volonté, quelque partie se rebellait.

— Eh bien oui, dit-il, elle flotte la brouette.

Gertie parcourut de la main le timon de la charrette humaine qui s'effarait à côté d'elle.

— Pourquoi ne m'avez-vous pas tuée ? demanda-t-elle. Pour me jeter à l'eau après m'avoir roulée sur le pavé, comme l'autre ?

— Je ne sais pas, bégaya Callinan, je ne sais pas.

— Vous allez me tuer, n'est-ce pas ? Vous allez me tuer ? Vous allez me jeter dans la rivière, comme ma collègue, comme Sir Théodore Durand qui m'aimait si respectueusement ?

Un frisson lui parcourut l'échine, et elle pressa nerveusement, mais vigoureusement, ce qu'elle tenait en main.

— Vous me faites mal, murmura Callinan.

Il se dégagea et fit un, puis deux pas en arrière, mais pas trois. La silhouette de Gertie se profilait dans le ciel de la fenêtre. Gertie ne bougeait plus, la tête tournée vers la Liffey. Une petite brise nocturne faisait mousser ses cheveux. Il y avait des étoiles autour.

— Ne restez pas à la fenêtre, dit Callinan. Les Britanniques vont vous tirer dessus, vous faites là une belle cible.

Elle se tourna vers lui, sa silhouette disparut. Ils étaient maintenant tous les deux dans l'obscurité.

— Alors, dit-elle, vous avez l'intention d'établir une république dans ce pays ?

— Nous vous avons expliqué cela tout à l'heure.

— Vous n'avez pas peur ?

— Je suis un soldat.

— Vous n'avez pas peur de la défaite ?

Il sentait qu'elle regardait très exactement dans sa direction.

1. Pièce du costume masculin fort commune en Irlande. (N. d. T.)

Ils n'étaient d'ailleurs qu'à deux pas l'un de l'autre. Callinan se mit à reculer lentement et très silencieusement. Il parla un peu plus fort pour qu'elle ne se rende pas compte du changement de distance.

— Non, répondit-il, non, non et encore non.

Il gonflait le volume de sa voix à chaque pas en arrière qu'il faisait. Il se trouva le dos contre le mur latéral.

— Vous serez vaincus, répliqua Gertie. Vous serez écrasés. Vous serez... vous serez...

Callinan, après avoir hissé son fusil le long de son corps, l'épaulait. Il y eut une petite lueur au bout de son canon.

— Qu'est-ce que vous faites? demanda Gertie.

Il ne répondit pas. Il essayait de s'imaginer ce qui allait se produire, et il n'y parvenait pas, et la petite lueur vacillait indécise.

— Vous allez me tuer, dit Gertie. Vous avez pris cette décision tout seul.

— Oui, murmura Callinan.

Il abaissa lentement son arme. Mac Cormack avait tort de la conserver en vie, cette folle, mais lui, Callinan, n'avait pas le droit de l'abattre. Il appuya son fusil dans l'angle du mur. Il avait les deux mains libres. Gertie s'avança vers lui les bras tendus en palpant l'obscurité. Elle était assez grande. Elle prit contact à la hauteur des aisselles. Callinan, son veston était déboutonné, il ne portait pas de gilet. Gertie commença à lui pétrir les côtes, descendant tout doucement jusqu'à la taille. Alors, les bras de Callinan se refermèrent sur l'Anglaise. Elle se colla contre lui et l'enlaça sous son veston, caressant ses omoplates musclées. Puis elle suivit l'osseux et noueux trajet de la colonne vertébrale, et, de son autre main, elle commença à déboutonner la chemise. Elle sentit la chair moite de l'Irlandais et sous ses doigts frémirent les muscles pectoraux. Elle frotta son visage contre son épaule qui sentait la poudre, la sueur et le tabac. Ses cheveux chatouillaient le visage du rebelle. Quelques-uns, blonds et souples, lui flottèrent jusque dans les narines. Il eut envie d'éternuer. Il éternua.

— Tu es aussi con que le roi d'Angleterre, murmura Gertie.

Callinan le pensait aussi, car il n'avait pas une haute idée du monarque britannique, et d'autre part, il estimait prodigieusement coupable et sot de tenir dans ses bras une Angliche cause de tous les malheurs de sa nation et trouble-émeute en diable. Sans elle, tout serait si simple dans ce petit bureau de poste. On tirerait sur les Britanniques, pif paf, et on aurait sa route toute tracée vers la gloire et vers la bière Guinness ou vers, inversement, une mort héroïque, tandis qu'il avait fallu que cette gourde, cette pochetée, cette punaise, cette souris, cette tourte, cette andouille aille s'enfermer dans les vécés au moment tragique et capital, et leur reste sur les bras, c'était le cas de le dire, à eux insurgés, comme une charge morale, insupportable et peut-être spéculatrice[1].

Évidemment, il y avait bien en lui des frémissements, des soubresauts, des surgescences qui lui rappelaient qu'il n'était qu'un pauvre pécheur, un homme de chair, mais il pensait toujours à son devoir et à la correction recommandée par John Mac Cormack.

Cependant, Gertie avait découvert le nombril de l'Irlandais. Les statues, ainsi que la rumeur publique, l'avaient incitée à penser que cette partie du corps humain était identique chez l'homme et chez la femme. Elle n'en était cependant point très sûre, amoureuse qu'elle était de son propre ombilic, se plaisant à y introduire le petit doigt pour en frotter le fond, occupation qu'elle trouvait particulièrement agréable et féminine. En admettant que les hommes l'eussent identiquement pareil, elle pensait, vaguement d'ailleurs, qu'il était douteux qu'il fût si profond et si doux.

Elle fut charmée par celui de Callinan qu'elle trouva aussi agréable à chatouiller que le sien. Quant à Callinan qui était célibataire, il connaissait peu les blandices préliminaires à l'acte radical, n'ayant jamais chassé que des dondons ou des maritornes récoltées sur des tas de foin ou des tables de taverne encore grasses de tout. Il supporta donc mal cette caresse et se mit à prévoir à cette suite de gestes une tout autre conclusion qu'un honnête refus. Mais où se passerait cette conclusion, c'est ce qu'il était en train de se demander maintenant qu'il se trouvait à toute extrémité. Il eut encore un avant-dernier scrupule : le niveau social de son Iphigénie, puis un dernier : la virginité de la môme. Mais en songeant que cette pucellinité n'était peut-être que probable, il abandonna toute réflexion et se consacra sans arrière-pensée à l'activité sexuelle déclenchée par les provocations de la jeune employée du Post Office.

---

1. Latinisme (de speculatrix, espionne). Intraduisible en français, langue un peu pauvre comme chacun sait. (N. d. T.)

XXXI

— Pare à virer ! Chasse à tribord ! Hissez les hublots ! Patinez la dunette ! Récoltez le cacatois !

Ayant donné ses dernières instructions, Cartwright descendit au carré des officiers où il trouva Teddy Mountcatten et son second en train de lamper mélancoliquement du ouisqui. Bien qu'il réprouvât fortement la rébellion des Républicains à prétention celtique, il eût infiniment préféré se bagarrer en haute mer avec des Allemands que de bombarder quelques bâtiments civils dublinois, lesquels, après tout, faisaient partie de l'Empire britannique.

— Hello ! fit Cartwright.

— Hello ! fit Mountcatten.

Cartwright se servit un grand verre de ouisqui. Il y déversa une toute petite quantité de soda. Il regarda quelques instants la transparence du verre, suivant d'un œil vague les bulles de gaz carbonique qui...

Il eut des doutes sur la nature chimique de ces bulles. Il interrogea Mountcatten.

— Gaz carbonique ?

Et, de l'œil, indiquait les sphères légères qui se hissaient du fond du gobelet à la surface du liquide.

— *Yes*, répondit Mountcatten qui avait été à Oxford avant d'entrer dans la Navy royale.

Après une demi-heure de silence, Mountcatten reprit :

— C'est pas du boulot.

Trois quarts d'heure plus tard, Cartwright demanda :

— Quoi ?

Après un certain temps de réflexion, Mountcatten compléta sa pensée :

— Des salauds, bien sûr, ces Républicains irlandais ! Tout de même, moi, c'est des Huns que je voudrais bombarder.

Mountcatten avait une certaine tendance au bavardage, mais encore plus de self-contrôle ; il stoppa là ses discours, et alluma sa pipe d'un air discipliné, c'est-à-dire sans manifester la moindre émotion.

Cartwright, ayant vidé la timbale de ouisqui, se mit à penser à sa douce fiancée Gertie Girdle, demoiselle des Postes à Dublin, Eden Quay.

Callinan, lui aussi, s'était mis à penser à sa fiancée. Les yeux papillotant, il crut voir un instant voltiger à quelques centimètres de ses paupières le menu minois de Maud, la petite serveuse du Shelbourne. Si tout allait bien, c'est-à-dire si la République indépendante et nationale était instaurée à Dublin, il l'épouserait à l'automne. C'était une vraie Irlandaise, la petite Maud, et brave et gentille.

Mais toutes ces pensées n'empêchèrent pas Callinan de commettre un abominable forfait. D'ailleurs, elles arrivaient trop tard, ces pensées, cet idéal de fiançailles fidèles. Trop tard. Trop tard. La vierge britannique, étalée sur une table, jambes pendantes et jupes troussées, pleurnichait sur son pucelage perdu, ce qui étonnait Callinan, car, somme toute, il trouvait qu'elle l'avait bien cherché. Peut-être, après tout, pleurnichait-elle parce qu'il lui avait fait mal ; pourtant, il avait pris soin de faire ça le moins méchamment possible. Son mauvais coup accompli, il resta immobile quelques secondes. Ses mains continuaient à explorer le corps de cette fille, et lui il trouvait curieux qu'elle fût si peu habillée sous sa robe ; certains détails, même, le surprirent étrangement. Par exemple, elle ne portait pas de pantalon, pas de dessous à froufrous et dentelles au point d'Irlande. C'était bien la seule jeune fille bien élevée de Dublin qui méprisât ainsi les déshabillés à étages et complications. Peut-être, se dit Callinan, était-ce une mode nouvelle, venue de Londres ou de Paris.

Cela le troubla immodérément. Les reins se mirent à lui cuire. Il s'agita trois ou quatre fois, et, brusquement, ce fut terminé.

Il se retira tout gêné. Il se gratta le bout du nez. Il sortit son grand mouchoir vert avec les harpes irlandaises aux quatre coins et s'essuya. Il pensa que ce serait gentil de rendre le même service à Gertie. Gertie avait cessé de pleurnicher et ne bougeait pas. Elle eut un léger frisson quand il la tamponna, bien délicatement. Il remit le mouchoir dans sa poche et se reboutonna. Puis il alla chercher son flingue qu'il avait posé dans un coin et sortit sur la pointe des pieds.

Gertie avait cessé de pleurnicher et ne bougeait pas. Ses cuisses luisaient, laiteuses, aux rayons grisâtres du jour levant.

— Il y a deux salauds parmi nous, dit Mac Cormack.

Callinan regarda autour de lui :

— Deux salauds ? demanda-t-il. Deux ?

— Tu as une drôle de tête, lui dit O'Rourke.

— Et la petite ?

— Je l'ai mise sous clé, répondit Callinan.

Il s'assit, le flingot entre les jambes, étendit machinalement le bras, saisit une bouteille de ouisqui et s'en jeta une grosse rasade suivie d'une autre à peine plus mince.

— Quels deux salauds ? demanda-t-il de nouveau.

Il regarda autour de lui.

Le jour se levait. Comme la nuit avait été courte. Et toujours ce silence, ce calme britannique. Qu'est-ce qu'ils avaient donc, les Anglais, à pourrir cette rébellion avec leurs manigances sournoises et muettes ?

Très haut dans les poumons, en plein dans la bavette, Callinan sentait une grande angoisse lui molester la respiration.

Il regarda autour de lui, aperçut Gallager et Caffrey qui somnolaient à côté d'un petit château de bouteilles de bière vides et de boîtes de conserves décortiquées.

— Ces deux-là ? murmura-t-il.

— Non, répondit Mac Cormack.

— Pourquoi ne montes-tu plus la garde devant la porte de l'Anglaise ? demanda O'Rourke.

— J'ai fermé à clé que j'ai dit, répondit Callinan agacé. Alors, quels deux salauds ? reprit-il. Quels deux salauds ?

— Je croyais que tu avais reçu un ordre, dit O'Rourke. Celui de surveiller cette demoiselle.

Callinan faillit corriger : « Demoiselle, elle ne l'est plus. » Mais il s'abstint.

— Ça suffit peut-être qu'elle soit enfermée à clé, dit Mac Cormack.

— Et si elle fait des signaux par la fenêtre, objecta O'Rourke.

Caffrey grogna.

— Il n'y a qu'à la réenfermer où elle était d'abord.

— Bon, dit Callinan, j'y retourne.

— Un homme de moins, dit Mac Cormack. On va avoir besoin de tout le monde.

— Qu'elle reste avec nous, dit Gallager. On la surveillera tous.

— C'est une idée, dit Mac Cormack.

Callinan réfléchit très vite (ça ne s'appelle même plus réfléchir, quand on pense si vite que ça) et, sans laisser à O'Rourke le temps de donner son avis, il se précipita pour aller chercher Gertie. Sur le pas de la porte, cependant, il s'arrêta pour demander :

— Quels deux salauds ?

Mais il n'attendit pas la réponse.

XXXIV

Il n'était pas sûr que l'un des deux ne fût pas lui. Mais l'autre, qui c'était, alors ? Qui c'était et qu'est-ce qu'il avait bien pu faire, l'autre ? Quant à lui, Callinan, non, bien sûr, les autres ne pouvaient pas savoir. L'un d'eux avait peut-être écouté à la porte. Si oui, alors, Mac Cormack aurait gueulé plus fort. Parce que, ce qu'il avait fait, lui, Callinan, pour un manque de correction, c'était vraiment un manque de correction. Tout de même, ça n'était pas entièrement sa faute, à lui, Callinan.

Arrivé devant la porte, il sortit la clé de sa poche, mais sa main se mit à trembler et la clé dansotta autour de la serrure. La gorge sèche, il s'impatientait. Il appuya son flingue contre le mur, et, de la main gauche, identifiant le trou, il réussit à y introduire le passe et tourna. Il poussa la porte qui, lentement, s'ouvrit. Il oublia son fusil.

Le soleil était maintenant levé, mais encore caché par les toits. Le petit jour grisonnait, brumeux. Des nuages filaient. Les maisons rougeoyaient doucement de la mansarde du côté de Trinity College. Gertie, repliant ses jambes, était couchée sur la table où Callinan l'avait laissée et semblait dormir. Elle avait un peu rabattu sa jupe et l'on ne voyait guère plus haut que le mi-mollet. Ses cheveux coupés courts traînaient en désordre moitié sur son visage et moitié sur du papier buvard.

Callinan s'approcha sans bruit, mais sans essayer d'être totalement silencieux. La fille ne bougeait pas. Elle respirait lentement, régulièrement. Callinan s'arrêta, se pencha sur son visage. Elle avait les yeux grands ouverts.

— Gertie, murmura-t-il.

Elle le regarda. Il ne savait pas interpréter son regard. Elle ne bougeait pas.

— Gertie, murmura-t-il de nouveau.

Elle le regardait. Il ne savait pas interpréter son regard. Elle ne bougeait pas. Il avança ses deux larges mains vers elle et la saisit à la taille. Puis, il remonta lentement vers les seins. C'était bien ce qu'il pensait : elle ne portait pas de corset. Cette particularité, jointe au fait que, d'autre part, ses cheveux, elle les avait courts, troubla de nouveau très fort Callinan. Sous les aisselles, il sentit les attaches du soutien-gorge ; ce détail sous-vestimentaire acheva de le confondre. Toutes ces nouveautés féminines lui parurent à la fois merveilleuses et louches. C'était donc la dernière mode, mais comment cette simple demoiselle des Postes dublinoises était-elle si bien au courant en pleine guerre ? Tout cela devait avoir son origine à Londres, peut-être à Paris.

— À quoi peux-tu bien penser ? murmura tout à coup Gertie.

Elle lui souriait gentiment, un peu moqueuse. Callinan, déconcerté, lâcha prise et voulut se redresser, mais Gertie le rattrapa, le saisissant aux hanches avec les genoux, puis, croisant les jambes, elle l'attira vers elle.

— Prends-moi, murmura-t-elle.

Elle ajouta :

— Longtemps.

XXXV

— Alors, dit Kelleher, Mac Cormack faisait la gueule ? Comme si c'était le moment de penser à des choses comme ça.

Dillon, rêveusement, se curait les ongles et Kelleher caressait sa Maxim. Un rayon de soleil levant commençait à en faire briller le métal.

— C'est toujours calme, remarqua Kelleher. Je me demande si la bagarre se déclenchera jamais.

Dillon haussa les épaules :

— On est foutus.

Il ajouta :

— Ils nous laissent mariner et tout à l'heure ils nous liquideront.

Il conclut :

— On est foutus.

Reprenant un autre thème, il déclara :

— Mac Cormack exagère.

— À quel propos ? demanda Kelleher.

— De nous deux.

— Il nous soupçonne de quelque chose.

— Comme si ça le regardait. Il devrait s'occuper de cette donzelle et nous fiche la paix. Mais voilà, il n'ose pas, alors, il essaie de penser à autre chose.

— Gallager trépignait d'impatience.

Dillon haussa les épaules.

— L'imbécile. Ils ne lui feront rien à cette fille, ils sont chevaleresques tous, sauf peut-être ton Gallager. Mais les autres l'en empêcheraient. Ça les tourmente bien sûr, mais ils ne voudraient jamais. Elle sortira pure d'entre leurs mains.

— Avec nous deux, elle serait encore plus tranquille.

Dillon haussa de nouveau les épaules.

— Vivement qu'on se bagarre, soupira-t-il, bien qu'au fond je n'aime pas beaucoup ça. Il faut vraiment que j'aime mon Irlande pour me livrer à une activité pareille. Oui, vivement qu'on se bagarre.

Il se leva et serra son compagnon contre lui. Kelleher se détourna un instant de la contemplation de sa mitrailleuse pour lui sourire.

XXXVI

Le radio apporta un message au commodore Cartwright. Le *Furious* devait s arrêter devant Rings End. L'attaque britannique commencerait à sept heures. À dix heures, un nouveau message indiquerait au *Furious* les points stratégiques encore occupés par les rebelles, qu'il devrait bombarder.

— S'il en reste, remarqua Mountcatten à qui Cartwright communiquait cet ordre.

— Tout sera bientôt fini. Nous réserverons nos coups pour les sous-marins huns.

— C'est ce que je souhaite, dit Mountcatten.

— Qu'est-ce qu'il fout, grommela Mac Cormack, il ne revient pas.

— Probable qu'il la grimpe, dit Caffrey maintenant tout à fait réveillé.

— Tu veux dire qu'il la saute, commenta Gallager.

Se tapant sur la cuisse, il déclencha son grand rire.

— Vos gueules, dit O'Rourke. Dégueulasses.

— Oh! oh! fit Caffrey, jaloux?

— Callinan ne ferait pas cela, dit Mac Cormack. D'ailleurs, on n'entend rien. Elle gueulerait s'il avait de mauvaises intentions.

— Elle veut peut-être bien, dit Caffrey. Imagine-toi qu'elle l'ait demandé!

Il s'adressait à Gallager. Ils rirent tous deux.

O'Rourke se leva.

— Dégueulasses. Dégueulasses. Fermez vos grandes gueules pleines d'obscénités.

— Comme si les carabins ne s'y connaissaient pas en obscénités. Pudibond. Tu as trop prié saint Joseph cette nuit.

— Assez! se mit à hurler tout d'un coup Mac Cormack. Nous ne sommes pas ici pour nous disputer. Souvenez-vous que nous sommes ici pour nous battre pour l'indépendance de notre pays, et sans doute pour mourir.

— Et pendant ce temps-là, fit remarquer Caffrey, Callinan est bel et bien en train de s'envoyer la petite Anglaise. Écoutez.

Ils firent silence et ils entendirent une série de petits miaulements qui, peu à peu, se transformèrent en longues plaintes entrecoupées de silences irrégulièrement espacés.

— C'est pourtant vrai, murmura Gallager.

O'Rourke devint pâle, du pâle qui tire au vert. Mac Cormack intervint :

— C'est un chat, voyons.

Et O'Rourke, qui voulait se faire des illusions, reprit :

— Bien sûr que c'est un chat.

Et Gallager, avec un sourire idiot, répéta :

— Mais oui. Un chat. Un chat.

Caffrey ricana :

— Peut-être bien que la gonzesse lui tire la queue. Pauvre bête. Je vais aller voir.

Il sortit de la pièce. Il y eut une série de lamentations accélérées et stridentes, puis un silence et un vertige. À ce moment, Caffrey arrivait devant la porte. Le fusil de Callinan montait tout seul la garde. Caffrey entra. C'était fini. Callinan reboutonnait son pantalon en tremblant et Gertie s'était jetée debout. Son visage était rayonnant de satisfaction. Elle regarda Caffrey avec insolence. Caffrey la trouva belle.

Et il ne sut que dire.

Au bout de quelques secondes, et son revestiment terminé, Callinan lui demanda, sans aucune aménité :

— Alors ?

Caffrey répondit :

— Alors ?

Gertie les regarda tous deux d'un œil vif.

Callinan reprit avec le même à-propos :

— Alors ?

Et Caffrey ne sut que lui répondre :

— Alors ?

Callinan, avec moins d'assurance, dit :

— Tu n'as rien vu, hein.

— Mais on a entendu.

— Je suis déshonoré, murmura Callinan accablé.

— Ils croient que c'est un chat. Tu diras que c'était un chat.

— Tu le diras aussi ?

Caffrey examina Gertie très attentivement. Elle haletait encore un peu.

— Naturellement que c'était un chat.

Callinan sortit de sa poche son beau mouchoir vert aux harpes d'or et s'essuya le visage.

— Tiens, dit Caffrey, tu as saigné du nez.

XXXVIII

— Les voilà, dit Gallager.

O'Rourke ne se retourna pas. Gertie venait d'entrer, encadrée par Callinan et Caffrey.

— C'était bien un chat, dit Caffrey.

— Nom de Dieu! confirma Gallager. Les voilà! Les voilà!

Mac Cormack se précipita vers une des meurtrières.

— Mademoiselle, dit O'Rourke rasséréné, on a dû vous expliquer que votre présence ici était suspecte.

— Ils cavalent sur le pont, s'exclama Gallager.

— Les vaches, confirma Mac Cormack, ils sont en nombre.

— Nous avons décidé que vous resteriez constamment sous notre surveillance collective, continua O'Rourke.

— On leur tire dessus? demanda Gallager.

Des mitrailleuses que les Britanniques avaient dû amener dans les tas de bois se mirent à pérorer. Des rafales crissèrent en pluie sur la façade. Au rez-de-chaussée, Kelleher se mit à répliquer. Caffrey et Callinan se précipitèrent aux fenêtres pour se mettre à tirailler avec Mac Cormack et Gallager.

— Planquez-vous derrière le bureau, ordonna O'Rourke, et ne bougez plus.

Gertie obéit.

O'Rourke alla fermer la porte et mit la clé dans sa poche. Puis il se joignit aux combattants.

Les Britanniques semblaient décidés à liquider l'affaire. Ils grouillaient de toute part. Ils paraissaient maintenant tenir O'Connell Street. Les rebelles d'Eden Quay aperçurent une file de prisonniers, mains en l'air, que les autres menaient vers Metal Bridge.

— Ça va mal, dit Caffrey.

— Ce sont les camarades du Bureau Central, remarqua Mac Cormack. Je reconnais Teddy Lanark et Shan Dromgour.

— Téléphone, suggéra O'Rourke.

Mac Cormack, abandonnant son poste, se dirigea vers le bureau de Sir Théodore Durand, décédé. Il aperçut Gertie, tapie derrière, les yeux fermés. Prenant bien soin de ne pas lui marcher dessus, il s'assit, se mit à moudre l'appel et décrocha. Après avoir écouté, il dit, entre deux coups de feu des autres, et ça commençait à sentir la poudre :

— Ça ne répond pas.

Ses compagnons continuaient à descendre des Britanniques. Peut-être même n'entendirent-ils pas cette remarque incidente de leur chef.

Ils ne remarquèrent pas non plus qu'aussitôt après il sursautait. Eux, ils visaient soigneusement et descendaient leur homme. Les Britanniques commençaient à râler. La circulation sur le pont, aussi bien que le long des quais, continuait à leur être interdite à moins de pertes montant à plus de quarante-cinq pour cent de leurs effectifs (ce qui militairement pouvait encore passer pour brillant, mais tout juste). Ils insistaient encore, cependant, avec le courage de la force.

— Qui êtes-vous ? dit une voix au bout du fil.

Mac Cormack baissa les yeux. Sa bouche devint sèche.

— *By Jove !* reprit la voix. Répondez !

Un petit courant électrique commença son chemin le long de son échine, circulant le long de la moelle épinière avec une fréquence accrue.

Mac Cormack, légèrement bégayant, affirma :

— Ici Mac Cormack.

— Encore un sacré foutu salaud de rebelle, je parie, répliqua la voix.

Mac Cormack ne savait plus où donner de la tête. La (pour lui) surprenante activité de Gertie conjointe à cette injure lui coupait la parole aussi bien que les jambes.

— Dites donc, répéta-t-il, dites donc.

— Vous ne vous êtes pas encore rendu, espèce de Hun papiste ?

Mac Cormack se mit à soupirer.

— Non, mais, qu'est-ce qui vous prend ?

— Fi... fifi... fifinnegans wake, balbutiait Mac Cormack.

— De quoi ? De quoi ? Qu'est-ce que vous déconnez ?

Mais Mac Cormack n'était plus en état de répondre. Pour étouffer ses gémissements, il mordait à pleines dents le microphone.

— Vous en faites un drôle de bruit, remarqua la voix au bout du fil.

On ajouta même, avec sollicitude :

— Ne seriez-vous pas blessé, par hasard ?

Mac Cormack ne répondit pas. L'ébonite crissa.

— Oh là ! gueula la voix. Qu'est-ce qui vous arrive ?

Mac Cormack laissa tomber le récepteur sur la table et échapper un long râle. Il entendait distinctement la voix lointaine qui, grésillant et nasillant, articulait :

— On attend votre reddition, votre reddition immédiate.

Et à la cantonade :

— Tiens, il ne répond plus. Il est peut-être mort.

Les yeux mi-clos, il voyait O'Rourke, Gallager, Caffrey et Callinan qui tiraillaient avec application. Ils ne s'occupaient absolument pas de lui. Ça sentait de plus en plus la poudre.

Il baissa les yeux et vit Gertie qui, ayant terminé son œuvre, s'était de nouveau clapie derrière le bureau. Elle passait le revers de sa main sur sa bouche.

Il raccrocha le récepteur, et, les genoux tremblants, se leva. Il dit :

— Ce sont bien les camarades du Bureau Central qu'on a vus passer tout à l'heure.

— Nous, on ne se rend pas, déclara O'Rourke.

— Bien sûr, approuva Mac Cormack.

En zigzaguant légèrement, il alla reprendre son flingue, et, du premier coup, descendit un Britannique qui avait la prétention de vouloir traverser O'Connell Bridge.

XXXIX

— On est foutus, murmura Dillon.

Kelleher ne répondit pas. Il caressait doucement sa mitrailleuse qui tiédissait lentement après la dernière alerte.

De nouveau, les Britanniques se recueillaient pour préparer la liquidation définitive. On n'entendait plus que des coups de feu lointains et sporadiques.

— Quel effet ça te fait? demanda Dillon.

Kelleher répondit :

— Aucun.

Il tapota sa mitrailleuse.

— Bonne petite bête.

Il ajouta :

— Si c'est pas pour cette fois-ci, ça sera pour une autre.

— Oh! s'écria Dillon. Pour ce qui est de notre patrie, je ne crains rien pour elle. Elle est éternelle, notre Eire. Tout comme l'ère chrétienne. Mais c'est à nous que je pense.

— Oui, entre nous, tout sera bientôt fini.

— Et quel effet ça te fait?

— Fallait bien que ça arrive un jour ou l'autre.

Dillon réfléchit :

— Peut-être qu'on s'en tirera…

— Non, dit Kelleher.

— Non? Tu crois : non?

— Oui, je crois : non.

— Pourquoi?

— On se fera tuer jusqu'au dernier.

— Tu es de cet avis?

— On ne se rendra pas.

Dillon fit craquer ses doigts :

— Tu es bien courageux, Corny.

Kelleher se leva et fit quelques pas, méditativement.

— Je me demande ce qui s'est passé là-haut.

— Là-haut? Ils se sont battus comme nous.

— Je voulais parler : à propos de la petite.

— Ça, je m'en fous.

Puis il leva la tête :

— C'est ça qui t'inquiète?

Kelleher ne répondit pas.

— La petite garce. Elle nous emmerde ici. Elle va nous faire avoir des histoires. Toutes les femmes, c'est comme ça. Tu sais comme je les connais, moi. Toi, tu es trop jeune. Moi ça fait vingt ans que je les connais dans mon métier. Tiens. Après toi, ça sera mon métier que je regretterai le plus. Les costumes, j'aimais ça. Les robes, quand ça changeait. La mode quoi, et puis les matériaux, la soie, la dentelle, la guipure au point d'Irlande...

Il se leva et prit Kelleher par l'épaule et le serra contre lui.

— Moi, je te regretterai, tu sais.

Il ajouta :

— C'est vrai que tu y penses à cette souris, là-haut?

Kelleher se dégagea sans brusquerie de l'étreinte de Dillon, mais avec décision. Et en silence. Et alors, ils entendirent la voix cordiale de Gallager :

— Eh bien, chochottes, on se fait des scènes de jalousie?

— Moi, je ne comprends pas ces mœurs-là, ajouta Callinan.

— On ne vous demande pas votre avis, répliqua Dillon.

— Bah! fit Gallager. Au point où on en est. Faut être compréhensif.

— On est venus chercher une caisse de munitions et quelques caisses de ouisqui. Il en reste? demanda Callinan.

— Oui, répondit Kelleher.

— Et le moral, demanda Callinan, ça boume?

— On est foutus, non?

C'est Dillon qui dit ça.

— On se fera tuer jusqu'au dernier, déclara Gallager avec une joyeuse légèreté qui fit mal au cœur du couturier.

— Ça ne va pas, Mat? lui demanda Callinan. Tu ne vas pas te dégonfler, tout de même.

— Pas question. Pas question.

Gallager et Callinan se regardèrent en haussant les épaules. Ils se dirigèrent vers la cambuse.

— On a eu une fameuse idée, dit Gallager, quand on a foutu les clamées à la flotte. Depuis, je me sens drôlement léger : l'esprit tout à fait en repos.

— Du neuf ! s'exclama Kelleher qui n'avait cessé de coller l'œil à une meurtrière.

Les autres la bouclèrent aussitôt, jetés dans un grand cristal de silence.

— Les voilà ! continua Kelleher. Avec un drapeau blanc. Un officier marche derrière…

— Ils auraient donc l'intention de se rendre, les Britanniques ? demanda Gallager.

Mountcatten trouva Cartwright penché sur ses télégrammes.

— Tout marche à merveille, dit le commodore. J'ai l'impression que l'insurrection est matée. Tous les points occupés par les rebelles ont été repris. Tous ou presque tous. Je suis en train de faire un pointage. J'ai l'impression que c'est : tous. Les Four Courts, la gare d'Amiens Street, l'Hôtel des Postes, la gare de Westland Row, l'hôtel Gresham, le collège des Chirurgiens, la brasserie Guinness, la gare d'Harcourt Street, le Shelbourne Hôtel, tout cela est repris. Que reste-t-il encore? La Maison du Marin? reprise d'après le télégramme 303-B-71. Les bains de Townsend Street? (Quelle idée.) Repris d'après le télégramme 727-G-43. Et cætera. Et cætera. Le général Maxwell a fait du beau travail et liquidé la situation avec énergie, rapidité, décision et tout juste ce peu de lenteur qui caractérise notre armée.

— Alors, nous n'aurons pas à tirer sur les Irlandais? J'aime mieux ça. Ce serait gâcher de beaux obus qui ne rêvent que d'assaisonner les Huns.

— Je connais votre opinion à ce sujet.

Le radio entra, apportant un nouveau télégramme.

— Un instant. Je termine mon pointage.

Il le termina.

— Il ne reste plus que le bureau de poste d'Eden Quay, dit Cartwright.

Il prit le télégramme et le lut : « Et ceci est l'ordre d'embosser devant O'Connell Street. »

— On va donc gâcher des obus, dit Mountcatten.

Le commodore Cartwright avait l'air soudain un peu sombre.

XLI

Mac Cormack et O'Rourke rentrèrent dans le bureau de poste. Callinan, Gallager, Dillon et Kelleher les attendaient. Ils rebarricadèrent la porte.

— Alors? demanda Dillon.

— Naturellement, ils demandent notre reddition. Ils disent que nous sommes les derniers. L'insurrection est écrasée.

— Des mensonges, dit Gallager.

— Non, je crois que c'est exact.

— Je pensais que l'on ne se rendrait jamais, dit Kelleher.

— Qui parle de se rendre? dit Mac Cormack.

— Pas moi, dit Kelleher.

— Et quelles sont les conditions? demanda Dillon.

— Aucune.

— Alors? Ils nous fusilleront?

— S'ils veulent.

— Pour qui nous prennent-ils? dit Gallager.

Ils réfléchirent quelques instants à cette question, ce qui fit du silence.

— Et l'Anglaise, dit tout à coup Kelleher. Si on s'en débarrassait, de toute façon.

— En tout cas, remarqua Larry O'Rourke, si on se fait tuer sur place, on ne peut l'entraîner dans une semblable aventure.

— Et pourquoi pas? demanda Kelleher.

— Elle nous emmerde, dit Gallager. Rendons-la leur.

— Ce serait plutôt mon avis, dit Mac Cormack.

— Vous êtes le chef, dit Mat Dillon. Alors, on la fout dehors et ils l'emmènent.

— Il y aurait une objection, fit O'Rourke.

— Laquelle?

— Non, rien.

Les autres le regardèrent.

— Explique-toi.

Il hésita.

— Eh bien, il ne faut pas qu'elle puisse dire quoi que ce soit sur nous.

— Quels renseignements peut-elle donner? Elle ne doit même pas savoir combien nous sommes.

— Mat, ce n'est pas cela que je voulais dire.

— Explique-toi.

Il rougit.

— C'était une jeune fille. Il ne faudrait pas qu'il y ait quoi que ce soit de changé en elle…

— Qu'est-ce que tu racontes? demanda Gallager. Comprends pas.

— C'est clair pourtant, intervint Dillon. Si vous lui avez tous passé dessus, ça la fichera mal pour la cause. Ça va ameuter tous les Britanniques et ils vont supprimer tous nos camarades tombés entre leurs mains.

— Moi, j'ai été correct, dit Gallager.

— Et moi donc, dit Corny Kelleher.

— Et moi donc, dit Chris Callinan.

— Alors, foutons-la à la porte et crevons en héros, déclara Dillon. Je vais la chercher.

Il s'élança et grimpa l'escalier en courant.

— Tu ne dis rien, Mac Cormack, remarqua Kelleher.

— Laissons-la partir, répondit Mac Cormack d'un air vague et distrait.

— Et Caffrey! s'exclama Callinan tout à coup. Il est seul avec elle là-haut.

O'Rourke devint tout pâle.

— Ah oui… Caffrey… Caffrey…

Tout juste s'il ne bégayait pas, l'étudiant en médecine. Ses mains tremblaient.

Kelleher lui tapa dans le dos :

— Elle est gironde, hein! la petite, là-haut.

Pratiquant une respiration raisonnée qui lui avait été enseignée par le grand poète Yeats, O'Rourke essayait de réduire son émotion à zéro. Il récitait également trois *Ave Maria*, à titre auxiliateur.

— Une drôle d'aventure qui arrive à cette fille, continua Kelleher. Supposons que nous n'ayons pas été des types bien, des héros propres et décents, cette fille, tu t'imagines qu'est-ce qu'elle n'aurait pas vu. Voir, c'est une façon de parler.

Avec deux *Ave Maria* supplémentaires et un *Je vous salue, Joseph*, O'Rourke réussit à répondre :

— Il y a des gens qui n'ont pas le droit de parler des femmes.

— Je ne charcute pas leurs cadavres, dit Kelleher.

— Ne parlons pas de ces horreurs, s'écria Gallager.

— Vos gueules, dit Mac Cormack.

De nouveau, ils se plongèrent dans le silence.

— Les Britanniques doivent s'impatienter, suggéra Callinan d'une voix douce.

On ne lui répondit pas.

— John Mac Cormack, dit Kelleher, un peu plus tard (aucun mot entre-temps ne s'était prononcé), John Mac Cormack, tu ne sembles pas bien à ton aise. Je sais que tu n'as pas les jetons, alors quoi ?

Larry O'Rourke regarda Mac Cormack :

— C'est vrai, tu as un drôle d'air.

Il était content que Kelleher lui foute la paix.

— Oui, dit Mac Cormack. Et puis après ?

O'Rourke le regarda avec angoisse. Il savait bien, et tout aussi bien que Kelleher, que Mac Cormack n'avait pas les jetons. Qu'est-ce qui pouvait lui tordre la gueule d'une aussi drôle de façon ? Ce qui lui rictussait le faciès à lui-même : la petite d'en haut. Il quitta John des yeux pour examiner Callinan. Mais Chris avait un regard pur et bleu. L'angoisse de Larry reprit : il devait sûrement avoir un plus drôle d'air encore que Mac Cormack. Kelleher les persécutait, cette tante. Et puis, qu'est-ce qui se passait ? Et qu'est-ce qui s'était passé ? Larry scruta encore une fois la physionomie de Callinan : elle ne voulait rien dire. Puis, il revint à Kelleher et il s'aperçut que Kelleher se désintéressait tout à coup de tout cela. Alors, Mac Cormack regarda sa montre et dit :

— On n'a plus que deux minutes pour donner notre réponse.

— Pour expulser l'Anglaise, dit Gallager.

Dillon apparut en haut de l'escalier :

— Elle n'est plus là. Elle a dû se barrer.

XLII

Les plénipotentiaires britanniques s'éloignèrent et disparurent derrière les tas de bois de Norvège. Les rebelles se rebarricadèrent. Il devait être environ midi.

— On pourrait peut-être casser la croûte, dit Gallager.

Dillon et Callinan allèrent chercher une caisse de conserves et des biscuits. Ils s'installèrent et commencèrent à mâcher en silence, comme des gens qui deviennent des héros et qui ne concèdent encore à la banalité de l'existence que ses banalités les plus extrêmes, telles que boire et manger, uriner et déféquer, mais non les jeux ambigus du langage. Si Mac Cormack avait commencé à parler, il aurait dit : « Qu'est-ce que vous avez à me regarder comme ça, vous ne pouvez pas savoir, vous ne pouvez pas comprendre ce qui s'est passé » ; si O'Rourke : « Vierge Marie, qu'est-ce qu'elle a bien pu devenir, c'est idiot, mais j'en devenais amoureux » ; si Gallager : « Le corned-beef est moins bon une heure avant la mort que huit jours avant. Faut bien se sustenter pour mourir » ; si Kelleher : « C'est bien la première femme qui m'ait intéressé. Barrée, tant mieux. On fera plus facilement de vrais héros » ; si Callinan : « Ce sont de bons camarades. Ils font semblant de ne pas savoir ce qui m'est arrivé », mais ce fut Dillon qui parla et il dit :

— Ils vont nous écrabouiller comme des rats.

— Comme des héros, répliqua Kelleher. On les embête drôlement, les Britanniques, même à titre de rats.

— Les bons camarades font les bons héros, dit Callinan.

— Et le bon corned-beef aussi, ajouta Gallager en se tapant sur la cuisse.

— Je me demande par où elle a pu filer, murmura O'Rourke.

— C'est un mystère, conclut gravement Mac Cormack.

Une bouteille de ouisqui circula.

— Et Caffrey, dit Gallager, on le laisse tomber?

— Va lui porter à boire et à manger, ordonna solennellement Mac Cormack.

— Dis-lui de descendre plutôt, intervint O'Rourke. En attendant la lutte finale, il pourrait peut-être nous expliquer comment il a laissé échapper l'Anglaise.

— Qu'est-ce qu'il peut foutre là-haut, dit Callinan distraitement.

Dillon, pour la sixième fois, reprit son récit :

— Il faisait le guet à la fenêtre de droite du bureau, il ne s'est pas retourné. Il m'a dit : « L'Anglaise? Sais pas. » J'ai cherché dans les autres pièces. Je n'ai rien vu.

— C'est tout? ajouta Kelleher.

— Elle est peut-être retournée aux lavatories, suggéra Gallager.

— Dire qu'on n'y avait pas pensé, s'exclama Mac Cormack.

Ils se levèrent tous d'un même mouvement (à l'exception de Callinan qui faisait le guet) et s'immobilisèrent.

— Pas tous, dit Mac Cormack à Gallager.

— Bien, chef.

Mais quelques pas plus loin, il s'arrêta.

— Ça m'intimide. Comment je vais faire?

— Tu vas essayer d'ouvrir discrètement, lui conseilla Mac Cormack. Tu ne vas pas frapper, ça ne serait pas correct.

— Rappelle-toi qu'on a enfoncé la porte, dit O'Rourke. On a fichu le verrou en l'air.

— Alors? demanda Gallager, indécis.

— J'y vais moi, déclara Dillon. Une femme ne me fait pas peur, aux lavatories ou ailleurs. Toi, va porter son lunch à Caffrey. Il doit s'embêter là-haut tout seul.

— On remonte tout de suite, dit Mac Cormack.

— Je vais attendre qu'il soit revenu, décida Gallager.

Comme il se mettait à beaucoup réfléchir, il fit une autre découverte :

— Elle s'est peut-être tirée par le jardin de l'Académie.

— Plaisanterie, répondit O'Rourke. Impossible.

— Et les Britanniques, demanda Kelleher, ils ne pourraient pas s'amener par là?

— Impossible, répéta O'Rourke.

— Pourquoi ça ? demanda de nouveau Kelleher.

— Parce qu'ils sont trop lents. Ils ne découvriront ça que dans huit jours.

— Et dans huit jours, ce sera fini.

La bouteille de ouisqui circula de nouveau.

Dillon réapparut. Il dit :

— Décidément, je n'ai pas de veine. Elle n'est pas aux gogs.

Gallager se décida alors à porter à Caffrey son lunch : ouisqui, biscuits secs et corned-beef.

XLIII

Lorsque le *Furious* passa devant la gare de marchandises des Southern and Western Railways, Mouncatten dit à son second :

— Jolie ville, Dublin : des docks, une usine à gaz, des trains de marchandises, l'eau polluée d'une petite rivière.

— Ce que nous n'aurons pas à démolir.

— Je ne suppose pas que le bureau de poste d'Eden Quay soit un chef-d'œuvre d'architecture.

— Il est étrange que la fiancée de Cartwright ait été employée précisément là.

— Cela semble le chagriner.

— Il attribue sans doute une valeur sentimentale à cet édifice.

— On ne lui demande pas de bombarder sa belle.

— Non, mais il le ferait : pour le Roi.

Ayant invoqué ce personnage, ils se mirent pendant quelques instants au garde-à-vous. Ils passaient maintenant devant la gare de North Wall, et des troupes sur le quai, ainsi que des civils, voyageurs en panne, les regardaient passer.

XLIV

Gallager poussa la porte du pied. Caffrey détourna la tête et lui dit :

— Pose tes trucs sur la table et fous-moi la paix.

— Bien, Cissy, répondit Gallager en balbutiant.

Il posa les trucs sur la table, mais sans pouvoir s'empêcher de regarder Caffrey qui ne s'occupait déjà plus de lui, absorbé par son occupation présente. Celle-ci concernait une fille étendue sous lui sur la table, jambes pendantes et cheveux défaits, la jupe relevée au-delà de la taille. Les yeux de Gallager abandonnèrent l'examen du visage et de l'activité de son compatriote pour se porter sur l'objet féminin qui gisait sous lui et très spécialement sur les cuisses longues et blanches où fulgurait le tracé d'une jarretelle. Il ne pouvait s'agir que de la demoiselle des Postes qui réapparaissait ainsi, brusquement et horizontalement.

— Eh bien, gueula Caffrey, tu n'es pas encore barré ?

Il n'avait pas l'air content du tout. Gallager sursauta. Il bégaya : « Si, si, je m'en vais » et s'éloigna, glissant à reculons, les yeux toujours collés à la peau laiteuse et lisse de la jeune Britannique. La petite qui s'était fait descendre la veille et dont le cadavre devait flotter maintenant du côté de Sandymount, Gallager songea tout à coup qu'elles avaient de bien jolies jambes, toutes ces filles du bureau d'Eden Quay. Et cette jarretelle dont l'ombre élastique et mince ne semblait faite que pour rendre cette chair plus lumineuse et plus douce.

Avant de refermer la porte, Gallager essaya d'absorber cette beauté d'un dernier regard, et closit les paupières pour ne pas laisser fuir l'image. Il demanda timidement :

— Est-ce que je ne pourrais pas lui monter quelque chose à manger, à elle aussi ?

Caffrey jura.

Gallager ferma la porte.

Sur l'écran de son cinématographe intérieur, il voyait toujours, phosphorescentes et charnelles, les formes pures de l'Anglaise, et ses vestimentaires suppléments : les bas tendus, les jarretelles, la robe haut relevée. Encore une fois, il évoqua celle qui avait péri sur le trottoir et il se mit à marmonner des prières pour vaincre la tentation. Il n'allait pas encore succomber à son penchant pour les satisfactions purement personnelles. Il était venu ici pour rendre l'Irlande libre et non pour ébranler l'équilibre de sa moelle épinière. Après avoir récité une vingtaine d'*Ave Maria* et tout autant de *Je vous salue, Joseph*, il se sentit les reins plus mous. Il put alors descendre l'escalier.

— Tu fais une drôle de théière, remarqua cependant Dillon.

— Vos gueules ! se mit à gueuler le guetteur à voix basse.

Callinan trépignait d'excitation.

— Ça y est ! La voila ! La voilà ! la Royal Navy !

XLV

Le *Furious* s'embossa quelques yards en aval d'O'Connell Bridge. Sur l'ordre du commodore Cartwright, les canons furent prêts à canonner. Mais il avait toujours quelque répugnance à s'en servir, non qu'il se refusât à écrabouiller des rebelles papistes et républicains, mais ce bureau de poste, parfaitement laid, graisseux et sordide en son architecture fonctionnaire et presque dorique, ce bureau de poste évoquait pour lui l'attachante personnalité de sa fiancée, Miss Gertie Girdle, avec laquelle il devait de plus (et désirait) se marier dans un délai très proche afin de consommer avec elle l'acte quelque peu redoutable pour un garçon chaste, l'acte étrange dont les péripéties occultes amènent une jeune gonzesse de l'état virginal à l'état prégnant.

Cartwright hésitait donc. Ses matelots attendaient ses ordres. Soudain, une demi-douzaine d'entre eux s'étalèrent sur le pont et deux autres basculèrent par-dessus le bastingage pour piquer une tête sanglante dans la Liffey. Ils ne s'étaient pas méfiés. Kelleher en avait eu marre, de voir ces silhouettes si sûres d'elles. Sa mitrailleuse fonctionnait très bien.

XLVI

Le premier obus alla se planter dans le gazon du jardin de l'Académie. Puis, il éclata, éclaboussant d'herbe et d'humus les statues d'après l'antique, statues de plâtre ornées de gigantesques feuilles de vigne en zinc.

Le second suivit le même chemin. Quelques feuilles tombèrent.

Le troisième aboutit dans Lower Abbey Street, sur un groupe de soldats britanniques qu'il détruisit.

Le quatrième emporta la tête de Caffrey.

XLVII

Le corps continua quelques secondes encore son mouvement rythmique, tout comme le mâle de la mante religieuse dont la partie supérieure a été à moitié dévorée par la femelle et qui persévère dans la copulation.

Depuis le premier coup de canon, Gertie fermait les yeux. Les ouvrant sans autre raison peut-être qu'une certaine curiosité pour ce qui se passait en dehors d'elle, curiosité consécutive sans doute à un apaisement momentané de ses désirs, elle aperçut, comme elle avait la tête penchée, celle de Caffrey qui gisait, sectionnée, près d'un fauteuil de rotin. Puisqu'il se passait encore des choses, elle ne comprit pas tout de suite. Mais l'espèce de mannequin décervelé qui la surmontait toujours finit par perdre son élan, cessa de s'agiter, s'affala. Le sang jaillit par jets épais. Alors, Gertie, hurlant, se dégagea et ce qui restait de Caffrey tomba sans grâce sur le parquet, comme une poupée de son abîmée par une tyrannie d'enfant. Gertie, maintenant debout, examina la situation avec quelque horreur. Elle pensa très rapidement : « En voilà un de moins. » Assez, tout de même, impressionnée par le Caffrey mort, démantibulé par l'obus, elle recula vers la fenêtre, les idées plutôt en désordre, tremblante, toute couverte de sang et humide d'un hommage posthume.

Elle était vraiment émue. Au rez-de-chaussée, les rebelles tiraillaient obstinément. Un cinquième obus alla éclater dans le jardin de l'Académie. Gertie, se détournant un peu du spectacle cireux que lui offrait le corps fragmenté, aperçut un navire de guerre britannique fumant d'ailleurs plus de sa cheminée que de ses canons. Elle reconnut le *Furious* et sourit vaguement : personne n'était là pour lui demander l'explication de son sourire. Un sixième obus, percutant le toit de la maison voisine, le saccagea. Des gravats, des débris de briques fusèrent de tous côtés. Gertie prit un peu peur. Elle s'éloigna de la fenêtre, enjamba le cadavre, sortit de la pièce, se trouva sur le palier. En bas, dans la pénombre, les rebelles, fixés aux meurtrières, assaisonnaient drôlement les matelots du *Furious*.

XLVIII

Il n'était pas absolument sûr que ce fût elle ; c'était même improbable. Parmi eux pouvait très bien se trouver quelque amazone fanatique et républicaine, mais alors, était-il de bon ton d'écraser une femme sous des bombes ? Le commodore Cartwright se frisa méditativement la moustache, d'autant plus que Mountcatten venait de lui annoncer que six marins avaient déjà été tués et vingt-cinq blessés ; quant aux résultats positifs de démolition, ils étaient minces. Cartwright ordonna donc de cesser le feu et envoya un radiotélégramme pour informer le général Maxwell de la présence d'une femme parmi les rebelles d'Eden Quay, demandant de nouvelles instructions.

XLIX

— Entracte, annonça Kelleher.

— Ils se sont calmés, dit Mac Cormack.

— Je ne sais pas ce qui leur prend, dit Mat Dillon.

— Ça nous fait un peu de répit, dit Callinan. On va se réconforter un peu.

Kelleher s'affaire aussitôt autour de sa mitrailleuse.

— Et Caffrey? demanda O'Rourke.

— J'ai l'impression qu'il y a eu du grabuge au premier, dit Mat Dillon.

— Vierge Marie, Vierge Marie, murmura Gallager, en se prenant la tête dans les mains.

— Qu'est-ce que tu as?

Gallager, tremblant comme un chien de chasse, se mit à pousser de petits gémissements. Kelleher, abandonnant sa Maxim, lui donna des tapes dans le dos.

— Alors, vieux, lui demanda-t-il avec sollicitude, tu te décomposes?

— Parle-nous de Caffrey, fit Mac Cormack.

— Je vous répète qu'il y a eu des dégâts en haut, déclara Dillon. Je vais aller voir.

Il y fut. En mettant le pied sur la première marche de l'escalier, il leva la tête et aperçut Gertie qui les regardait et qui les écoutait. Elle se tenait très droite, les yeux fixes, la robe froissée couverte de sang. Mat Dillon eut très peur. Il proféra d'une voix pâteuse : « Elle n'était pas partie », et les autres, se tournant, la virent. Gallager cessa de pleurer.

Elle se mit en mouvement et descendit l'escalier.

Dillon retourna lentement vers le groupe de ses camarades. Elle s'approcha d'eux. Elle s'assit.

Elle leur dit avec beaucoup de douceur :

— Je mangerais bien un peu de homard.

L

Elle mangea devant eux en silence. Lorsqu'elle eut fini la boîte de conserve, elle la tendit à Gallager qui se mit à la tripoter rêveusement, la boîte de conserve vide. O'Rourke lui offrit alors un gobelet de ouisqui qu'elle but.

— Vous vous étiez cachée ? demanda Mac Cormack.

— C'est un interrogatoire ? répliqua Gertie.

Elle rendit à O'Ròurke son gobelet.

— Il est mort, dit-elle. Sa tête est là (elle fit un geste de la main) et son corps est là (elle indiqua un point plus éloigné). C'est horrible, ajouta-t-elle poliment. Et l'obus a aussi emporté un pan de mur. Je voudrais bien encore un verre de ouisqui.

O'Rourke lui en tendit un autre plein gobelet qu'elle but.

— Vous vous étiez cachée ? demanda de nouveau Mac Cormack.

— Mais Caffrey le savait, s'inquiéta Dillon. Est-ce qu'il m'a menti ? Où étiez-vous alors ?

— Pauvre Caffrey, dit Gallager, en se remettant à gémir. Pauvre Caffrey !

— Demandez-le lui, répondit Gertie.

Elle désigna Gallager.

— Tu l'as vue lorsque tu as été porter la ration de Caffrey ?

— C'est affreux, Vierge Marie ! C'est affreux.

Mac Cormack regarda Gertie avec une soudaine et violente inquiétude.

— Qu'est-ce que vous lui avez fait ? Des histoires, cet obus. Vous l'avez tué ? Vous l'avez tué ?

— Allez voir.

Elle était très calme, très calme. Les autres se tenaient à une certaine distance d'elle. Callinan, le guetteur, se retournait constamment pour la regarder, étonné. Elle lui sourit. Alors il ne bougea plus, l'œil coincé dans la meurtrière.

— Pourquoi souriez-vous ? demanda Mac Cormack.

Mais elle ne souriait plus.

— Je vais aller voir, dit Mat Dillon.

Il était toujours bon pour se déplacer.

— Vous allez marcher dans le sang, lui dit-elle. C'est horrible, ajouta-t-elle poliment.

— Vierge Marie ! Vierge Marie ! marmonnait Gallager.

Mac Cormack et O'Rourke le secouèrent en l'injuriant. Il se calma. Tournant le dos à Gertie, il alla prendre son fusil pour se planquer à l'une des fenêtres barricadées : rien ne semblait se passer à bord du *Furious*.

— Comment s'appelle le navire qui est en train de nous bombarder ?

Tous remarquèrent le *nous*, mais ni l'un ni l'autre des guetteurs ne répondit. Ce fut O'Rourke qui lui apprit qu'il s'agissait du *Furious*, et il ajouta :

— Pourquoi cette question ?

— Tous les navires ne portent pas le même nom.

Il ne la trouvait pas très gentille avec lui.

— Si, reprit Mac Cormack, si, comment dire, si vous n'êtes pour rien dans la mort de Caffrey, et si Caffrey est bien réellement mort, nous nous rendrons aux Britanniques.

Là-dessus, Callinan et Gallager sursautèrent et se retournant regardèrent O'Rourke ; celui-ci ne comprit pas pourquoi.

Gertie fit semblant de réfléchir et répondit :

— Je ne veux pas.

— Vous vous étiez donc cachée ? demanda encore une fois Mac Cormack qui tenait à son idée.

— Oui.

Elle ajouta aussitôt :

— Caffrey le savait.

Gallager et Callinan la quittèrent des yeux pour revenir au *Furious* toujours calme.

Mac Cormack se sentait de plus en plus mal à l'aise. Il grogna :

— Caffrey, ah Caffrey, ah oui ! puis il se tut, examinant Gertie avec angoisse, craignant follement qu'elle ne se décidât subitement et publiquement à réitérer ses actes incongrus, pour ne pas dire incroyables et dont le catéchisme même ne prévoit pas la confession ; mais Mac Cormack devait s'avouer qu'il ne savait pas vraiment ce qu'un prêtre pouvait faire avouer à une femme ; son regard croisa celui de Gertie et il ne sut le comprendre, alors, il frissonna. Il se remit à grogner, d'un air parfaitement inintelligent : « Ah oui, Caffrey... Caffrey... », puis soudain, il se décida : « Il faut prendre une décision », décida-t-il, et il se mit à agir avec autorité. Avant que l'on ait pu commenter sa décision de prendre une décision, il se leva, prit Gertie par un bras, l'entraîna éberluée vers un des petits bureaux (celui même où Gallager et Kelleher avaient entreposé le cadavre de l'huissier), l'y poussa et closit la lourde sur elle d'un double tour de clé qui sentait la poigne d'un chef.

Il revint vers les autres et prononça ces mots :

— Camarades et amis chers, ça ne peut pas continuer. Je parle pas des Britanniques, c'est clair, ils vont nous avoir, c'est foutu, faut pas se le déguiser, n'empêche qu'on va les emmerder drôlement, qu'on va faire des héros, des sacrés héros, pour ce qui est d'être des héros, ça c'est sûr qu'on fera des héros, mais alors ce qui gaze pas du tout, c'est cette fille, quelle idée qu'elle eut de se planquer dans les lavatories quand la bagarre s'est déclenchée, plus moyen de se dépêtrer d'elle, ce qu'elle veut, on ne sait pas, mais je trouve clair et net qu'elle a son idée, que dis-je « son idée » ? Ptêt' même des idées, plusieurs. Non. Non. Non. Avec cette drôlesse parmi nous, ça fout tout en l'air, faut prendre une décision, une décision bien claire et bien nette, sacré bordel de Dieu, et puis c'est pas seulement ça, mais faut s'expliquer à son sujet, faut se dire des vérités à son sujet. Voilà ce que je pense : moi, je suis le chef et j'ai pris une décision : d'abord de prendre une décision, tout comme un chef que je suis, et puis ensuite ou plutôt tout d'abord, de se dire la vérité pour ce qui est quant à ce qui concerne cette personne du sexe féminin que je viens de boucler dans ce petit bureau.

Comme silence, après ce laïus, ça, ce fut du silence. Tellement même que les guetteurs en furent gênés.

Callinan se retourna et dit :

— Ça bouge toujours pas sur le *Furious*.

Gallager avec un dixième de seconde de retard se retourna et dit :

— Ça bouge toujours pas sur le *Furious*.

Ce qui fit des interférences, tout comme dans un cours de physique où l'on compare la lumière avec le son.

Mais tous les types présents se foutaient royalement des interférences. Ils cogitaient sur ce qu'il avait déconné, le John Mac Cormack. Et les guetteurs, qui au fond de leurs entrailles avaient gardé le sens profond de son discours, abandonnèrent leur activité de guette-au-trou, au désagréable risque d'une vache attaque en douce et subreptice des Britanniques.

Kelleher, en grattant le ventre de sa Maxim, percuta le silence en disant ces mots :

— Puisque tu es le chef, alors continue et commence, dis-nous la vérité quant à ce qui concerne l'être humain que tu viens de boucler et qu'est pas du même sexe que nous.

— D'ac, dit John Mac Cormack.

Il passa la main droite dans l'embrasure de sa liquette et gratta la peau poilue de son bide.

Puis il s'arrêta, l'air engeigné.

— À propos, dit Kelleher, qu'est-ce qu'il fiche, Dillon. Il ne redescend pas vite.

LI

Apercevant la tête de Caffrey à quelque distance du corps, tout ça dans le sang, Mat Dillon, le couturier de Malborough Street, s'était évanoui.

LII

Mac Cormack toussa, cessa de se gratouiller le ventre et dit :

— Mes amis, mes camarades, une chose est sûre, cette fille ne devrait pas être ici. On l'aurait rendue tout à l'heure aux Britanniques, c'est ça qu'il aurait fallu faire. Mais elle s'est cachée. Pour quoi faire ? Nous l'ignorons. Elle n'a pas voulu s'expliquer à ce sujet, alors, nous ne pouvons que nous imaginer des choses. Bref...

— Oui, « bref », dit Kelleher, jusqu'à présent tout ce que tu racontes n'est que du blablabla.

— Bref, continua Mac Cormack avec une bovine obstination, comme Larry l'a souligné quelques pages plus haut, si on la rend, faut pas qu'elle puisse dire des choses désagréables sur notre compte. Au contraire, il est nécessaire pour notre cause qu'elle reconnaisse notre héroïsme et la pureté de nos mœurs...

Kelleher haussa les épaules.

— Donc, il faut pas qu'elle puisse dire des choses. Donc il faut qu'il se soit rien passé. Et tout à l'heure, vous avez tous dit que vous aviez été corrects avec elle. Tous, sauf Caffrey, qui n'était pas là, Larry qui posait la question et...

— Et toi, dit Kelleher.

— Oui : et moi. Eh bien moi je ne l'ai pas dit parce que si je l'avais dit j'aurais menti. Moi, je n'ai pas été correct avec elle.

Larry, éberlué, regarda Mac Cormack comme une monstruosité singulière et incroyable. Il le crut cinglé. Il ne l'avait pas quitté un seul instant. Comment cela aurait-il pu se faire ?

— Ou plutôt, il faut dire le vrai de la chose, c'est elle qui n'a pas été correcte avec moi.

Larry, certain maintenant de la folie de Mac Cormack, s'inquiéta aussitôt de questions pratiques : pour les derniers actes de bravoure que leur petit groupe avait encore à commettre, un vrai chef était nécessaire, et pas un mythomane peut-être dangereux. Ce rôle, il avait maintenant à le remplir. Mais comment se passerait la passation des pouvoirs ? Cela l'inquiéta. Les trois autres écoutaient, bien attentifs.

— Seulement, continua Mac Cormack, rien ne le prouvera. C'est un truc que je peux pas donner de détails dessus. C'est un truc que j'avais jamais vu. C'est fait. Mais, je vous le répète, il n'y a pas de trace. Alors, dans ce cas-là, on peut la rendre aux Britanniques. Elle n'ouvrira pas la bouche au sujet de quoi que je vous cause.

— Tu vas un peu vite, dit Gallager, et j'ai pas compris. Mais c'est bien inutile ta confession emberlificotée. Si cette fille veut, elle ouvrira la bouche. Parce que la preuve, elle existe sûrement. Il y a un de nous qui l'a violée.

— Quelle horreur ! s'écria Larry oubliant soudain ses ambitions dernières.

— Et qui donc ? demanda Callinan d'une voix pâle.

— Caffrey, proféra Gallager d'une voix sombre. Que saint Patrick ait son âme !

— Cet illettré ! s'exclama le carabin O'Rourke d'une voix jaune de cadmium.

— Eh bien, merde ! conclut John Mac Cormack d'une voix ocre.

— Caffrey, répéta Callinan. Caffrey ? Caffrey ? Caffrey ? Caffrey ? Caffrey ? Caffrey Caffrey ? Comment ça, Caffrey ? Comment ça, Caffrey ? Mais c'est moi qui l'ai violée.

Il se laissa choir sur les genoux et continua à faire de vastes moulinets. Il en suait.

— C'est moi qui l'ai violée ! C'est moi qui l'ai violée !

Les autres se turent, même Gallager.

— C'est moi qui l'ai violée ! C'est moi qui l'ai violée !

Le mouvement des bras se ralentit et Callinan s'immobilisa, l'air parfaitement accablé.

— C'est moi qui l'ai violée ! répéta-t-il encore d'un ton de voix moins animé.

— Ou plutôt, ajouta-t-il en s'essuyant le visage avec son beau mouchoir vert à harpes d'or, ou plutôt c'est elle qui m'a possédé.

Il s'appuya la tête dans ses bras croisés sur les genoux de Mac Cormack et se mit à se lamenter.

— Camarades, gémissait-il, mes amis, c'est elle qui m'a possédé. Ma bonne foi a été surprise ; je suis une victime. Ma petite Maud, ma petite Maud, ma chère fiancée, pardonne-moi. Mon cœur t'est demeuré fidèle, l'Anglaise n'a eu que ma peau. Mon âme est restée innocente, seul mon corps est souillé.

— Mais c'est tout à fait idiot, se mit à gueuler Gallager, puisque c'est Caffrey que j'ai vu.

Il donna de bonnes tapes dans le dos de Callinan.

— Tu te fais des idées, mon vieux, tu rêves, tu ne l'as jamais grimpée, la fille des Postes. T'es plus dans ton état normal. Je te jure que c'est Caffrey qui l'a violée. Et comment d'ailleurs qu'il la violait !

— Tais-toi, murmura Larry O'Rourke le visage décomposé. Comme maintenant, continua-t-il, le voilà mort, qu'il monte au purgatoire décharger sa luxure dans les bras de saint Patrick, et nous on reste des purs.

Callinan avait cessé de pleurer et écoutait attentivement le petit laïus du natif d'Inniskea. Il lui demanda posément de préciser le moment où il avait vu forniquer Caffrey, et l'autre répondit que c'était lorsqu'il lui avait monté son casse-croûte (ou lunch). Mac Cormack remarqua que d'ailleurs ce ne pouvait être qu'à ce moment. Alors Callinan poussa un cri triomphal :

— Eh bien, moi, c'était le chat !

Il ajouta :

— Et le chat, c'était bien avant, puisque c'était à l'aube.

Il se leva brusquement et se remit à s'agiter avec véhémence.

— Hein ? Vous vous souvenez du chat ? C'est Caffrey qui me l'a raconté que vous croyiez que c'était un chat. Et qui m'a conseillé de vous dire que c'était un chat. Eh bien, le chat qui miaulait, c'était Gertie à qui je donnais des sensations. Parce que sa virginité, c'est moi qui l'ai eue, ça j'en suis sûr, alors. À preuve.

Et il agitait son grand mouchoir vert à harpes d'or taché de sang.

Larry O'Rourke détourna les yeux pour ne plus le voir. Il se livrait à des gymnastiques mentales extrêmement difficiles pour essayer de paraître calme et de ne point manifester les abominables sentiments qui le tourmentaient. Il se sentait en enfer. Il aurait bien voulu pleurer comme un gosse ; mais son rôle de sous-chef d'un groupe d'insurgés au crépuscule d'une rébellion manquée lui interdisait les larmes de l'enfance. Il avait essayé de prier, mais ça n'y faisait rien. Alors, il se récitait son cours d'ostéologie, pour se changer les idées. Mais Callinan continuait avec une exaltation croissante :

— Non seulement j'ai été le premier pour elle, mais encore je lui ai fait faire sa seconde communion. Et la seconde fois, Caffrey m'a surpris. Juste on avait fini. Heureusement. C'est lui qui m'a conseillé de dire que c'était un chat.

— Mais non, intervint Mac Cormack, le chat, c'était tout à l'heure.

Callinan s'arrêta, décontenancé.

— Et puis, continua Mac Cormack, le chat, ce n'était pas à l'aube. C'était un peu après. Exactement même au moment où les Britanniques ont attaqué. Il me semble que c'est confus, ton histoire.

— Puisque je vous dis que c'est Caffrey, dit Gallager. Puisque je vous dis que je l'ai vu.

Callinan se tamponna le front avec son beau mouchoir vert, or et rouge et s'assit accablé sur une caisse (vide) de ouisqui.

— Je sais pourtant bien que je l'ai eue deux fois. Une fois d'abord ; une autre fois ensuite. Le chat, c'était la seconde fois. Les sensations aussi. La première, elle n'a trop rien dit. Elle a été très courageuse. Faut dire aussi que c'est elle qui le voulait. Alors, elle a tout au plus pleurniché. J'ai pas été méchant mais je me rends pas bien compte de ce que ça peut souffrir une fille à ce moment. Et vous ?

Kelleher, qui faisait le guet, répondit, sans tourner la tête, qu'il faudrait poser la question à Larry O'Rourke, vu qu'avec ses connaissances médicales il devait avoir des opinions fondées sur la question. L'étudiant ne répondit pas.

Il saisit une bouteille de ouisqui, d'un coup sec cassa le goulot contre un coin de table et s'en jeta une vaste lampée dans le gosier. C'était pas ses mœurs, mais il s'énervait.

— Et puis d'habitude, je fais la chose avec des pouffiasses qu'ont connu de drôles de taureaux et où c'est qu'on se perd plutôt. Moi, c'était la première fois avec une jeune personne sans expérience du déduit. Et vous, ça vous est déjà arrivé de connaître comme ça une fille à l'état intact ?

— Tu nous casses les pendeloques, dit Gallager. Puisque je t'ai dit que j'ai vu Caffrey dessus.

— Peut-être. Peut-être. Mais après. Après mon passage. Et puis, j'ai des preuves. Des preuves tant que tu veux. Des preuves à n'en plus finir. Des preuves à plus savoir qu'en faire. Ça d'abord (et il agita son tire-jus, comme un étendard). Et puis, le chat. Et puis, et puis par exemple : je sais comme elle est mise par en dessous. Ça je peux le dire. Alors, ça c'est une preuve. Oui, les gars, je peux vous dire ce qu'elle porte sous sa robe. Elle porte pas de pantalon orné de guipure au point d'Irlande, elle porte pas de corset avec des baleines, de vraies armures, comme en ont les ladies, ou les mouquères que vous avez pu déshabiller.

Et Mac Cormack se mit à songer à sa femme (il n'avait pas encore eu le temps d'y penser), qu'il n'avait jamais déshabillée et qu'il n'avait jamais vu se déshabiller, qu'il trouvait le soir dans son pieu comme un gros tas mou ; et Larry O'Rourke se mit à songer aux femmes de Simson Street, avec leurs peignoirs, leurs bas noirs et leurs jarretières rose sale, et qui, en dehors de ça, n'avaient rien sur elles, ou si peu, que c'en était triste même un samedi soir ; et Gallager se mit à songer aux filles de son pays qui sont vêtues de loques et qui se font engrosser à l'ombre d'un dolmen ou d'un menhir sans même qu'on ait pu jeter un coup d'œil sur leur nature ; et Kelleher se mit à songer à sa mère qui se promenait toujours sanglée, avec les cordons de serrage qui sortaient du jupon, ce qui l'avait amené à trouver les brayettes masculines beaucoup plus esthétiques.

— Non, elle, quand on la touche là (et il se prit le torse à deux mains), sous la robe, c'est la peau qu'on touche, c'est pas les trucs et des froufrous et des baleines, c'est la peau.

— C'est vrai, ce que tu racontes là ? demanda Dillon.

On ne l'avait pas entendu descendre. On était tellement absorbés.

— Tu as été long, lui dit Mac Cormack, qu'est-ce que tu faisais ?

— Je m'étais évanoui.

Gallager, après un tiers de seconde stupéfaite, explosa. Il se marrait drôlement. Il en pleurait.

— N'oublie pas qu'il y a un mort dans la maison, lui dit Kelleher sans se retourner.

Gallager se tut.

— Alors ? demanda Mac Cormack à Dillon.

— Sa tête avait roulé assez loin du corps. Ça m'a fait quelque chose. Quand je suis revenu à moi, je lui ai boutonné son pantalon, je lui ai croisé les bras sur la poitrine, je lui ai mis la tête dans ses mains, je l'ai recouvert d'un tapis et j'ai dit quelques prières pour le repos de son âme.

— Tu as pensé à saint Patrick? demanda Gallager.

— Et puis je suis redescendu. Je boirais bien un coup.

Larry lui tendit la bouteille de ouisqui et lui demanda d'une voix timide :

— Pourquoi as-tu parlé de son pantalon?

Mat, buvant, haussa les épaules.

— Vous voyez bien que j'avais raison, dit Gallager.

— Et moi donc, ajouta Callinan.

Mat, après avoir liquidé le liquide, poussa un soupir de plaisir, rota, envoya dinguer le flacon qui alla se fracasser contre la boîte aux lettres destination «Étranger» et s'assit, Mat.

Tous se mirent à méditer en silence. Chacun alluma une cigarette, à l'exception de Mac Cormack qui pensait, de préférence, par le moyen d'une pipe.

— Décidément, finit-il par articuler, on ne peut pas la leur rendre.

— On ne peut tout de même pas la tuer, dit Gallager.

— Qu'est-ce qu'elle doit penser de nous, murmura Mac Cormack.

— Ah pour ça, s'écria Callinan, nous aussi on petit penser des choses d'elle.

— Elle ne parlera pas, dit Kelleher sans se retourner.

— Pourquoi? demanda Mac Cormack.

— C'est pas des choses à raconter de la part d'une jeune fille. Elle se taira, ou même elle dira qu'on est des héros, et qu'est-ce qu'on demande de plus? Quant à la rendre, c'est pas mon avis. Qu'on ne s'en occupe plus et qu'on crève gentiment, comme des hommes. Finnegans wake!

— Finnegans wake! répondirent les autres.

— Tiens, continua Kelleher, on dirait qu'ils recommencent à s'agiter sur le *Furious*.

Gallager et Mac Cormack se précipitèrent à leur poste de combat, suivis de Callinan. Dillon arrêta celui-ci au passage.

— C'est vrai, ce que tu racontais tout à l'heure?

— Pour la petite? Bien sûr. C'est même malheureux que les Britanniques veuillent me supprimer, j'aurais eu de drôles de souvenirs plus tard.

— Ce que tu disais. Comment elle était habillée.

— Ah ! ça t'intéresse.

— Je vais les assaisonner un peu, déclara Kelleher, et sa mitrailleuse craqua.

— Oui, ça m'intéresse.

Dillon laissa Callinan se coller à une meurtrière et se dirigea vers le petit bureau prison.

Mac Cormack avait laissé la clé sur la porte.

Le premier coup de canon retentit.

LIII

L'obus alla tomber dans le jardin de l'Académie. Décidément, le tir montrait toujours une certaine tendance à être trop long. Le commodore Cartwright avait le cœur serré.

LIV

Les obus commençaient à dégringoler autour du bureau de poste d'Eden Quay, toujours pas dessus, lorsque Dillon entra dans le petit bureau, après avoir tourné silencieusement la clé dans le trou du palastre et poussé la porte sur ses gonds, non moins silencieusement.

Gertie Girdle avait étalé sur une chaise sa robe tachée de sang, sans doute pour qu'elle séchât. Assise dans un fauteuil, et rêveuse, elle n'était vêtue que d'un soutien-gorge, d'une gaine du type le plus moderne que l'on fît à l'époque et de bas de soie bien tendus, la couture strictement verticale.

Sur une autre chaise, une combinaison évaporait dans une atmosphère enfumée, et pour autant que cela se pût, le pourpre caffreyien.

Gertie rêvait de ses yeux bleus. Elle avait l'air d'avoir froid. Et de fait sa peau se hérissait, grenue, d'un léger duvet, habituellement, en des temps plus calmes, couché au fil de la peau.

Dillon se planta devant elle et la contempla, tandis que les hommes de Cartwright et les copains de Kelleher tentaient de composer une symphonie guerrière. Elle, Gertie, leva les yeux et le vit, Mat Dillon. Elle ne broncha pas. Elle dit :

— Et ma robe de mariée ?

— C'était donc bien vous, répondit Mat pensivement.

— Je vous avais reconnu.

— Et moi de même.

— Je ne voulais pas vous compromettre auprès de vos camarades.

— Il n'y a pas de quoi.

— C'est-à-dire ?
— Merci.
— Vous n'en pensez pas moins.
— C'était mon droit.
— Elle est terminée ?
— Entièrement.
— Vous voyez celle-ci ?
— Gâchée.
— J'ai froid.
— Vêtez-vous.
— De quoi ?
— D'un rien.
— D'un tapis ?
— Ce n'est pas ce que je voulais dire.
— Dites, j'ai froid.
— Je ne sais pas.
— Faites votre métier.
— Laissez-moi vous regarder.
— Je vous en prie.
— Callinan avait raison.
— Qui est-ce Callinan ?
— Celui qui...
— Qui quoi ?
— Celui que...
— Que quoi ?
— Excusez-moi, je suis un galant homme.
— Est-ce vrai, misteur Dillon, que vous n'aimez pas les femmes ?
— C'est vrai, miss Gertie.
— Vous n'avez pas pitié de moi ? Qui ai si froid ?
— Laissez-moi vous regarder.
— Vous voyez. Je ne porte pas de corset.
— Cela m'intéresse passionnément... Vous êtes la première...
— Femme.
— ... Jeune fille.
— Non : femme.
— ... que je vois à cette nouvelle mode.
— C'est possible.
— C'est.
— Et qu'en pensez-vous ?

— J'hésite.

— Pourquoi?

— De vieilles habitudes.

— C'est idiot.

— Je sais.

— Vous êtes dans la mode ou pas?

— Je suis.

— Alors?

— Je vous dis... ça me déconcerte plutôt.

— Alors vous ne vous extasiez pas devant ma gaine? Une gaine qui vient de France, de Paris. Et en pleine guerre encore j'ai réussi à me la procurer. Vous ne vous extasiez pas?

— Si. Tout compte fait, ce n'est pas mal.

— Et mon soutien-gorge?

— Très élégant. D'ailleurs, vous semblez avoir de jolis seins.

— Vous n'êtes donc pas tout à fait indifférent aux charmes féminins?

— J'en parlais d'un point de vue purement esthétique.

C'était le seul mot d'origine grecque que connaissait le couturier de Malborough Street.

— Eh bien, dit Gertie, je vais vous les montrer. Je les crois vraiment jolis.

Elle se pencha un peu pour passer ses bras derrière son dos, dans le geste gracieux de la femme qui déboutonne son soutien-gorge. L'objet tomba sur ses genoux, encore gonflé, puis s'aplatit. Les seins apparurent, ronds et fermes, plantés bas, la pointe dressée, non encore violette de la morsure des hommes : d'une teinte claire.

Bien que son métier aussi bien que ses mœurs l'eussent habitué à regarder froidement les femmes aux degrés divers de dévêtissement, Mat Dillon dut reconnaître qu'il occupait dans l'espace une place légèrement supérieure à celle qu'il tenait quelques instants auparavant. Et il vit que Gertie Girdle l'avait reconnu également. Elle cessa de sourire et son regard devint dur. Elle se leva.

Dillon, jetant les deux bras en avant, fit trois pas en arrière et bégaya :

— Je vais vous chercher une robe... Je vais vous chercher une robe...

Et, faisant demi-tour, s'éjecta de la pièce et, le front froid et moite de sueur, se retrouva de l'autre côté de la porte qu'il ferma à clé.

Il resta là quelques instants immobile, à reprendre son calme. Puis il se mit en route. Il frissonna en passant devant les lavatories Dames, d'où avait émergé la donzelle comme Aphrodite de l'onde. Il arriva devant une petite porte qu'il débarricada. Il se trouva dans une petite cour. Il posa une échelle contre le mur. Un obus éclata non loin de là. De la terre, du gravier, des plâtras tombèrent en pluie. Il se laissa tomber de l'autre côté. Le jardin de l'Académie était semé de cratères. Les statues d'après l'antique avaient toutes perdu leurs feuilles de zinc et Dillon, courant, jetait cependant un coup d'œil au passage sur les avantages masculins ainsi révélés. Il se sentait ainsi retourner dans un monde normal et sain, et de plus il constata que seules les Vénus et les Diane avaient écopé, mutilées, ce qui le fit sourire. Un nouvel obus éclata, à moins de cent mètres de lui. Le souffle le jeta par terre. Il se releva. Il n'était pas blessé. Il se remit à courir.

Les grandes baies de la Salle d'Exposition avaient été brisées. Dillon traversa le Musée, désert, sans s'attarder devant les croûtes, un peu secouées par le bombardement. La porte donnant sur Lower Abbey Street était ouverte : les gardiens avaient dû s'enfuir au moment de l'insurrection, peu soucieux de se faire estourbir pour de médiocres trésors.

Un tramway abandonné. Personne dans la rue. Dillon fila le long des murs vers Malborough Street.

LV

— Il y a quelque chose qui ne gaze pas, dit Mac Cormack en cessant de tirer et en posant son fusil.

Les autres l'imitèrent et Kelleher s'arrêta de moudre des chargeurs.

— Ce n'est pas naturel, continua John. On dirait qu'ils le font exprès. Ils en foutent de tous les côtés, mais pas sur nous. On croirait que c'est par erreur qu'ils ont envoyé celui qui a enlevé la tête de Caffrey, que saint Patrick ait son âme.

Il alla chercher une bouteille de ouisqui, se servit et la passa. Elle lui revint vide. Il alluma sa pipe.

— Callinan, fais le guet.

Les autres allumèrent une cigarette.

— Si on passe encore une nuit ici, dit Gallager, j'aimerais autant qu'on enterre Caffrey.

— Je les emmerde, les Britanniques, dit soudain Callinan. Il ne s'était pas retourné pour professer sa foi; suivant l'ordre donné, il surveillait les environs, lesquels ne dénonçaient la présence d'aucun ennemi. Toutes les quarante secondes, le *Furious* s'ornait d'une touffe de coton au bout d'un de ses tubes à tuer les gens.

— Je me raserais bien, dit O'Rourke.

Ils s'entre-regardèrent. Ils avaient le visage gris et couvert l'une vilaine barbe. Et certains regards semblaient parfois vaciller.

— Tu veux présenter tes hommages à Gertrude? demanda Gallager.

— C'est vrai qu'elle s'appelle Gertrude, murmura O'Rourke. Je ne me souvenais plus de ça.

Il regarda Gallager d'un drôle d'air :

— Comment tu te souviens de ça, toi, tout à coup ?

— Vos gueules, dit Kelleher.

— Ne parlons pas d'elle, grogna Mac Cormack. On avait dit qu'on ne parlerait plus d'elle.

— Et Dillon ? Il n'est plus là, remarqua brusquement Kelleher.

On s'étonna.

— Il est peut-être au premier, suggéra Mac Cormack.

— Ou avec la fille, dit Gallager.

— Lui ? s'esclaffa Callinan.

On vit son dos trembler. Puis, s'immobilisant :

— J'en ai assez. Je les emmerde, les Britanniques.

— C'est drôle, en effet, dit O'Rourke. On dirait qu'ils nous épargnent.

Il se passa la main sur les joues.

— J'aimerais bien me raser, dit-il.

— Snob, dit Gallager. Tu veux plaire à Gertrude ?

Mac Cormack agita son colt :

— Sacré nom de Dieu, le premier qui parle encore d'elle, je le descends, compris ?

— Il faudra tout de même enterrer Caffrey avant la nuit, dit Gallager.

— Où donc peut bien être Dillon ? dit Kelleher.

— Je trouverai peut-être un rasoir quelque part, dit O'Rourke.

Tandis que les autres demeuraient silencieux, il se mit à aller et venir, fouillant dans tous les tiroirs et n'y faisant que des découvertes médiocres.

— Merde, dit-il, rien.

— Tu ne t'imagines pas, dit Gallager, que ces demoiselles des Postes utilisent des gillettes ? Faut être un intellectuel pour penser un truc comme ça.

— Et puis moi, dit Callinan, les Britanniques, je les emmerde.

— Pourquoi pas ? répliqua Kelleher. Dillon m'a raconté qu'il y a des femmes, des ladies, c'est vrai, pas des demoiselles des Postes, qui se rasent les jambes avec un gillette.

— Tu vois, dit Larry O'Rourke à Callinan, qui continuait à tourner le dos, fixé dans sa faction ; lui, farfouillait à droite et à gauche.

— Moi, dit Gallager, je trouve même qu'on devrait l'enterrer avant le crépuscule, Caffrey.

— Il paraît même, continua Kelleher, il paraît même qu'il y a des mouquères qui se collent une espèce de cire sur les guibolles et quand elle est froide la cire, on l'enlève et les poils avec. C'est radical, c'est un peu douloureux et puis vraiment, il n'y a que des superladies qui peuvent se permettre ça, des prinsouesses, quoi !

— C'est ingénieux, dit O'Rourke.

Il manipulait rêveusement un bâton de cire à cacheter rouge.

— Essaie donc, lui dit Kelleher.

— Total, dit Callinan, les Britanniques, je les emmerde.

— On ne peut pas passer la nuit avec un cadavre comme ça, dit Gallager.

— Je me demande où peut bien se trouver Mat Dillon, dit Mac Cormack.

— Avec quoi ? demanda Larry.

— Avec ce que tu tiens dans la main.

— Farceur, dit Gallager.

— Dillon est peut-être mort, dit Mac Cormack. On n'a pas pensé à ça.

— Je vais la faire fondre et te l'étaler sur la figure, dit Kelleher. Après, tu verras comme t'auras la peau bien lisse.

— On pourrait siffler encore un flacon de ouisqui, dit Mac Cormack.

Un obus alla éclater dans l'immeuble voisin. Des tranches de plafond s'effritèrent.

— Les Britanniques, dit Callinan, je les emmerde.

LVI

Le bombardement avait cessé.

Larry poussait d'abjects gémissements de douleur tandis que Kelleher, assis sur son ventre pour l'empêcher de pas trop gigoter, enlevait la cire et les poils de barbe y joints avec un porte-plume servant de bâtonnet. Gallager et Mac Cormack se divertissaient du spectacle en vidant une boîte de thon. Callinan continuait à surveiller le *Furious*.

— Les femmes font moins de manières, dit Kelleher, du moins d'après ce que raconte Dillon.

— Tout compte fait, remarqua Gallager, en mâchant son poisson à l'huile, elles ont la peau plus dure que nous.

— Faut reconnaître, dit Mac Cormack, que lorsqu'elles s'y mettent, elles peuvent être plus coriaces.

— Par exemple, quand elles accouchent, dit Gallager. On ferait une drôle de gueule si ça devait nous arriver. Pas vrai, Kelleher?

— Qu'est-ce que tu insinues?

Il venait de contourner le menton et remontait le long de la joue droite, ayant commencé par la gauche. Larry, tout en sueur, se tenait muet. Seuls se tordaient ses doigts de pied dans le fond de ses chaussures, mais ça ne se voyait pas.

— Nous, les hommes, dit Mac Cormack, on rouscaille quand il s'agit de souffrir. Les femmes, elles, souffrent tout le temps. On peut même dire qu'elles sont faites pour ça.

— Tu deviens bien causant, remarqua Gallager.

— Moi, dit Callinan sans se retourner, les Britanniques, je les emmerde.

— C'est l'approche de la mort qui le rend pensif, dit Kelleher qui en avait presque fini avec le supplice d'O'Rourke. Comme tu vas être beau, susurra-t-il dans l'oreille de celui-ci.

— Nous, les hommes, reprit Mac Cormack, pour ce qui est de la chose capitale, vous m'entendez...

— Tu parles si on t'entend, dit Gallager en vidant sa sauce dans le creux de sa main.

— Eh bien, c'est toujours du plaisir pour nous. Tandis que pour les femmes, les histoires ça n'arrête pas depuis le moment où elles cessent d'être filles...

— Oh, pour ça, dit Callinan, faut pas exagérer.

— Eh bien, tu es superbe, dit Kelleher en lâchant Larry.

Celui-ci se releva et se passa la main sur les joues, que lisses maintenant il avait.

— C'est du beau boulot, dit Gallager.

Larry avait cependant des petites gouttes de sang tout autour du visage. Il regarda rêveusement sa paume tout empourprée.

— Ça n'est rien, dit Kelleher.

— J'ai faim, dit O'Rourke.

Mac Cormack lui tendit une boîte de thon entamée et un morceau de pain. Mais Larry n'y toucha pas ; il les tint dans ses mains, très pensif. Puis il se leva et se dirigea vers le petit bureau.

— Elle doit avoir faim, elle aussi, murmura-t-il.

Il s'arrête et se retourne vers ses compagnons.

— Moi, je serai correct avec elle.

— Moi, les Britanniques, dit Callinan sans se retourner, je les emmerde.

— Où donc peut bien être Dillon ? dit Kelleher.

— Va voir, dit Gallager à O'Rourke.

— Elle ne va pas mourir, elle, dit O'Rourke.

— Pourquoi pas ? dit Gallager.

— Ce n'est pas juste, dit O'Rourke.

— Je vous ai donné l'ordre de ne plus parler d'elle.

— Elle ne doit pas mourir, dit O'Rourke.

— Et nous ? demanda Gallager.

— Va donc manger ton thon avec elle, dit Kelleher. Mais peut-être n'aime-t-elle pas les types trop bien rasés.

— Moi je l'aime, dit O'Rourke.

— Assez, dit Mac Cormack.

— Moi je l'aime, répéta O'Rourke.

Il les regarda à la ronde d'un air pas content. Les autres se turent.

Larry fit demi-tour et se dirigea vers le petit bureau.

Le bombardement n'avait pas repris.

LVII

Cartwright relut encore une fois le message du général Maxwell. Il fallait réduire avant le coucher du soleil le dernier point de résistance des rebelles. Il fallait pouvoir dire que la révolte était terminée, bien terminée. Ils ne devaient pas passer une autre nuit, les derniers insurgés.

Cartwright soupira légèrement et regarda le bureau de poste d'Eden Quay troué seulement à hauteur du premier étage. Les maisons alentour étaient bien autrement abîmées. Il n'y avait plus de tergiversations possibles. Le commodore Cartwright n'est traître ni à son Roi ni à son pays. Et puis, qu'est-ce que c'était que le fantôme qu'il avait cru apercevoir ? Maintenant, il allait mettre dans le mille.

Il se dirigea vers ses canonniers.

Larry poussa la porte derrière lui. Il baissait les yeux. Il tenait dans une main le pain et le thon. Gertie était assise dans un fauteuil et lui tournait le dos. Il ne pouvait voir que ses cheveux blonds coupés courts.

— Je vous ai apporté de quoi vous restaurer un peu, dit O'Rourke d'une voix un peu émue.

— Qui êtes-vous ? demanda durement Gertie.

— Je m'appelle Larry O'Rourke et je suis étudiant en médecine.

— C'est vous qui m'avez mouchée, n'est-ce pas ?

Larry, très troublé, bredouilla pendant quelques secondes, puis se tut.

— Qu'est-ce que vous m'avez apporté ?

— Du thon et du pain.

— Posez-les là.

Sans se retourner, elle désigna une table voisine. Larry obéit, puis découvrit que le bras qui avait fait le geste était nu. Alors, il aperçut la robe étalée sur une chaise, la combinaison sur une autre. Et il dut conclure.

Il demeura figé, sidéré, foudroyé.

— J'entends votre respiration, dit Gertie sans toucher aux nourritures.

— Mon Dieu, mon Dieu, murmura O'Rourke, que suis-je venu faire ici ?

— Que me dites-vous ?

— Ô grand saint Joseph, ô grand saint Joseph, je n'ai pas pu résister, je n'ai pas pu résister, me voilà maintenant devant cette femme qui me paraît être dans un état de nudité complète, et j'étais venu lui avouer mon amour, mon chaste, chevaleresque et éternel amour, mais en réalité ce sont les autres salauds que je veux imiter.

— Qu'est-ce que vous faites? Vous récitez votre prière?

— Je me comprends maintenant : Callinan, Caffrey, voilà mes modèles. Pauvre fille, pauvre innocente, qui a subi leurs outrages, et qu'au fond de moi-même je désire aussi souiller. Ô saint Joseph, grand saint Joseph, fais-moi rester pur. Ô sainte Marie, ne peux-tu faire un miracle et rendre sa virginité à ma fiancée Gertrude Girdle?

— Mais répondez-moi donc. Que marmonnez-vous?

— Je vous aime, susurra Larry à très très basse voix.

— Vous êtes très papiste, n'est-ce pas? continua Gertie qui n'avait pas entendu. Mais je ne comprends pas pourquoi vous êtes venu près de moi pour vous livrer à vos mômeries. Espérez-vous me convertir?

— Oui, je l'espère, répondit O'Rourke d'une voix forte. Je ne puis épouser qu'une vraie catholique et c'est avec vous que je me veux marier.

Gertie se leva d'un bond et se tourna vers lui.

— Vous êtes complètement cinglé, dit-elle durement. Vous ne savez donc pas que vous allez mourir?

Larry ne l'écoutait pas. Il la voyait maintenant. Et non seulement elle était nue, mais encore elle ne portait qu'une gaine et des bas. O'Rourke béait.

Elle tapa du pied :

— Vous ne savez donc pas que vous allez mourir? Vous ne savez donc pas que d'ici quelques heures vous serez mort? Vous ne savez donc pas qu'avant la fin du jour vous serez un cadavre?

— Vous êtes belle, balbutia O'Rourke, je vous aime.

— Vous me dégoûtez avec vos sales sentiments. Et puis, qu'est-ce que c'est que ces ignobles gouttelettes de sang que vous avez sur les joues?

— Vous êtes mon épouse devant Dieu, dit O'Rourke.

Il leva les yeux vers le plafond et c'est tout juste s'il n'y vit pas le Père Éternel.

Gertie tapa de nouveau du pied.

— Sortez d'ici! Sortez d'ici! Vous me répugnez avec vos dégoûtantes superstitions.

Mais Larry maintenant tendait les bras vers elle.

— Ma petite femme, ma chère petite femme.

— Allez-vous-en. Allez-vous-en. Vous êtes fou.

— Dieu bénit notre union idéale.

— Sale curé, veux-tu me laisser tranquille à la fin.

Il fit un pas vers elle.

Elle recula.

Il fit un autre pas vers elle.

Elle recula d'un autre pas.

Comme la pièce était petite, Gertie se trouvait maintenant le dos contre un mur.

Acculée, quoi.

Larry avançait les bras en avant, comme un qui ne voit pas bien dans le brouillard. Ses doigts arrivèrent au contact de la peau de Gertie ; il la toucha un peu au-dessus des seins. Il retira vivement la main, comme un qui se brûle.

— Qu'est-ce que je fais ? murmura-t-il. Qu'est-ce que je fais ?

— Au fou ! hurla Gertie. Au fou !

— Tu entends? dit Kelleher à Mac Cormack.

Mac Cormack haussa les épaules.

— On aurait dû la tuer tout de suite, mais fallait être correct. Tout ça n'a d'ailleurs pas beaucoup d'importance. Sauf pour la cause. Pour la cause, c'est emmerdant qu'on puisse dire qu'on se soit mal conduits en des moments si tragiques.

— On vous excusera, dit Kelleher. Ça n'est pas tout à fait de votre faute.

— Mais qu'est-ce qui le saura? dit Mac Cormack.

— Il faudrait qu'elle survive, dit Kelleher. Elle ne racontera rien. Si les Britanniques trouvent son cadavre avec les nôtres, ça fera moche. Tandis que si elle survivait, je suis sûr qu'elle dirait qu'on a été chic avec elle. Ce qui est vrai après tout.

— J'ai une idée, dit Mac Cormack. Descendons-la dans une cave. Il doit bien y avoir une cave, ici.

— Je vais chercher, dit Kelleher.

Ils entendirent de nouveaux cris.

— Eh bien, dit Gallager, je m'aperçois que je vais être le seul à ne pas l'avoir eue.

— Et moi, tu crois qu'elle ne m'intéresse pas? dit Kelleher.

Callinan se retourna vers eux pour leur dire que ça avait l'air de s'agiter de nouveau sur le *Furious*.

LX

O'Rourke avait saisi Gertie, mais il ne savait trop quoi faire. Elle se débattait en l'insultant. Il la tenait serrée contre lui, pour autant du moins qu'il le pût. Il ne pensait plus à tout ce dont il avait parlé quelques secondes auparavant. Il méditait seulement sur la tactique qu'il devait suivre, mais il ne se rendait plus compte qu'il raisonnait. Il se dit que le mieux c'était de la jeter par terre. Dans le fauteuil, il ne voyait pas très bien comment s'y prendre.

Tout en construisant son plan d'attaque, il laissait errer ses mains sur le corps de Gertie ; comme il l'attirait vers lui, c'était le dos qu'il connaissait le mieux ; et les seins parce qu'ils le piquaient de leur pointe. Il descendit plus bas et le contact du tulle élastique lui parut curieux, et plus qu'agréable le fait que cela recouvrît de substantiels attraits.

Il haletait, mais n'avait pas encore choisi de méthode décisive.

Soudain, elle se laissa aller contre lui et lui murmura dans l'oreille (ses cheveux le chatouillaient délicieusement) :

— Imbécile qui crois que tu...

Elle semblait pourtant consentante à tout. Elle lui paraissait même maintenant singulièrement entreprenante et audacieuse, ce qui était étrange de la part d'une jeune fille qui, somme toute, avec des gars comme Callinan et Caffrey, ne devait avoir eu que des expériences brutales. Il crut que c'était le moment de l'embrasser. Mais Gertie prévint toute privauté ultérieure et lui démolit ses illusions.

Il fit un bond en arrière en poussant un hurlement de douleur.

Ce qui lui avait fait le plus de mal, c'était pas la torsion, c'était la vacherie de la fille.

LXI

— Feu !

C'était le commodore Cartwright qui avait tenu à diriger en personne le définitif bombardement.

LXII

— Bzzz, fait l'obus.

LXIII

L'obus traversa la verrière du bureau de poste d'Eden Quay et, percutant le mur du fond, éclata dans le hall. Un autre suivit le même chemin. Un troisième alla ravager le premier étage. Le toit voltigea. D'autres explosèrent sur le trottoir, quelques-uns même s'obstinaient à vouloir labourer le jardin de l'Académie et mutiler ses statues. Mais la plupart atteignaient de plein fouet le bureau de poste d'Eden Quay.

Au bout de six minutes, Cartwright estima qu'on devait avoir obtenu des ruines convenables et tout à fait satisfaisantes aux yeux du général. Il donna donc l'ordre de cesser le feu pour que se dissipât la fumée et qu'on pût observer les résultats. Il envisagea même de débarquer pour récolter les survivants.

LXIV

Dès que ça eut l'air de s'être calmé, Mat Dillon sortit du trou d'obus où il s'était planqué, dans le jardin de l'Académie. Il vit avec plaisir que le carton qu'il portait sous le bras sortait indemne de cet incident.

Pour rentrer dans le bureau de poste d'Eden Quay, il n'eut pas besoin d'échelle, le mur s'était écroulé, il n'eut qu'à enjamber des monceaux de briques cassées. La petite porte avait été arrachée. Il pénétra dans le hall et ce qu'il vit, tout d'abord, ce fut Gertie, debout, adossée contre un mur, regardant le désastre d'un œil vague. Elle n'était pas plus vêtue que précédemment. Le parquet était parsemé de cadavres. À sa mitrailleuse, Kelleher se secouait et se frottait la tête : il n'avait été que sonné. Mais Mac Cormack, Gallager, Callinan paraissaient tous bien décédés. O'Rourke se mit à gémir. Lui seul avait le mauvais goût d'agoniser. Son pantalon était taché au bas ventre d'une large mare pourpre. Il se mit à appeler doucement :

— Gertie... Gertie...

Dillon déposa son carton sur un petit tas de débris variés et s'approcha d'O'Rourke qui continuait à gémir :

— Gertie... Gertie...

Gertie ne bougeait pas. Dillon constata que Larry était trop assaisonné pour pouvoir survivre.

— Courage, vieux, lui dit-il, tu n'en as plus pour long-temps.

— Gertie, je t'aime... Gertie, je t'aime... Gertie, je t'aime...

— Allons, vieux, ne déconne pas. Veux-tu que je récite les prières pour les mourants ?

— Pourquoi ne s'approche-t-elle pas? Où est-elle? Elle est vivante, je le sais.

Dillon lui souleva la tête et Larry, entrouvrant les yeux, aperçut Gertie toujours aussi dénudée, toujours aussi belle. Il lui sourit. Elle le regarda durement.

— Je t'aime, Gertie. Approche-toi.

Elle ne bougea pas.

— Approchez-vous donc, lui dit Mat. Dans l'état où il est, il ne vous fera pas de mal.

— Vous m'avez rapporté ma robe? lui demanda-t-elle.

— Oui. Mais faites donc ce qu'il vous demande.

Elle s'approcha, l'air hostile. Lorsqu'elle fut près de lui, Larry la regarda longuement, admirant esthétiquement la ligne des jambes, la courbe des reins, le modelé des seins. Puis il secoua tristement la tête, et referma les yeux. Il s'agita légèrement, et sa main plongea péniblement dans son pantalon. Il la ressortit sanglante et fermée. Regardant Gertie, il la lui tendit et l'ouvrit. Elle se pencha pour mieux voir.

— C'était pour toi, souffla-t-il. C'était pour toi.

Il pencha la tête closant cette fois-ci définitivement les yeux. Son bras retomba et le bout de chair roula sur le parquet. Larry O'Rourke venait de mourir. Dillon lui posa la tête sur le sol, se releva et fit le signe de croix, quoique, comme tout bon catholique, il eut une forte tendance à l'athéisme.

Du pied, distraitement, discrètement, Gertie poussa le sanguinolent petit morceau d'être humain vers des planches calcinées sous lesquelles il disparut.

— Pauvre petite chose, murmura-t-elle.

Elle se tourna vers le carton posé sur des décombres et s'en empara.

— C'est ma robe? demanda-t-elle à Mat.

— *Requiescat in pace*, marmonna Dillon. Entre nous, il doit être mort en état de péché mortel.

Dillon s'assit sur les débris d'une chaise et roula méditativement une cigarette. Il examinait attentivement Gertie.

— Vous voyez, finit-il par dire, j'ai compris que le corset c'était fini, mais cela ne veut pas dire que la mode n'en revienne pas un jour sous une forme ou sous une autre.

— Vous me faites rire, dit Gertie.

— Évidemment, vous êtes très belle ainsi gainée. Et pas gênée du tout. Mais...

— Reconnaissez que c'est sobre, sportif, classique, rationnel...

— Oh, rationnel, rationnel. Faut pas que du rationnel pour déshabiller une femme. Voyez-vous...

Dillon s'interrompit :

— Vous permettez que je vous appelle Gertrude ?

— Ah là là, fit Kelleher qui écoutait tout, rivé à sa mitrailleuse, vous en faites des manières.

— Voyez-vous, reprit Mat Dillon, je vois très bien le corset réapparaître dans vingt ou trente ans d'ici.

— Que voulez-vous que cela me fasse ?

— Je vois très bien dans un journal parisien de l'époque un article dans ce goût-là : « Un revenant, le corset, fait une réapparition sensationnelle en ce début de saison. Il va s'agir de remodeler le corps de la femme, statue vivante. Ces impératifs de la mode sont encore plus catégoriques que ceux de la haute philosophie. »

— Le voilà saisi d'un souffle prophétique, dit Kelleher qui surveillait attentivement les agissements de l'équipage du *Furious*. C'est quelquefois comme ça au moment de la mort.

— Je vois, continue Dillon, « des balconnets de nylon rose très baleinés. Des seins abondants s'y reposent dans des niches de tulle ». Je vois des guêpières « en tricot élastique descendant sur les cuisses. À la hauteur de la taille, on tisse dans une matière différente plus rigide, ce qui permet aux formes de s'épanouir de chaque côté d'une taille minuscule ». Et l'article se terminerait sur l'évocation du corset, disparu depuis 1916, ce grand metteur en scène de la nouvelle silhouette féminine : « seins généreux, taille de guêpe et derrière de Paris ».

— Bravo, dit Kelleher, tu déconnes à merveille.

— Moi je préfère ma mode parce qu'elle est celle d'aujourd'hui, dit Gertie.

— Elle est à tendance masculine. Pas de fesses, pas de seins, les épaules carrées.

— J'ai l'impression qu'ils vont débarquer, dit Kelleher. Ils doivent croire que nous sommes tous morts. Je vais leur envoyer une rafale pour qu'ils nous assènent encore quelques obus.

— Je ne le connais pas, celui-là, dit Gertie, faisant semblant de découvrir Kelleher. Les autres sont tous morts ?

— À commencer par Caffrey, répondit calmement Dillon.

— Merde ! se mit à gueuler Kelleher. Sacré bon Dieu de merde ! Ma machine est enrayée. Et voilà ces cons-là qui s'amènent.

Il se mit à s'affairer autour de sa mitrailleuse.

— Rien à faire. Je n'y comprends rien.

Il se tourna vers ses deux compagnons de survivance et aperçut Gertie. Il n'avait rien compris à sa conversation avec Dillon, ni le pourquoi de la robe. Il la reluqua très intéressé et marcha vers elle.

— Il est temps que je mette ma robe, dit-elle avec douceur.

Elle posa le carton. Dillon coupa la ficelle. Elle ouvrit le carton. Dillon déplia les papiers de soie. Elle regarda dans le carton.

— Ma robe de mariée ! s'exclama-t-elle.

Et à Dillon :

— Comme c'est gentil à vous.

Dillon l'aida à la mettre.

Kelleher était près d'eux.

— Grouillez-vous. On va descendre à la cave pour leur tirer dans les jambes et y crever héroïquement. Pas question qu'ils nous prennent vivants.

— Non ? lui demanda Gertie d'un air innocent.

— Vous, on vous laissera en vie. Allons, grouillez-vous.

— Et mon soutien-gorge ? Je l'ai perdu.

— Tant pis, dit Mat, vous n'en avez pas besoin.

— Ce n'est pas très correct, dit Gertie.

— Et vous la bouclerez, hein, dit Kelleher, quand les autres vous retrouveront auprès de nos deux cadavres.

— La boucler ? Qu'est-ce que ça veut dire ?

— Allons, Mat, grouille, grouille. On dirait que tu prends plaisir à la tâter. Oui, ma petite, il s'agira de te taire.

— À quel propos ? Pourquoi ?

— Nous sommes des héros et pas des salauds. Compris ?

— Peut-être.

— Bien sûr que tu as compris. Sans toi nous serions morts sans histoires, mais, parce que tu es allée pisser juste au moment de notre insurrection, notre gloire peut être ternie par des ragots infects et des calomnies dégueulasses.

— À quoi tiennent les choses, déclara Dillon distraitement.

Il recula de quelques pas pour contempler son œuvre :

— N'est-ce pas qu'elle est belle ? demanda-t-il à Kelleher.

— Oui. Elle est bath. Tu vas finir par me faire croire que les femmes sont des êtres tentants.

Et à Gertie :*

— Tu m'entends ? Rien ne s'est passé. Rien ne s'est passé. Rien ne s'est passé.

— Un homme peut prétendre cela, répondit Gertie avec un sourire immodeste. Une femme, c'est différent.

Elle lui cloua les yeux d'un regard sévère.

— Vous ne le savez peut-être pas ? Que dois-je comprendre à ce que vous venez de lui dire ? Que signifie ce : les femmes, c'est peut-être tentant ?

— Assez. Maintenant qu'elle est parée, descendons sous terre pour y soutenir notre dernier combat.

— Allons-y, approuva Dillon avec philosophie.

Gertie saisit Kelleher et le tint devant elle, immobile.

— Répondez-moi. Savez-vous que c'est idiot votre « rien ne s'est passé » ? Ou dois-je faire des gestes pour vous l'expliquer.

— Je vous dis de vous taire, plus tard, après notre mort.

— Pourquoi ? Pour la gloire de votre Irlande ?

— Oui.

— Ça c'est drôle, dit Gertie.

Dillon intervint :

— Tu ne sais peut-être pas qu'elle doit épouser le type qui nous bombarde.

— Ça c'est drôle, dit Kelleher.

D'un mouvement sec, il se dégagea de l'emprise de la fille et ce fut lui qui la saisit par les bras. Il se mit à la secouer :

— Tu vas te taire, hein, quand on sera mort ? Caffrey, Callinan, Mac Cormack, O'Rourke, tous étaient des vaillants et des purs. Tu ne vas pas les salir, hein ?

— Si vous croyez que je me souviens encore de leurs noms. Quel est le vôtre ?

— Corny Kelleher, répondit Mat Dillon.

— Ta gueule, toi. Et pourquoi nous avoir provoqués ? Ce sont des victimes, nos camarades. Tu es une impudique. Comment s'appelle-t-elle ?

— Miss Gertie Girdle, répondit Mat Dillon.

— Tu es une impudique, Gertie Girdle, tu es une impudique.

— Et vos héroïques camarades qui m'ont violée, qu'est-ce qu'ils sont˜

— Elle m'agace à la fin, dit Kelleher.

— L'agacement, c'est un sentiment bien faible, dit Gertie.

— Laisse-la donc, dit Mat. Tu vas froisser sa robe.

— Au diable la robe. Je veux qu'elle nous promette de se taire.

— Tu disais toi-même qu'elle n'oserait pas, que pour une jeune fiancée, ce ne sont pas des choses à répéter...

— Voire, dit Gertie.

— Je vois mieux la situation maintenant, déclara Kelleher.

— Elle est claire, dit Gertie. Vous êtes écrasés. Vous allez mourir.

— Il ne s'agit pas de cela. Il s'agit de vous. Vous n'en avez pas encore assez vu.

— Qu'est-ce que tu veux lui faire voir? demanda Dillon

Gertie se jeta contre Kelleher en riant.

— Et puis après? dit-elle. Et puis après?

Elle colla sa bouche contre la sienne et força le passage des dents.

Il se mit à lui caresser les seins dont il sentit les pointes se dresser.

— Elle n'en a pas encore assez vu, répétait-il avec une sombre obstination. Il faut qu'elle se taise. Elle n'en a pas encore assez vu.

Mat Dillon roulait une autre cigarette tout en regardant ce qui se passait avec curiosité. La situation s'animait singulièrement.

— Ils vont gâcher ma robe, murmura-t-il.

Puis la situation se renversa et Mat commença à comprendre les intentions de Kelleher. Il ne savait s'il devait les approuver, mais, maintenant, au milieu de ce désastre, à quelques heures, pas plus sans doute, peut-être quelques minutes, de la mort, tout lui était bien égal, et puis il avait toujours pour Kelleher la plus grande tendresse et la plus grande indulgence.

— Tiens-la, lui dit Kelleher.

C'était bien ce qu'il avait deviné. Il envoya promener sa cigarette d'une pichenette, saisit Gertie avec une vigueur qu'elle ne soupçonnait point et la maintint immobile. Elle était consentante d'ailleurs, et se laissait faire, car elle, elle n'avait pas encore compris.

— Mais, s'écria-t-elle bientôt, il ne faut pas faire ça. Mais vous ne savez pas vous y prendre. Mais je vous assure, avec une femme, ce n'est pas la manière. Mais vous êtes un ignorant. Vous vous croyez entre gentlemen. Mais je vous dis que ce n'est pas

comme ça. Mais je ne veux pas. Mais je ne veux pas. Mais...
Mais...

— La bougresse, gueulait Kelleher, elle racontera rien, elle
racontera rien, et personne pourra dire qu'on n'a pas été des
héros, des vaillants et des purs. Finnegans wake !

— Finnegans wake ! répondit Mat Dillon, très ému par tout ce
qui se passait. Je la ferais bien taire aussi, proposa-t-il timidement.

Gertie, changeant de mains, persistait à contester le bien-fondé
de la chose.

LXV

Il est une qualité que l'on ne peut refuser aux Britanniques, c'est le tact. Les marins du *Furious*, débarqués près du bureau de poste d'Eden Quay, y avaient pénétré discrètement, les uns armés de fusils, les autres de grenades. Ils cernèrent le groupe des survivants, ceux-ci inconscients de ce qui les entourait, mais ils attendirent que tout soit terminé pour intervenir, car ils n'auraient point voulu que la jeune fille rougisse devant eux en pensant qu'ils aient pu la surprendre dans une position immodeste.

Sa robe retomba donc sur ses pieds ; elle se redressa, le visage bien rouge et bien humide de larmes ; Kelleher et Dillon se regardèrent d'un air triomphant ; alors ils sentirent dans leur dos la piqûre d'une pointe de baïonnette. Ils levèrent les mains en l'air.

LXVI

Le commodore Cartwright, accompagné de ses lieutenants, descendit à terre. Au risque de se coller de la poussière sur leurs souliers, ils pénétrèrent dans les ruines du bureau de poste d'Eden Quay. Les marins avaient déjà allongé les cadavres dans un coin, par rang de taille. Deux autres rebelles, collés contre un bout de mur, attendaient, les bras levés.

Cartwright aperçut Gertie qui se jeta dans ses bras.

— Darligne, darligne, susurra-t-elle.

— Ma chérie, ma chérie, répondait-il.

La seule chose qui l'étonnât un peu, c'était qu'en de pareilles circonstances, elle portât une robe de mariée. Mais, non moins plein de tact que ses matelots, il n'en parla pas.

— Excusez-moi, lui dit-il, j'ai encore quelques devoirs de ma charge à remplir. Nous allons juger ces deux rebelles. Naturellement, en tant que rebelles pris les armes à la main, nous allons les condamner à mort, n'est-ce pas, messieurs?

Teddy Mountcatten et le second, après avoir réfléchi quelques instants, approuvèrent.

— Chérie, pardonnez-moi de vous poser cette question, mais ces rebelles, ils ont été… comment dire… corrects avec vous, n'est-ce pas?

Gertie regarda Dillon, Kelleher, puis les cadavres.

— Non, dit-elle.

Cartwright pâlit. Kelleher et Dillon demeuraient impassibles.

— Non, dit Gertie. Ils ont voulu soulever ma belle robe blanche pour regarder mes chevilles.

— Les salauds, gronda Cartwright. Les voilà bien les Républicains, des dégoûtants et des luxurieux.

— Pardonnez-leur, darligne, miaula Gertie. Pardonnez-leur.

— Impossible, ma chérie. D'ailleurs, ils sont déjà condamnés à mort, et nous allons les exécuter sur-le-champ, comme le désire la loi.

Il se dirigea vers eux.

— Vous avez entendu? Le tribunal militaire que je préside vous a condamnés à mort, vous allez être exécutés sur-le-champ. Dites vos dernières prières. Matelots, préparez-vous.

Le peloton d'exécution se forma.

— Je tiens à ajouter que, contrairement à ce que vous croyez, vous ne méritez pas de figurer dignement dans le chapitre de l'Histoire Universelle consacrée aux héros. Vous vous êtes déshonorés par le geste immonde que ma fiancée, malgré sa légitime pudeur, a bien été obligée de décrire. N'avez-vous pas honte d'avoir voulu soulever la robe d'une jeune fille pour admirer ses chevilles? Lubriques personnages, vous mourrez comme des chiens, la conscience ternie et pleine de désespoir.

Kelleher et Dillon ne tremblaient point. Derrière le dos de Cartwright, Gertie leur tira la langue.

— Qu'avez-vous à répondre? leur demanda Cartwright.

— On est toujours trop bon avec les femmes, répondit Kelleher.

— Ça c'est vrai, soupira Dillon.

Quelques secondes plus tard, truffés de plomb, ils étaient morts.

Sally plus intime

L'humour :
Prends l'humour et tords-lui son cul.

Deux sortes d'arbres :
Les hêtres et les non-hêtres.

Les écrivains célèbres :
Cette notice biographique l'avait complètement curriculum-vité.

Histoire de France :
Les Huns piquant des deux arrivèrent à Troyes quatre à quatre.

Cause de la grande intelligence des Sodomites :
Ils ne déconnent jamais.

Anatomie I :
Le trul du cou.

Anatomie II :
Le béat urinaire.

L'Océan :
Ça ne manque ni de saleur ni de quavité.

Faiblesse humaine :

La tante apporte un anuscrit.

Anthologie de l'humour noir :

« Demandez et l'on vous donnera. » (Luc, XI, 9.)

Rareté :

Les peintres qui peignent des peignes.

Mets choisi :

Le bisque basque d'écrevisse des crevasses.

Dieu :

Le non-être qui a le mieux réussi à faire parler de lui.

Au son du corps :

Bonne chiasse chie de rien.

Snobisme :

Porter toujours une chemise sale le dimanche.

Snobisme :

Se faire servir un walter-scott périer.

Ambition I :

Élever le calembour à la hauteur d'un supplice.

Déboires :

Ah ! il ne phallussait pas qu'il y aille !

Urologie :

Les tumeurs du Rien.

Poulailler :

Les coqs cons.

Nécrophilie :

Le téton beau des tombeaux.

La mort :

Le faible du fort.

Échecs :

Éviter le mat par le pat-agonie…

Pour la paix du monde :

Les États devraient avoir plusieurs concordes à leur arc.

De l'usage des mots :

On aime le camembert et l'on ne dit pas à un camembert : je t'aime.

Gynéco-logis :

Les loyers sont des enceints qui accouchent toujours à terme.

Le rhume :

Le barbre où beurt cette berbène.

Courtiser une femme :

Faire l'âne pour avoir du con.

Le virtuose :

Il fait l'âme pour avoir du son.

Saharienne :

Tous les mois les femmes ont leurs touareg.

Assise :

Saint François de Selle.

Voir la réalité en face, même si elle est désagréable ·

« Il faut bien en convenir, on étudie peu le gotique en France. »

(F. Mossé, *Manuel de la langue gotique*, p. 9.)

Contribution à l'histoire de la philosophie :

Après que Hume eut inventé l'humour,
Hegel dégela le concept.

Contribution à l'histoire de la poésie française au xixe siècle :

« L'expulsion des œufs se fait par une ouverture accessoire spécialement destinée à la ponte chez les Parnassiens. »

(Léon Binet, *Scènes de la Vie animale*, Paris, 1933, p. 147.)

Contribution à l'histoire de l'art :

« L'homme de bonne société ne devait pas jouer au cubiste. »

(G. Depping, *Merveilles de la Force et de l'Adresse*, Paris, 1871, p. 152.)

Le défaitisme au lendemain d'une défaite :

« La discipline militaire expire à 142 m 133 au-dessus du niveau de la mer. »

(G. Depping, *loc. cit.*, p. 167.)

Arithmétique affective :

L'amour : $1 + 1 = 1$.
L'orgueil : $1 \times 1 = 10$.
La vanité : $0,1 \times 0 = 10$.
Le complexe d'infériorité : $1 \times 1 = 0$.
Le complexe d'Œdipe : $1 + 2 = -2$.
L'angoisse : $1 \times \infty = 13$.
La volonté : $0 \times \infty = 0,01$.
Le crime : $1 + 1 = 1 + 0$.
La justice des hommes : $(1 + 1)\ (0 + 1/2) = 0 + 0$.
Le mysticisme : $1 \times \infty = 7$.
La connerie : $1/\infty = 0$
La foi : $3 = 1$

La charité : 1 000 − 1 = 999.
L'espérance : x = 15.000.000.
La gourmandise : 1 + 1 000 = 1,08
La luxure : 1 + 1 = 32.
La colère : 1 × 1 = 36.
L'avarice : 1 000 + 1 000 = 0,25.

Tout ce qu'il faut savoir de la question :

« POUEUN, PHOUEUN, PHOUON ou MUONG-PHOUON, population du Laos annamite, naguère organisée en royaume, tributaire de celui de Vien-Chan. Les villages poueun sont d'une malpropreté remarquable. »
(Nouveau Larousse Illustré, t. VI, p. 1053, col. 3.)

L'humour :

L'humour est une tentative pour décaper les grands sentiments de leur connerie.

Le gros public :
À poêle, Descartes ! à poêle !

Un enragé :
Aussitôt à table, il voulait foutre le potage.

Moralité :
Qui n'entend qu'une sloche n'entend qu'un con.

Arithmétique sportive :
Le champion du dizième de kilomètre.

Méditation :

Les idées se sont heurtées à la paroi de mon crâne et je les ai pansées.

Les petites pattes I :

Les toits de Paris, couchés sur le dos, leurs petites pattes en l'air.

Les petites pattes II :

Le corps de ballet s'avança fougueusement, sur ses petites pattes.

Les petites pattes III :

Les vers du tombeau, avec leurs petites pattes...

Les petites pattes IV :

Don Juan, avec tout ce fil autour de ses petites pattes...

Les petites pattes V :

La moutarde lui monte au nez, sur ses petites pattes.

Les petites pattes VI :

Il mit des bottes de sept lieues à ses petites pattes.

Les petites pattes VII :

Après des siècles de recherches, ils finirent par s'apercevoir que le triangle rectangle isocèle avait des petites pattes.

Les petites pattes VIII :

Les petites pattes des yeux, fixées dans le gras des paupières...

Les petites pattes IX :

Ç'aurait été un caillou fort ordinaire, s'il n'avait eu des petites pattes.

Les petites pattes X :

Après les avoir bien beurrées le maître queux saupoudra de parmesan ses petites pattes.

Les petites pattes XI :

L'agonie, sur ses petites pattes... pour si grands que soient les Patagons.

Les petites pattes XII :

La cantatrice s'égosillait, sur ses petites pattes.

Brocante :

Le vampire Empire se vend de vieux en pieu.

Philosophes et putains :

L'un permit de les appeler péripatéticiennes et l'autre respectueuses.

Le nerf nécroptique :

Il permet de voir les fantômes.

La pomme du Paradis Terrestre :

Une poire d'angoisse.

L'incrédulité de saint Thomas :

On le surnomma saint Thomas taquin.

(*Jean*, **XX**, 27-28.)

Mauvais genre

Les alcoolembours.

Gastronomie de la franchise :

Tartes sur câble.

Géométrie dans l'espace :

Un petit pois : la pocosphère.
Une miette de pain : la panisphère.
Un oursin : l'hérisphère.
Un crâne : la servosphère.
Une écorce : la périsphère.

Une vie :

Né en… — néant.

Veau qu'a bu l'air I :

Verhole (*vè-rol'* — orig. german. Cf. angl. *haul,* retourner) n. f.
Mar. Nom donné, dans la Manche et le port du Havre en particulier, au retour de marée portant en travers dans les jetées.

(*Nouveau Larousse Illustré.*)

Veau qu'a bu l'air II :

Hécate, n. f, amas solide de matière fécale qui se forme en
pyramide dans une fosse d'aisance.

(*Nouveau Larousse Illustré.*)

Rêverie à Kœnigsberg :

Il se disait : « Plus tard... Kant, dira-t-on. »

Mourir :

Se mettre aux vers.

Les conseils du docteur :

La recherche de l'urinium.

Un temps deux mouvements :

Le suparfait de l'injonctif.

C'est la vie :

L'oiseau cru fait cui-cui,
L'oiseau cuit ne le fait plus.

Le doute et la vase :

N'ivresse, ni fosse.

Scatologie :

Des propos de sphincter à terre.

Il la lui sort bonne :

Une étudiante travaille à un exposé sur La Fontaine, tout en mangeant du poisson à l'huile en conserve. Un camarade galant lui dit :

— Ton con, ton Taine et ton thon.

Logique I :

À tous les coups Socrate est un homme mortel.

Logique II :

Si la lune est un astre et si Pierre est con comme,
Alors Pierre est un astre autant que peut un homme.

Logique III :

Toujours les caporaux sont des hommes gradés
Mais quelques caporaux ne sont pas de Bretagne.

Logique IV :

De Boulogne à Calais quelques femmes sont rousses.

Vivre I :

On prend sa dose d'éternité.

Métaphysique I :

Par modestie, Dieu n'existe pas.

Métaphysique II :

L'alpha et le bêta de toute chose.

Vivre II :

Le malheur ne va pas plus loin que son ombre.

Ambition II :

Écrire pour la postéternité.

Ambition d'une autre sorte :

Écrire pour la postériorité.

Durécu :

« Toute sa vie, il (Pierre Durécu) observa une sobriété et une tempérance rigoureuses ; son horreur des boissons alcooliques était poussée presque à l'excès. »

(Abbé Anthiaume, *Le Sauvetage maritime au Havre pendant le XIXe siècle*, Paris, 1927, pp. 126-127.)

Les bonnes gens I :

« Dans cette seule ville de Marseille, il y a autant d'hommes que dans les trois provinces tibétaines. Tous sont riches et il n'est pas de pauvres... Les hommes ne se nuisent pas entre eux. »

(Adroup Gumbo, *Impressions d'un Tibétain en France*, Paris, 1910, p. 13.)

Les bonnes gens II :

Soyez snob pour les xuanimaz.

Langue morte ou vivante :

« Les Diagit parlaient le kakan ou kaka. »

(*Les Langues du monde*, p. 1117.)

Grave erreur :

Le navire sombra lorsque le capitaine voulut hisser cinq colonnes à la hune.

Le consensus universel :

L'accord des on.

Le tour du monde :

Plongitudes et platitudes.

Le poutche césarien :

Les allées jactent.

Labre du bien et du mal :

Mens sancta in corpore salo.

L'humoriste :

Le prisonnier du Cocasse.

Déjà :

« (A monster of a fowl, something between a Heideggre and owl.)

(Pope, *The Dunciad, I,* 290.)

Encore eux :

« Le koni parlé par les Ku ou Kundh ou Khond... est un parler sans culture. »

(*Les Langues du monde,* p. 490.)

Toujours eux :

« ... le sacrifice étant offert dans la croyance des Khonds au profit de toute l'humanité... »

(Mircéa Eliade, *Traité d'Histoire des Religions,* p. 296.)

Les prénoms tristes :

Pour tout potage, elle s'appelait Julienne.

HMR :

HuMouR
HoMèRe
HuMeR
HoMaRd

Sérénité :

Il est grand taon d'oublier les piqûres d'antan.

Un dernier mot :

Parler, c est marcher devant soi.

L'IMAGINAIRE
GALLIMARD

Axée sur les constructions de l'imagination, cette collection vous invite à découvrir les textes les plus originaux des littératures romanesques française et étrangères.

Volumes parus

Composition Interligne.
Impression Société Nouvelle Firmin-Didot
à Mesnil-sur-l'Estrée, le 2 juillet 2008.
Dépôt légal : juillet 2008.
1er dépôt légal : septembre 1979.
Numéro d'imprimeur : 90849.
ISBN 978-2-07-028752-9/Imprimé en France.